KB137664

인간의 본질을 추구한

미하일 체홉의 연기론

이 도서는 경기도, 경기문화재단의 2020년 경기도예술진흥공모지원사업의 지원을
받아 발간되었습니다.

인간의 본질을 추구한

미하일 체홉의 연기론

김영래 지음

도서출판 동인

책 머리에

미하일 체홉, 연극 그리고 인간

연극을 공부하는 학생으로, 무대에서 연기하는 배우로, 연극을 제작하는 극단 대표로 그리고 연극을 강의하는 교수로 약 25년 넘게 연극 안에서 살아왔다. 그 걸어온 인생은 기쁨과 슬픔이 씨줄과 날줄로 교차한 연극 그 자체였고, 대학원에서 연극영화학을 전공하며 미하일 체홉을 연구하게 된 것도 인생이라는 연극의 클라이맥스 중 하나였다.

본 저자는 체홉의 연기론에 매료되어 그에 관한 저서, 원서, 논문, 연기 훈련 동영상 및 육성녹음 등의 자료를 조사하다가 그의 연기론에서 루돌프 슈타이너와 인지학의 영향을 확인하게 되었다. 특히 인지학의 용어, 개념, 설명, 목적 등이 동일하게 또는 유사하게 차용됐다는 사실을 발견했다. 그래서 인지학을 공부하기 위해 인지학의 교육론을 실천하는 청계자유발도르프학교에서 인지학 연구모임 활동에 참가하게 되었다. 세계인지학회 '괴테아눔'(Goetheanum)의 회원이 되었으며 독일 인지학 학자 미하엘 데부스(Michael Debus)의 강연에도 참석하게 되었다. 이후 청계자유발도르프학교의 연극교사로 재직하며 체홉의 연기 테크닉과 인지학의 연극교육 방법을 접목한 연극수업을 진행했다. 이러한 연구와 경험을 바탕으로 체홉에 관한 연구논문을 발표하고, 미하일 체홉 워크숍을 진행했으며, 체홉의 연기 테크닉을 적용한 연극과 단편영화 작업에도 참여했다. 그리고 대학교에서 체홉의 연기 테크닉을 적용한 연기강의를 진행하고 있다.

본 저서는 이러한 슈타이너의 인지학과 체홉의 연기론에 관한 다양한 연구와 경험을 토대로 완성된 본 저자의 연극영화학 박사학위논문인 「루돌프 슈타이너의 인지학을 수용한 미하일 체홉의 연기방법론 연구」를 발전시켜 집필했다. 국내에서 슈타이너에 관한 연구는 교육학, 예술학이나 오이리트미 등 특정 분야에 치중되어 있고, 연극학 분야에서의 연구는 많지 않다. 체홉에 관한 연구도 거의 없고 특히 슈타이너의 인지학과 체홉의 연기론의 연관성에 관한 본격적인 연구는 국내에 아직 없다. 체홉의 연기론이 인지학의 영향을 받았다는 단순한 내용의 연구밖에 없어서, 본 저자가 슈타이너의 인지학과 체홉의 연기론을 비교, 분석하여 본 저서를 집필했다. 본 저자는 본 저서를 통해 체홉의 연기론의 근원과 개념, 슈타이너의 인지학을 수용한 체홉의 연기 테크닉에 대한 구체적 내용 그리고 궁극적으로 체홉이 추구한 배우의 연기와 배우의 상(像)에 관해 명확히 살펴보고자 했다. 특히 체홉의 저서에는 연기론의 개념들이 명확히 설명되지 않고 있는데, 이에 본 저자는 체홉의 연기론 및 개별 연기 테크닉의 개념, 본질, 목적 등을 이론적으로 구체화하여, 그의 연기론을 공부하는 배우들이 제대로 이해할 수 있도록 노력했다.

본 저서를 읽을 독자들에게 인지학과 관련한 중요한 관점을 먼저 제시한다.

첫째, 인지학은 자연과학적 세계관을 초월하는 학문이다. 과학은 눈에 보이는 세계가 전부라는 입장이며 세계를 파악하기 위한 시작은 눈에 보이는 가시적 세계에 대한 이해를 중심으로 이루어져야 한다고 주장한다. 하지만 인지학에서는 인간의 본질은 눈에 보이지 않는 비가시적 세계가 더 중요하다고 강조한다. 그래서 인지학을 이해하기 위해서는 자연과학적 세계관의 틀을 초월해야 한다. 인간에 대한 이해를 바탕으로 하는 학문인 인지학은 가시적 세계인 신체와 비가시적인 세계인 영혼과 정신의 연구를 통해 인간의 본질을 밝혀내고자 하는 학문이다. 이것이 배역의 육체적 행위뿐만 아니라 배역의 감정과 사고, 배역의 목적과 본질을 표현해내야 하는 체홉의 연기와 연결되는 부분이다.

둘째, 인지학은 '관계'와 '확장'에 대한 학문이다. 관계는 인간의 본질 속의 신체, 영혼, 정신의 관계, 인간과 또 다른 고차원적인 초자아와의 관계, 인간과 외부(자연, 종교, 우주)와의 관계 등이다. 확장은 인간의 능력을 고양하기 위한 감각의 확장, 사고의 확장, 인식의 확장 등이다. 이러한 관계와 확장을 통해 눈에 보이지 않는 진리를 밝혀내는 것이 인지학이다. 인지학에서는 인간이 지니는 본질적 오류 중 하나는 사물과 대상을 인간 중심적으로 판단하는 것이라고 말한다. 인간 존재도 중요하지만, 자연과 우주에 존재하는 모든 사물과 대상의 세계와 본질을 인정하고 그들과의 관계를 맺음으로써 인간의 능력을 더욱 확장할 수 있다고 한다. 이러한 관계와 확장의 중요성은 체홉의 연기론에도 적용된다. 그는 배우가 연기해야 되는 모든 대상 또는 대본에 주어져 있는 모든 배역은 영혼을 가지고 있는 존재라고 보았고 그래서 배우가 배역을 표현하고 연기하기 위해서는 그 배역과 진정한 관계를 맺어 하나의 영혼이 되어야 한다는 것을 강조한다. 또한 체홉은 배역 중심의 연기를 강조하며 배우가 오로지 자신의 경험과 재료만을 활용하여 연기하는 것에 문제점과 한계가 있다고 지적했다. 배우는 배역, 다른 배우들, 관객과의 올바른 관계 속에 앙상블을 만들고 이를 통해 연기와 연극의 목표가 확장될 수 있다고 본다.

본 저자는 슈타이너의 인지학과 체홉의 연기론의 연관성에 대한 연구를 통해 체홉이 추구한 것은 '깨달음의 연기'라고 정의하고 싶다. 인지학에서는 집중과 관찰, 내면의 순수한 사고, 인식의 확장 등을 통해 깨달음을 얻은 자만이 정신세계를 인식하고 고차적 자아를 만날 수 있다고 한다. 체홉도 배우의 연기라는 것이 반복된 연기 테크닉 훈련을 통해 기계적으로 만들어지는 것이 아니라, 온전히 배역을 이해하고 배역을 표현하며 그 안에서 배우 자신을 찾아내고 그 배역의 본질을 발견하는 성찰의 과정이라고 말하고 있다. 체홉의 연기론에서 상상력, 영감, 직관, 분위기, 심리제스처, three sisters, four brothers, 고스트, 문지방 넘기, 카르마, 고차적 자아 등 철학적이고 형이상학적이며 비가시적인 영혼과 정신세계의 용어들이 많이 등장하는 것은 연기라는 것이 테크닉을 뛰어넘어 본질에 접근하는, 깨달음을 얻기 위한 작업이라는 것을 강조하려고 했기 때문이라고 본다.

인생의 고비마다 등대가 되어준 고마운 사람들 덕분에, 본 저서를 세상에 내놓을 수 있게 되었다. 연극학 연구 및 박사학위논문 진행에 아낌없는 지도와 편달을 주신 한양대학교 연극영화학과 권용 교수님, 조한준 교수님, 임연진 교수님께 감사를 드린다. 체홉 연구에 많은 도움을 주신 김선 교수님, 정수연 교수님 그리고 항상 용기를 북돋아주신 김미혜 교수님, 박재완

교수님, 최원효 교수님께 감사를 드린다. 정화예술대학교 공연예술학부 김성택 교수님, 최종환 교수님, 임주현 교수님과 동료 교수님들께 감사를 드린다. 청계자유발도르프학교의 이은화 선생님, 이동민 선생님 그리고 인지학을 함께 공부하고 있는 인지학연구모임 '오솔길'의 선생님들께 큰 고마움을 전한다. 본 저서의 출간을 위해 애써준 도서출판 동인의 이성모 사장님과 송정주 편집장님께 큰 감사를 드린다. 여기에 그 이름을 다 적지는 못했지만 인생과 연극을 통해 만난 많은 선배, 동료, 친구, 후배들께도 마음을 담아 고마움을 전한다. 끝으로 언제나 묵묵히 응원해주는 극단 아이터 최정후 선배, 매형 김진수 님, 누나 김소영 님께 큰 사랑을 전한다.

루돌프 슈타이너는 햄릿이나 맥베스를 아는 것보다 진정한 인간을 아는 것이 더 중요하다고 말했다. **미하일 체홉**도 모든 예술가들의 궁극적인 목표는 인간을 자유롭고 완벽하게 표현해내는 것이라고 했다. 본 저서가 배우의 연기와 그 연기의 목적인 인간에 대해 성찰하는 작은 계기가 되었으면 좋겠다.

2020년 4월 어느 새벽에

김영래

차례

제2부 미하일 체홉의 연기론

프롤로그

루돌프 슈타이너와 미하일 체홉

본 저서는 루돌프 슈타이너의 인지학과 미하일 체홉의 연기론을 비교하여 그 연관성을 고찰하고 이를 통해 체홉의 연기론에 대한 근원적 이해를 모색함을 목적으로 한다. 체홉이 수용한 슈타이너의 인지학을 토대로 체홉의 연기 테크닉의 구체적인 개념, 본질, 목적, 일부 훈련적용 사례 등을 심층적으로 고찰함으로써 체홉이 추구한 연극의 본질, 배역의 본질, 배우의 상(像)을 제시하고자 한다.

체홉은 그의 저서 *On The Technique of Acting*에서 슈타이너의 다음 언급을 인용하고 있다.

> 루돌프 슈타이너가 말했다. "세상을 잘 알지 못하는 배우들을 자주 만난다. 그들은 셰익스피어, 괴테, 실러의 작품 속에 나오는 캐릭터들은 잘 안다. 그들은 윌리엄 텔, 햄릿, 맥베스, 리처드 3세는 잘 안다. 그들은 희곡

문학 속에 반영된 세상은 잘 안다. 그러나 진정한 인간은 잘 알지 못한다." 이것이 중대한 진실이다.[1]

인간에 대한 이해의 필요성을 반어적으로 강조한 위 글이 본 저서의 단초를 함축적으로 표현하는 문장이고, 본 저자가 슈타이너의 인지학과 체홉의 연기론의 연관성을 연구하게 된 계기가 되었다. 먼저 체홉과 슈타이너 그리고 슈타이너의 인지학에 대해 간단히 살펴본다.

미하일 체홉(Michael Chekhov, 1891~1955)은 러시아의 훌륭한 배우이자 연출가이며, 20세기 연극 및 배우의 연기 테크닉 발전에 있어 중요한 방법론을 확립한 연기 지도자이다. 체홉은 스타니슬라브스키(Konstantin Stanislavsky, 1863~1938)의 체험과 정서기억으로부터 탈피하여 상상력, 이미지, 심리제스처, 가상의 신체, 중심, 창조적 응시, 초자아 등의 개념을 연기론으로 구축했다. 체홉은 자신의 연기론을 '영감의 연기'(Inspired Acting)라고 정의하며 직관과 상상력을 연극예술의 중요한 원천으로 강조했다. 그는 현대 연기론에서 거의 언급하지 않았던 영혼과 정신의 가치에 대해 객관적이고 과학적인 접근을 시도했으며 이를 체계적인 훈련방법으로 발전시켜 배우의 연기 창조 영역을 정신적인 측면으로 승화시켰다.

루돌프 슈타이너(Rudolf Steiner, 1861~1925)는 독일계 오스트리아인으로 인지학의 창시자이며 철학자, 과학자, 예술가, 건축가이다. 그는 괴테

---

1) Rudolf Steiner said, "Again and again one meets actors who don't really know the world. However, they know the characters in Shakespeare's, Goethe's, and Schiller's writings well. They know William Tell, Hamlet, Macbeth, Richard III. They know the whole world as a reflection of dramatic literature, but they don't know real people." This is a grave truth. Michael Chekhov, *On The Technique of Acting*, New York: Harper Collins Publishers, 1991, 97~98쪽.

(Johann Wolfgang von Goethe, 1749~1832)의 자연과학적 저서들에 대한 연구와 신지학회 활동을 통해 인간의 본질에 대한 탐구를 시작했다. 1912년에는 학문적 방향의 차이로 신지학회를 탈퇴하여 인지학회를 창립했고 인지학이라는 학문을 정립했다. 1919년 독일 슈투트가르트에서 인지학의 인간본질론, 교육론을 구현하는 발도르프학교를 창시했다.

인지학(人智學, Anthroposophy)은 슈타이너에 의해 체계화된 철학으로 진리를 향한 인간의 지혜를 연구하는 정신과학[2]이며, 물질주의에 맞서 인간 정신의 우위를 다루는 학문이다. 인지학은 인식론, 인간본질론, 인간발달단계론, 인간기질론, 인간구원론, 윤회론, 교육론, 우주론 등 방대한 분야를 포괄하는 정신과학 체계이며 의학, 농업학, 교육학, 사회학, 특수교육학, 경제학, 연극학, 무용학 등 다양한 분야에 영향을 미친 실천학문이다. 인지학은 인간과 세계의 본질을 직관하기 위한 인간의 인식능력을 계발시켜야 한다는 이론에 중점을 두고 있으며, 이러한 인식능력은 인간의 수행과 명상에 의해 얻어지는 고차적 자아에 의해 발달된다고 설명한다. 인지학에 의하면 인간은 신체, 영혼, 정신의 3가지 요소로 이루어져 있고 영혼과 정신은 영원히 윤회하는 것으로 육체의 발생 이전부터 존재했고 육체의 소멸 이후에도 존재한다. 영혼은 육체와의 관계를 긴밀하게 하여 더욱 발달되고 정신은 더 높은 자아를 형성하여 인간의 내적 성숙을 추구한다. 슈타이너는 인간의 물질세계와 정신세계를 이원론적으로 구별하려고 하지 않고 이

2) 정신과학(精神 + 科學, Psycho Science 또는 Mental Science)은 인간의 정신작용과 그로 인한 문화현상을 이론적으로 연구하는 학문으로 철학, 심리학, 역사학, 경제학, 정치학 등을 통틀어 이르는 말이다. 여기서의 과학은 사물의 현상에 관한 보편적 원리와 법칙을 알아내고 해명하는 것을 목적으로 하는 지식체계나 학문을 의미한다. 정신질환을 연구하는 의학의 한 분야인 정신과학(精神科 + 學, Psychiatry)과는 다른 의미이다.

들을 조화롭게 통합하려고 시도했다.

이러한 설명을 근거로 살펴보면 슈타이너와 체홉, 슈타이너의 인지학과 체홉의 연기론은 표면적으로는 철학과 연극학이라는 학문적 관점에서 전혀 관련이 없는 듯 보인다. 그러나 본 저자는 체홉의 연기론을 고찰하면서 다른 연기론에서는 볼 수 없는 정신세계, 영혼, 고차적 자아, 카르마와 같은 철학적, 정신적 영역에 속하는 개념과 이론들을 발견했고 그 근원과 배경에 대해 연구를 진행하게 되었다. 실제로 체홉은 그의 연기론의 근원을 슈타이너의 인지학이라고 인정했다. 여기서 슈타이너와 인지학에 대한 체홉의 평가와 그 배경을 살펴본다.

체홉은 1918년 배우로서 정상의 위치에 있을 때 어머니의 죽음, 이혼 및 딸과의 이별, 알코올 중독, 자살의 공포 등 개인적인 문제, 그리고 배우로서의 이상과 새로운 연기양식에 대한 갈망이라는 연극적인 문제로 최악의 우울증과 정신분열증을 앓게 된다. 체홉은 이러한 자신의 심리적, 정신적 공황상태가 의사의 치료가 아니라 슈타이너의 인지학에 의해 치유되었다고 설명한다. 인지학이 그의 인생과 예술세계의 공백을 채워주었다는 것이다. 체홉은 슈타이너의 제자들이 모스크바 극장에서 개최한 인지학에 기반한 오이리트미 공연을 관람했고 강렬한 인상을 받았다. 그는 인지학이 오랫동안 고민해왔던 자신의 문제들을 해결해 줄 수 있을 것이라고 믿었다. 자서전에서 "인지학과의 만남은 내 인생에서 가장 행복했던 시기였다."[3]라고 고백했을 정도로 인지학은 그가 불행한 시기를 극복해내고 새로운 연기양식의 활로를 찾는 계기가 되었다. 슈타이너의 인지학은 그의 연기론의

3) This 'encounter' with Anthroposophy was the happiest period in my life. Michael Chekhov, Edited by Andrei Kirillov and Bella Merlin, *The Path of The Actor*, Oxon: Routledge, 2005, 135쪽.

이론적 토대가 되었고 그의 연기론을 확장시키는 예술적 수단이 되었다. 체홉은 인간에 대한 깊이 있는 이해를 주장하며 인지학을 자신의 연기론의 중심에 넣었고, 인지학을 수용하여 자신만의 독창적인 예술성과 테크닉으로 변형시켰다. 배우의 신체와 영혼, 정신은 서로 분리될 수 없는 연기의 핵심적 요소들이고, 배우의 연기 테크닉이 심리 · 신체적이어야 하는 이유는 인지학의 3중적 '통합성'에서 비롯된 것이라고도 했다. 체홉은 배우의 경험을 무대 위에 재현해내는 것에 중점을 두는 스타니슬라브스키의 연극에 대해 자신이 품었던 의문이, 슈타이너의 정신을 중시하는 철학과 예술론을 통해 해결의 실마리를 찾았다고 했다. 체홉이 연극예술에 있어서 육체와 정신의 이분법적 구분을 극복한 것이나, 스타니슬라브스키의 연기론에서 강조하는 개인적인 체험과 정서기억에서 탈피한 것은 슈타이너의 영향이 크다고 할 수 있다.

인생의 고통과 예술의 방황기에 슈타이너의 인지학으로부터 큰 영향을 받았다고 스스로 인정한 체홉의 평가와 그 배경을 근거로, 슈타이너의 인지학과 체홉의 연기론에 관한 몇 가지 문제 제기를 통해 본 저서의 목적을 더욱 명확히 제시하고자 한다.

첫째는 체홉의 연기론과 슈타이너의 인지학의 학문적 연관성의 문제이다. 이것은 슈타이너의 철학적 고민(인간과 인간의 본질)과 체홉의 예술적 고민(예술과 연극의 본질)이 어떠한 연관성으로 연결되었기에 체홉이 슈타이너의 인지학을 그의 연기론에 수용하였는가 하는 것이다. 본 저자가 고찰한 바에 의하면 체홉과 슈타이너의 직접적인 연결점은 2가지로 여겨진다. 1918년 체홉이 러시아에서 슈타이너 제자들의 오이리트미 시범공연을 관람한 것과 체홉이 1922년 유럽 순회공연 중 네덜란드를 방문하여 슈타이너의 강의를 직접 듣고 연극 예술에 대해 대화를 나눈 것이다.[4] 슈타이너와 체홉이 살았던 세대와 학문의 분야가 달랐으므로, 그들 사이의 학문적 연관성을 찾아보는 것은 두 거장에게 관통하는 인간의 본질과 예술의 본질이라는 철학적, 예술적 성찰에 대해 연구하는 것이 될 수 있다. 또한 그것은 시대와 공간을 초월하는 예술가들의 공통적이고 보편적인 고민에 대한 해답을 찾는 것이기도 하다.

둘째는 체홉이 수용한 인지학의 인간관과 세계관, 예술관의 문제이다. 체홉이 그의 연기론에 수용한 슈타이너의 인지학적 인간관, 세계관, 예술관은 구체적으로 무엇인가 하는 것이다. 체홉은 슈타이너의 인간본질론에 의거하여 "무대 위에 만들어진 연극의 이념은 정신이고, 분위기는 영혼이며, 보이고 들리는 모든 것은 신체이다."[5]라고 말했다. 체홉은 슈타이너의 인지학을 통해 체험과 정서기억을 정신세계의 영역에 속하는 상상과 직관으로 대치했다. 인식론적 측면에서 슈타이너는 영혼과 정신의 실재를 주장하였는데, 체홉도 영감의 연기를 주장하며 영혼과 정신을 강조하고 고차원적 존재, 초자아 등의 개념을 연기에 도입했다. 따라서 체홉의 연기론에 자주 나타나는 슈타이너의 인지학 또는 인지학적 인간관, 세계관, 예술관을 살펴보는 것은 체홉의 연기론을 이해하는데 필수적인 과정이라고 본다. 슈

4) Mala Powers, *Michael Chekhov: On Theatre and The Art of Acting: A Guide to Discovery with Exercises*, New York: The Working Arts Library, 2004, 18쪽. 체홉의 육성 녹음 CD의 가이드 책자인데 체홉의 제자이자 배우이며 미국미하일체홉협회 공동 창립자인 말라 파워스의 저서이다. 그녀는 체홉의 유언집행자로서 체홉의 주요 저서들이 출판되는데 중요한 역할을 했고, 이 저서에도 체홉으로부터 직접 청취한 체홉의 연기론이 소개되어 있다. 이 책을 통해 실제로 슈타이너와 체홉의 만남이 있었음을 확인했다.

5) The idea of a play produced on the stage is its spirit; its atmosphere is its soul; and all that is visible and audible is its body. Michael Chekhov, *To The Actor*, New York: Routledge, 2002, 47쪽.

타이너의 인지학을 수용한 체홉의 연기론은 다양한 인물을 구축하고 연기해야 하는 배우들에게 인간의 본질, 배역의 본질에 대해 고민해볼 수 있는 기회를 제공할 것이다.

셋째는 체홉의 연기론과 슈타이너의 인지학의 개별적 연관성 문제이다. 슈타이너의 인지학의 용어와 개념들이 체홉의 개별적인 연기 테크닉에 어느 정도의 연관성으로 어떻게 적용되었는가 하는 것이다. 체홉의 연기론 중 본 저서에서 살펴보는 구체적 연기의 개념 또는 훈련방법인 영감, 문지방 넘기, 고차적 자아, 심리제스처, 가상의 신체, 중심, 감각기억, 분위기, 즉흥, 발산, 창조적 응시, 이미지통합과 상상, 고스트 등은 모두 기본적으로 인지학적 세계관, 인식론, 인간본질론(3중 구조이론, 9중 구조이론, 12감각론, 고차적 자아), 인간구원론, 카르마와 윤회론, 정신인식론, 교육론, 예술론 등 다양한 인지학의 개념과 이론을 토대로 한다. 예를 들어 인지학의 '가상의 신체 옷 입기'는 인간과 자아의 관계, 인간의 본질에 관한 개념인데, 체홉은 이를 '가상의 신체'라는 개념으로 받아들여 "가상의 신체는 캐릭터 구축에 있어 가치가 있고 배우의 연기를 더 풍부하게 만든다."[6]고 설명하고 있다. 이를 근거로 슈타이너의 인지학을 고찰하는 것은 체홉의 연기론의 근원적 본질을 보다 쉽게 이해하여 배우의 연기에 적용할 수 있는 유용한 접근이라고 판단한다. 따라서 슈타이너의 인지학과 체홉의 연기론과의 관계를 자세히 밝혀 그의 연기 테크닉 또는 훈련과제들이 연극 현장에서 올바르게 훈련되고 적용될 수 있도록 하고자 한다.

넷째는 슈타이너의 인지학을 수용해 체홉이 추구한 배우의 상의 문제이다. 체홉이 슈타이너의 인지학을 받아들여 그의 연기론 특히 인물구축과 배

---

6) Mala Powers, 같은 책, 8쪽.

우의 연기라는 측면에서 궁극적으로 추구한 배우의 상은 무엇인가 하는 것이다. 체홉은 배우가 작가의 대본에만 안주하거나 연출이 지시한 동작만을 수행하는 것으로 배우 자신의 범위를 한정해서는 안 된다고 하며 타인이 만든 창작물의 노예가 되지 말라고 강조했다. *On The Technique of Acting*을 번역한 윤광진도 체홉의 연기론은 연출자의 시각에서 형성된 다른 연기체계와는 다르다고 설명한다.[7] 이를 근거로 체홉이 추구한 배우의 상이 슈타이너의 인지학과 어떠한 연관이 있는지 살펴보고, 또한 이를 통해 체홉이 궁극적으로 추구하고자 한 배우의 상은 무엇인지 밝혀보고자 한다.

다섯째는 체홉의 연기 테크닉에 대한 정신적인 측면에서의 연구의 필요성이다. 이것은 체홉의 저서들이 체홉의 연기론을 훈련방법, 훈련과제 등 테크닉적인 측면에서 서술하는 점과 구체적인 용어 및 개념을 그의 다른 테크닉과의 관계성에 의존하여 설명하려는 점에서 기인한다고 본다. 정신적인 측면에서의 연구의 필요성에 관하여 레너드 페티(Lenard Petit)는 체홉의 연기론에는 배우에게 필요한 창조적 정신이나 고차적 자아 같은 정신적 요소가 있다고 말했다.[8] 체홉의 연기론을 이해하기 위해서는 오이리트미나 이미지 같은 형이상학적인 개념들에 대한 깊은 이해가 선행되어야 한다는 학자도 있다.[9] 이러한 문제인식을 토대로 체홉의 연기 테크닉의 신체적, 정신적 양면성에 대해 고찰해보고자 한다. 체홉의 연기론이 단순히 무

---

7) 윤광진, 「연기훈련방법론: 신체이미지를 통한 인물접근방법 －미카엘 체홉의 '연기테크닉'을 중심으로」, 『연극교육연구』, 한국연극교육학회, (5)2000, 114쪽.

8) Lenard Petit, *The Michael Chekhov Handbook: for The Actor*, New York: Routledge, 2010, 16쪽. 미국 럿거스대학교의 체홉 연기 테크닉 교수이자 체홉 마스터 클래스 DVD 공동제작자인 레너드 페티가 집필한 체홉 연기 테크닉에 관한 개론서이다.

9) Peter Hulton, "Deirdre Hurst du Prey: Working with Chekhov", *The Drama Review: TDR*, Vol. 27, No. 3, (T99) 1983, MIT Press, 88쪽.

대 위에서 활용되는 배우의 연기 기술뿐만 아니라, 배우가 연기하는 배역 즉, 인간 본질에 대한 깊은 이해와 탐구를 위한 정신적인 측면을 포함하고 있다는 것을 밝혀보고자 한다.

슈타이너의 인지학에 대한 비판적인 견해도 존재한다. 인지학에서는 인간의 정신과 자유는 인간의 순수한 성찰과 수행으로 얻어질 수 있다고 강조하지만, 정치적 · 사회적 · 경제적 문제가 복합적으로 작용하는 인간 해방 및 계급 · 계층 문제를 단순히 개인의 문제만으로 인식한다는 철학자와 사회학자들의 비난을 받고 있다. 슈타이너는 끊임없이 인지학이 자연과학적인 방법의 토대 위에 체계화된 이론이라고 주장하나, 과학자들은 자연과학적 법칙과 진화론을 무시하는 비과학적 학문으로 폄하하고 있다. 슈타이너는 정신적 성찰을 통해 인간이 그리스도가 될 수 있다는 인간구원론으로 인해 종교학자들로부터 고대 비밀 종교, 신비주의, 신지학, 카르마와 윤회론 등의 영향을 받은 이단으로 몰리고 있다. 체홉의 연기론에 대해서도 영혼과 정신이라는 형이상학적인 개념을 도입하여 신비주의적이라는 점과 심리적인 측면에 대한 지나친 강조로 인해 배우의 기초적인 신체 훈련의 결핍을 가져온다는 비판이 제기되고 있다. 이러한 비판에 대해 본 저자는 슈타이너의 인지학이 인간의 본질에 대한 이해, 영혼과 정신의 가치 탐구, 인간의 계발과 교육이라는 측면에서는 그 가치를 인정할 수 있다고 판단하며, 객관적인 입장에서 체홉이 연극적 가치가 있다고 인정하여 수용한 인지학의 범위 내에서 서술하고자 한다.

한편 1990년 이후 체홉의 연기 테크닉에 관한 연구 및 교육은 미국미하일체홉협회(National Michael Chekhov Association, NMCA)와 미하일체홉협회(The Michael Chekhov Association, MICHA)를 중심으로 진행되고 있다. NMCA는

1993년에 말라 파워스(Mala Powers 1931~2007), 리사 달톤(Lisa Dalton), 윌 킬로이(Wil Kilroy) 등이 공동으로 창립한 단체이다. 체홉의 연기 테크닉과 관련된 배우 연기 교육, 강사 인증 등의 업무를 진행하고 있다. 세계 최초로 체홉 강사 인증 프로그램을 시작했고, 체홉의 대표적인 저서들은 NMCA에 의해 정리, 출간되었다. MICHA는 1936년 영국의 다팅톤(Dartington)에 세워진 미하일 체홉 스튜디오와 미국 캘리포니아에서 운영하던 드라마 소사이어티 출신의 제자들을 주축으로 하여 설립자 조안나 멀린(Joanna Merlin), 베아트리스 스트레이트(Beatrice Straight, 1914~2001), 데어드리 허스트 듀 프레이(Deirdre Hurst du Prey, 1906~2007) 등이 1999년에 창립한 단체이다. 배우, 교수, 학자, 연출가들의 국제 공동체를 육성하여 미하일 체홉의 연기 테크닉을 미래 세대와 연결시키고자 함을 목적으로 하며 체홉의 연기 테크닉 워크숍, 연기 교육, 강사 인증 업무를 진행하고 있다. 본 저서에서 언급하거나 참조한 저자들 중 말라 파워스, 리사 달톤, 안잘리 데시판디 허친슨(Anjalee Deshpande Hutchinson)은 NMCA 소속이고 조안나 멀린, 데어드리 허스트 듀 프레이, 데이비드 진더(David Zinder), 레너드 페티(Lenard Petit)는 MICHA 소속이다.

체홉의 주요한 저서는 *The Path of The Actor*, *To The Actor*, *On The Technique of Acting*, *Lessons for The Professional Actor* 등이다. *The Path of The Actor*는 체홉이 1924년에 저술한 자서전이다. 나머지 체홉 관련 저서 3권은 데어드리 허스트 듀 프레이가 1935년 영국의 다팅톤 체홉스튜디오를 시작으로 이후 7년간 체홉의 강의와 훈련 등을 속기로 기록했는데, 말라 파워스, 멜 고든 등이 이 자료를 분류하여 출간했다.

20세기 이후의 연극학에서는 배우가 연기하는 배역에 대한 질문이 심리, 내면의 문제로 옮겨가고 있다고 본다. 배우가 극중 인물을 창조한다고 하는 것은 결국 그 인물을 어떻게 이해하고 파악하느냐의 문제이기 때문이다. 그러한 측면에서 인간의 본질에 대한 이해와 성찰을 기본으로 하는 슈타이너의 인지학과 이를 수용한 체홉의 연기 테크닉의 연관성을 고찰하는 것은 체홉의 연기론을 올바르게 이해하는 데 큰 도움이 될 것이다.

제 1 부

루돌프 슈타이너의 인지학

제1부에서는 슈타이너의 인지학에 기본적 토대를 두되 그 이론에 얽매이지 않는 창의적 조망과 비판적 수용을 통해 슈타이너의 인지학을 설명한다.

제1장 '슈타이너의 인지학'에서는 슈타이너의 생애, 인지학의 시대적 · 학문적 · 사회적 배경, 인지학의 기본 개념, 인지학의 인식론 등에 대해 살펴본다.

제2장 '슈타이너의 인간본질론'에서는 인간본질론의 3중 구조이론과 9중 구조이론, 12감각, 정신세계인식, 고차적 자아의 개념 등에 대해 살펴본다.

제1장

슈타이너의 인지학

슈타이너의 인지학을 수용한 체홉의 연기론을 이해하기 위해서는 먼저 슈타이너의 생애, 인지학의 시대적 · 학문적 배경, 인지학의 정의 및 인식론 등을 고찰하여 슈타이너의 인지학과 체홉의 연기론의 연관성의 근거를 파악해야 한다.

슈타이너의 생애는 체홉이 인지학을 만나는 계기와 연관이 있다. 1918년 체홉이 슈타이너 제자들의 오이리트미 시범공연을 통해 강렬한 인상을 받았다는 사실, 이후 체홉이 러시아 인지학센터와의 교류를 통해 인지학을 공부했다는 사실, 1922년 체홉이 네덜란드를 방문하여 슈타이너의 강의를 듣고 연극예술에 대해 대화를 나누었다는 사실 등이 슈타이너의 생애와 관련지어 살펴볼 부분이다.

인지학의 등장 배경, 인식론 등도 체홉의 연기론과 연관되는 부분이 많다. 인지학의 등장 배경을 통해 19세기 말과 20세기 초에 독일과 러시아에 살았던 슈타이너와 체홉에게서 세계대전, 산업사회의 모순, 유물론의 등장 등 시대적 공통점을 발견할 수 있다. 슈타이너의 인지학이 동양철학과 신비주의의 영향을 받았다고 비판을 받았는데, 체홉도 힌두 철학과 고대 희랍연극에 관심이 많았다. 체홉 자신도 1927년 소련정부가 금지한 오이리트미를 이용한 연극 때문에 이상주의자 또는 신비주의자라고 비난받았고, '이질적이고 반동적이며 병적인 예술가'로 낙인찍혀 러시아를 떠났다. 인식론 측면에서도 슈타이너는 영혼과 정신의 실재를 주장하였는데, 체홉도 영감의 연기를 주장하며 영혼과 정신을 강조하고 고차원적 존재, 초자아 등의 개념을 그의 연기에 도입했다.[10]

위에 언급한 근거를 토대로 본 장에서는 슈타이너의 생애, 인지학의 배경, 인지학의 기본 개념 등에 대해 살펴본다.

1. 슈타이너의 생애

루돌프 슈타이너의 인지학을 이해하기 위해 특히 체홉의 연기론과의 연관성이라는 측면에서 그의 생애와 학문적 관심, 그가 영향을 받은 자연과학, 철학, 교육학 등에 대해 고찰한다.[11]

---

10) 본문에 자주 등장하는 초감각적 세계, 고차적 세계 등은 정신세계와 동일한 의미이다. 또한 고차의 자아, 초월적 자아, 창조적 자아, 초자아, 고차원적 존재는 고차적 자아와 동일한 표현이다. 번역상 또는 서술상의 차이이며 정신세계, 고차적 자아를 각각 대표 용어로 사용했다. 단, 인용문의 경우 가급적 원문의 용어를 사용했고 필요한 경우 그 의미 또는 개념의 차이를 설명했다.

11) 슈타이너의 생애와 관련된 서술은 슈타이너의 자서전, 출판물의 기록, 그의 활동 이력 등을 참고하여 본 저자가 재구성한 것이다.

슈타이너는 1861년 2월 27일, 오스트리아 남부, 현재의 헝가리와 크로아티아 국경에 있는 크랄예백(Kraljevec) 지방에서 태어났다. 그는 오스트리아 남부 철도청 소속의 철도 전신기사인 아버지를 따라 오스트리아의 여러 지방을 다니며 어린 시절을 보냈다. 2살부터 8살까지는 알프스의 산으로 둘러싸인 오스트리아의 포트샤흐(Pottschach)에서 지냈다. 어릴 때부터 철도 공무원인 아버지의 영향으로 기계문명에 대해 깊은 관심을 갖게 되었다. 슈타이너의 가정은 아주 가난했지만 아버지의 교육열은 대단해서 슈타이너를 직접 가르치기도 했다.

8살이 된 슈타이너와 가족은 헝가리와 맞닿은 국경선에 위치한 노이되르플(Neudörfl)로 이사했다. 새로 다니게 된 학교에서 그는 보조교사를 통해 기하학에 매료되었고 '피타고라스의 정리' 등 기하학을 통해 세계를 보는 새로운 관점이 생겨났다. 피타고라스의 정리는 '직각삼각형의 빗변의 제곱이 직각을 둘러싼 각 변의 제곱의 합과 같다.'는 수학적 증명이지만 이것은 수학적인 의미를 뛰어넘는 철학적, 신비주의적 경향을 내포하고 있다.

〈그림 1〉 루돌프 슈타이너

피타고라스는 이 정리를 증명했지만 감각세계에서는 아무리 정교한 그림을 그리더라도 정확한 직각삼각형을 그릴 수 없다는 사실을 알게 되었다. 이를 통해 '진짜 직각삼각형'은 감각으로 관측하는 세계가 아닌 영혼으로 인식하는 세계에 있는 것이고, 감각세계의 것들은 '진짜'를 모방한 '가짜 모

사물'에 불과하다는 결론에 도달한다. 피타고라스는 이러한 결론을 더욱 확장하여 '수'라는 것이 시간에 구속받지 않는 영원한 것이며, 인간의 삶도 사후의 영혼의 삶이 존재하며 불멸, 윤회한다고 주장했다. 슈타이너도 이러한 세계관의 영향을 받은 것으로 추측한다. 그는 감각을 통해 볼 수 있는 세계는 인간 외부 공간에 존재하는 것이고, 인간 안에 정신적인 사건과 사물을 위한 또 하나의 영혼적이고 정신적인 공간이 실재한다고 생각했다. 기하학을 통해 정신세계에 대한 체험이 감각세계에 대한 체험과 마찬가지로 착각이 아닌 실재임을 밝혀내고자 했다. 이러한 문제의식은 평생 인간과 우주[12]의 본질에 대한 정신적인 탐구로 이어졌다.

9살이 된 어느 날 슈타이너는 역 대합실에 앉아 있다가 멀리 사는 이모의 자살한 육체를 떠난 영혼과 조우했다. 이모의 죽음을 직감하고 부모에게 말했지만 오히려 그의 부모는 미신이라며 어린 아이를 비난했다. 이후 슈타이너는 영적인 능력과 신비 체험을 숨기고 성장했다. 슈타이너에게는 큰 상처였다.

1872년 11세 때, 슈타이너는 철도청 전신기사인 아버지의 뜻에 따라 철도기술자가 되기 위해 비너-노이슈타트(Wiener-Neustadt) 지역에 있는 직업학교에 들어갔다. 정신세계의 체험과 감각적인 세계의 체험이 어떠한 방식으로 연결되는지에 대한 철학적 의문에 고민했던 슈타이너는 14세 때 칸트(Immanuel Kant, 1724~1804)의 『순수이성비판』(*die Kritik der reinen Vernunft*)을 구입하여 책이 닳을 때까지 읽었다고 한다. 칸트는 인간의 감각과 이성 너머에 놓인 사물의 근본이 인간의 인식 능력 밖에 있다고 믿었고 스스로 증

12) 인지학에서 우주는 자연, 세계, 하늘, 머리, 정신, 고차적 정신세계를 포괄하는 다의적 개념이다.

명했다고 생각했다. 하지만 슈타이너는 인간의 사고는 계속 발전해나가는 것이고, 인간의 경험은 점점 심화될 수 있다고 보았다. 이와 같이 슈타이너는 어릴 때부터 기하학 및 철학적 의문을 통해 인간의 정신세계에 관심을 가졌다.

1879년 8월, 슈타이너는 빈 공과대학에 진학하여 수학, 물리학, 화학 등 자연과학 분야를 전공했고 부전공으로 문학, 철학, 역사학도 배웠다. 헤르바르트(Johann Friedrich Herbart, 1776~1841)[13]에 대한 전문가였던 로베르트 짐머만(Robert Zimmermann, 1824~1898)이나 현대 철학사상의 원류라고도 불리는 프란츠 브렌타노(Franz Brentano, 1838~1917)[14]가 그의 스승이었다.

그러나 슈타이너의 학문 연구에 결정적인 영향을 준 사람은 독문학자인 칼 슈뢰어(Karl Julius Schröer, 1825~1900) 교수였다. 슈타이너는 그로부터 괴테의 문학, 철학, 과학에 대해 강의를 들으며 자연과학자로서의 괴테의 모습을 발견하게 되었다. 괴테의 자연과학적 세계관, 형태학, 변용, 원형식물 이론 등은 훗날 슈타이너의 인지학의 이론적인 토대가 되었다. 21세가 되었을 때 슈타이너는 슈뢰어 교수가 진행하는 『괴테의 자연과학 논문집』(*Goethes Naturwissenschaftliche Schriften*)을 편찬하는 일을 도왔고 서문과 해설을 쓰기도 했다. 이 시기에 그는 괴테의 세계관에 대한 인식이론의 기본을 이해하게 되었고 이를 통해 인지학의 학문적인 토대를 만들게 되었다.

1883년 10월 슈타이너는 전공 공부를 중단한 채, 졸업시험도 치르지 않고 공과대학을 그만두었다. 그는 철학교수를 지망했으나 괴테 연구 업적을

---

13) 헤르바르트는 최초로 '교육학과'를 만들고 과학적인 교육학의 개념을 정립한 교육학의 아버지로 인정받는 인물이다.

14) 브렌타노는 독일의 철학자, 심리학자이다. 정신분석학의 창시자 지그문트 프로이트(Sigmund Freud, 1856~1939)도 그의 강의를 들은 제자이다.

평가하여 문학을 공부하라는 대학의 권유가 싫었기 때문이다. 장학금 지급이 중단되어 가정교사로 생활비를 벌어야 했다. 하지만 이 일은 슈타이너가 교육에 대해 고민하는 계기가 되어 이후 발도르프 교육이 만들어지는 중요한 밑바탕이 된다.

25세 이후에도 슈타이너는 가정교사 일을 하며 괴테에 관한 연구를 지속했다. 슈타이너는 괴테 연구 실적을 인정받아 독일 바이마르의 괴테-실러 문헌박물관(1890~1897)에 취업하게 되었다. 그는 1879년부터 계속된 괴테 연구를 통해 눈에 드러나는 현상 자체가 곧 본질이고, 형태의 변용(Metamorphosis)을 관찰함으로써 생명체의 본성을 파악할 수 있다는 것을 깨달았다. 생명체의 본질적인 형태가 활동하고 움직이면서 새롭고 다채로운 형태를 만든다는 것이다. 이러한 인식론은 훗날 인지학의 기초가 되었고 교육론, 발달단계론 등에 영향을 미쳤다.

슈타이너는 괴테-실러 문헌박물관에서 근무하며 1891년 30세에 독일 로스톡 대학에서 철학박사학위를 취득했고, 박사학위논문을 1892년 『진리와 학문』(*Wahrheit und Wissenschaft*)이라는 제목으로 출간됐다. 1894년 33세에 이 논문을 발전시킨 인식론에 관한 대표 저서 『자유의 철학』(*Die Philosophie der Freiheit*)을 완성하여 출간했다. 이 두 권의 인식론에 관한 저서는 괴테 연구를 통해 얻은 학문적 성과를 정리한 것이다. 괴테는 주관적이고 내면적인 경험 세계와 객관적이고 외면적인 경험 세계라는 두 세계를 하나의 전체로서 통합적으로 직관하는 방법을 보여주었는데, 이는 슈타이너의 주장이기도 하다. 괴테와 슈타이너의 이러한 세계관은 체홉의 연기론이 지니고 있는 속성에서도 발견되는 아주 중요한 문제라고 본다. 주관적이고 내적인 경험의 세계는 신체(일상의 나), 객관적이고 외적인 경험의 세계는 영혼(고차적 자아1), 두 세계를 하나의 전체로서 직관하는 방법은 정신(고차적 자아2)이라고 볼 수 있다. 이는 후술하는 슈타이너의 인간의 본질의 3중 구조이고 체홉의 고차적 자아 3중 구조와도 관련이 깊다.

슈타이너의 철학적 관심사는 브렌타노와 짐머만, 슈뢰어 등 대학시절의 스승들로부터 시작되어 괴테를 관통하고 칸트, 니체(Friedrich Wilhelm Nietzsche, 1844~1900)로까지 이어졌다. 이러한 다양한 연구 활동은 훗날 슈타이너 인지학의 이론적 기초를 다지는 작업이었다.

슈타이너는 1897년 여름 바이마르를 떠나 베를린으로 이사했고 결혼도 했다. 36세부터 본격적으로 베를린 대학, 자유문학협회, 자유드라마협회, 지오르다노 브루노(Giordano Bruno, 1548~1600)[15] 연맹 등에서 저술가로 글을 쓰거나 강연을 진행했고 드라마협회에서 연극 연출을 맡기도 했다. 극작가이자 연출가인 프랑크 베데킨트(Benjamin Franklin Wedekind, 1864~1918년)[16]와 교류했고, 시인 존 헨리 멕케이(John Henry Mackay, 1864~1933)나 오토 에리히 하르트레벤(Otto Erich Hartleben, 1864~1905) 등과 더불어 『문학잡지』(*Magazin für Literatur*)를 간행하면서 편집장을 역임했다.

그는 1899년 38세에 독일 사회민주당의 창립자 빌헬름 리프크네히트(Wilhelm Liebknecht, 1826~1900)가 창설한 노동자 양성학교에서 역사 과목을 강의하게 되었다. 이 학교는 노동자들에게 역사적 유물론을 교육하는 학교인데, 슈타이너도 유물론을 학습하며 그 토대 위에 독자적인 역사관을 강

15) 브루노는 중세 교회가 유럽의 복음화를 위해 엄격한 교리를 앞세우던 시기에, 현대 과학에 의해 일부 증명된 우주에 관한 다양한 이론을 제시했고 지구 중심의 천문학을 거부했다. 비정통 사상을 신봉한다는 이유로 화형대에서 비극적 죽음을 맞이했다.

16) 베데킨트는 독일의 극작가, 배우, 연출가이며 현대 부조리 연극의 창시자로 단편적인 대화, 일시적인 사건, 왜곡, 희화화 등의 요소를 연극에 도입했다. 성(性)의 해방과 부르주아 사회의 위선을 폭로하는 그의 작품들은 독일 표현주의 연극의 선구로 간주되고 있다.

의했고 노동자들로부터 큰 지지를 얻었다. 학교 측은 슈타이너의 강의 내용이 학교의 방침과 다르다는 이유로 사퇴를 종용했다. 슈타이너는 1905년 초 제자들이 반대하는 데도 불구하고 정통파 마르크스주의자들이 자신을 해고시키려 하자 스스로 강사직을 그만두었다. 그는 이러한 일을 겪으며 사회주의 사상에서처럼 노동자를 빵으로 구하는 것이 아니라 정신 계발을 통해 구할 수 있다는 생각을 하게 된다. 그는 이 시기에 『철학의 수수께끼』(*Die Rätsel der Philosophie*)라는 자신의 철학을 집대성한 저서를 발표했다.

1900년을 분기점으로 슈타이너는 정신과학 개념의 학문을 전면적으로 펼치기 시작했다. 눈에 보이는 것과 눈에 보이지 않는 것 모두를 포함하는 인식론을 연구했으며, 정신에 관한 문제를 학문의 대상으로 삼고 자연과학적인 방법으로 체계를 수립하려 했다. 이것이 당시 유럽의 신지학회로부터 큰 호응을 얻었고 강연 의뢰가 쏟아지며 슈타이너는 점점 유명해져갔다. 이때부터 정신과학에 관한 저작물을 집필하기 시작했다. 1902년에 『신비적 사실로서의 그리스도교와 고대의 비의』(*Das Christentum als mystische Tatsache und der antike Regen*)라는 저서를 발표하는데 이것은 그리스도의 본질에 대한 문제를 정면으로 다룬 것이다.

1902년 슈타이너는 헬레나 블라바츠키(Helena Petrovna Blavatsky, 1831~1891)[17]가 창립한 신지학회에 가입했고 독일 지부 대표를 맡았다. 신지학은 신학과 종교철학의 합리주의를 반대하고 인간의 인식능력을 초월한 신비적인 계시와 직관에 의해 절대자를 직접 대면하면서 그 깊은 뜻을 파헤쳐야 한다고 주장했다.

---

17) 블라바츠키는 러시아 철학자로 범신론적 철학·종교체계인 신지학을 발전시키기 위해 신지학회를 창립했다. 그녀는 과학과 종교를 비판하고, 신비적 체험과 교리를 통해 영적인 통찰과 권능을 얻을 수 있다고 주장했다.

슈타이너는 1903년 잡지 『루시퍼』(*Luzifer*)를 창간하고, 1904년에는 그의 대표 저서 중 하나인 『신지학』(*Theosophie*)을 집필했다. 이것은 감각적인 세계를 넘어서는 사고와 정신의 세계가 바로 초감각적 세계라는 내용이었다. 또한 그는 1904년과 1905년 사이에 『사람은 어떻게 고차적 세계의 인식에 도달하는가?』(*Wie erlangt man Erkenntnisse der Höheren Welten?*)라는 중요한 저작물을 남긴다. 이것은 감각적인 세계에 대한 인식론적 저서인 동시에 감각으로선 잡아낼 수 없는 초감각적 세계를 어떻게 인식할 것인가에 대한 방법론에 관한 저서이다. 1904년과 1905년에는 『아카샤 연대기에서』(*Aus der Akasha Chronik*)와 『고차적 인식의 단계들』(*Die Stufen der höheren Erkenntnis*)과 같은 저작물을 남긴다. 1910년에는 『신비학 개론』(*Geheimwissenschaft im Umliss*)과 같이 정신과학 분야의 대표적 저서를 발표한다. 또한 기독교적 신비주의에 대한 관심과 성찰도 깊어져 그리스도의 행위와 의미에 관한 복음서들을 집중적으로 탐구했다. 그는 신지학회 활동 속에서, 인간의 영혼과 정신의 내적인 본성, 명상의 본질과 실행, 탄생 이전과 죽음 이후에 겪는 영혼의 체험들, 인류와 지구의 진화와 정신의 역사, 윤회와 카르마의 작용에 대해 깊이 있게 연구했다.

1911년과 1912년 사이 그의 두 번째 아내가 된 마리 지버스(Mare Steiner von Sivers, 1867~1948)[18]와 공동으로 '오이리트미'를 창안하여 신비극에서 건축, 회화, 조각, 일러스트에 이르기까지 예술의 전체 영역으로 활동범위를 확장해갔다. 또한 언어로 전달하는 인지학의 내용을 동작예술을 통해서도 전달할 수 있다는 생각에서, 자신이 직접 쓴 신비극 4편을 1910년부터 1913

18) 마리 지버스는 1902년부터 슈타이너와 함께 일하며 훗날 세계인지학회를 만드는데 공헌했다. 괴테아눔에서 실천되는 예술분야 중에서 무대연극과 오이리트미 공연을 이끌었다.

년에 걸쳐 공연했다. 그런데 슈타이너의 신비극을 기존 극장에서 공연하는 데에는 기술적으로 어려움이 많아 독자적인 신비극 전용극장을 만들자는 의견이 나왔고, 1913년 스위스 바젤 교외의 도르나흐에 '괴테아눔'(Goetheanum)이라는 건물을 짓기로 했다. 이 명칭은 자연과학자로서 괴테가 남긴 업적을 예술분야로 돌려주는 공간이라는 상징적 의미가 담겨 있다. 슈타이너는 건축 설계와 인테리어 디자인, 조각과 천장화도 직접 완성했는데 이 건축물은 신비극을 상영하는 극장인 동시에 '세계인지학회'(Anthroposophical Society)와 '정신과학학교'(School of Spiritual Science)의 건물로 사용되었다.

1913년에는 크리슈나무르티(Jiddu Krishnamurti, 1895~1986) 문제로 인한 갈등으로 신지학회와 결별하게 되었다. 슈타이너는 1906년 이후 신지학회가 정도를 벗어났다고 비판했다. 신지학회는 때가 되면 위대한 존재가 사람의 모습으로 환생하는데, 이때 그 시대가 필요로 하는 새로운 종교를 세워야 한다고 주장했다. 1911년 신지학회 대표들이 그리스도가 인도의 한 소년으로 지상에 태어났다고 하자 신지학회 회장은 '별의 교단'을 창설했고, 크리슈나무르티가 지도자가 되었다. 이것이 계기가 되어 슈타이너는 1913년 신지학회와 결별했고, 새롭게 독립적인 인지학회를 설립했다. 슈타이너는 자신의 고유한 정신과학적 연구결과들을 인간의 본질을 인식하도록 이끌어주는 학문이라는 의미에서 '인지학'이라고 불렀다.

슈타이너는 1912년부터 시작된 새로운 동작예술인 오이리트미를 계속 발전시키고 교육했다. 1914년부터는 도르나흐와 베를린에 주로 체류하면서 유럽 순회강연 및 강좌를 통해 예술, 교육학, 자연과학, 사회생활, 의학, 신학 등의 수많은 생활 영역에서 쇄신이 이루어지도록 자극했다.

제1차 세계대전 후 독일사회가 패전 후의 혼란스러운 사회복구를 위해 많은 사람들이 급진적으로 문화, 정치 운동에 참여했고, 인지학계에서도 슈타이너에게 새로운 사회질서 이론을 요청했다. 이것이 '3중적 사회질서 운동'이고 1919년 『독일국민과 문명 세계에의 호소』(*Aufruf an das Deuche Volk und die Kulturwelt*)라는 책으로 출판되었다. 3중적 사회질서 이론에 의하면 사회적 유기체는 자연의 유기체와 같은 형태로 분화가 필요하다. 사회는 경제 영역, 정치 · 법 영역, 정신생활 영역으로 구분되는데 사회의 각 영역이 독립적으로 분리되어 조직되고, 각자의 방식에 의해 자율성을 가지고 운영되어야 한다. 따라서 국가의 통제와 지원은 최소화되어야 한다는 논리이다.

전쟁이 끝난 뒤 슈타이너는 남부 독일에서 논문과 강연을 통해 인지학을 전파했다. 슈타이너의 인간본질론 교육과 체홉의 연기 테크닉 적용사례로 자주 등장하는 발도르프학교(Waldorf School) 또는 발도르프교육(Waldorf Education)은 독일 슈투트가르트에 세워진 자유발도르프학교에서 출발한 대안교육으로 1919년부터 시작되었다. 발도르프-아스토리아 담배회사의 사장인 에밀 몰트(Emil Molt)가 직원의 자녀들을 위한 학교를 슈타이너에게 요청하면서 발도르프학교가 시작되었는데, 이 학교의 교과과정이 후대까지 영향을 미쳐 교육운동으로 발전되었고 한국을 포함한 전 세계에 설립, 운영되고 있다. 1996년에 개최된 세계 교육부장관 회의에서는 21세기 교육의 모델로 발도르프학교가 선정되었으며 유네스코의 지원, 연구 대상에 선정되었다. 발도르프학교의 특징은 8년 담임제, 남녀공학, 인간의 발달과정에 따른 전인교육, 교과서 없는 수업, 성적 없는 성적표, 외국어 수업의 발달, 학생 자치 행정 등이다. 슈타이너는 정신과학이 사회적이며 문화적인 혁신으로 발전되기 위해서는 예술이 결정적인 가교 역할을 한다고 보았고 발도르프학교에서도 예술 특히 연극수업이 다양하게 진행된다. 1922년에는 유기농법과 그리스도 공동체 운동[19]이 시작되었다.

1922년 12월 31일 밤 10시쯤, 슈타이너의 인지학에 반대하는 세력에 의한 방화로 목조 건물인 제1괴테아눔이 전부 소실되었다. 인지학회 재건이라는 의미도 있어서 슈타이너가 직접 주관하여 모형을 만들어본 뒤, 1924년부터 제1괴테아눔의 테라스를 해체하고 제2괴테아눔을 짓기 시작했다.

강연 활동이 증가하고 더불어 수많은 전문 강좌를 개설하면서 슈타이너의 건강은 급격히 약화되었고, 1924년 9월 말 영국 강연을 끝내고 돌아온 후 병상에 눕게 된다. 그는 병상에서 『내 인생의 발자취』(*Mein Lebensgang*)라는 자서전과 『인지학의 주지』(*Anthroposophische Leitsätze*) 등을 집필한다. 그는 1925년 3월 30일 도르나흐에 있는 괴테아눔 작업실에서 눈을 감았다. 제2괴테아눔의 기초공사가 막 시작되던 때였는데, 이 공사는 1928년에 완성되었다.

슈타이너의 인지학은 의학, 농업학, 교육학, 사회학, 특수교육학, 경제학, 연극학, 무용학, 건축학, 치료예술, 무대예술, 동작예술(오이리트미) 등 다양한 분야에서 실천적으로 응용되고 있다. 슈타이너가 후대에 남긴 저서는 그 규모나 내용 면에서 비교를 불허할 정도이다. 약 6,000회에 걸친 강연은 대부분 필사본으로 보존되어 있는데 약 300~400권이 간행되었고 지금도 계속 출판되고 있다.

슈타이너의 생애를 통해 살펴본 바와 같이 슈타이너는 괴테의 자연과

19) 그리스도공동체 또는 그리스도공동체 교회(Christengemeinschaft, The Christian Community)는 슈타이너로부터 영감을 받은 루터교 신학자들과 젊은 목회자들에 의해 1922년 창설된 신흥종교이자 종교혁신운동이다.

학적 세계관과 인식론, 다양한 철학 사상, 신지학 등의 영향을 받아 인지학의 개념과 체계를 정립했다. 또한 그가 베를린 드라마협회에서 연출을 맡기도 했고, 스스로 신비극을 집필하고 공연도 했으며, 동작 예술인 오이리트미를 창안했고, 부조리 연극의 창시자인 베데킨트 같은 연출가와 교류했다는 점 등은 그가 연극과 예술교육에도 많은 관심을 가지고 있었다는 사실을 증명한다. 다음은 슈타이너의 배우의 작업에 대한 기술이다.

> 배우가 배역에 사로잡혀서는 안 된다. 그는 배역과 마주서야 하며 그래서 배역이 객관적으로 보이게 해야 한다. 이때 배우는 배역을 배우 자신의 창조물로 경험하게 된다. 배우는 자신의 자아와 함께 그의 창조물인 배역 옆에 나란히 서서 배역의 환희와 슬픔을 함께 느낄 수 있어야 한다.[20)]

이러한 슈타이너의 배우의 연기에 대한 생각은 체홉에게도 그대로 적용된다.

> 배우의 고차적 자아는 창조적 감정을 배역에 부여한다. 또한 그것은 동시에 자신의 창조물을 바라볼 수 있기 때문에 배역과 그 배역의 운명에 공감한다. 따라서 배우 안에 있는 진정한 예술가인 고차적 자아는 햄릿을 위해 괴로워할 수 있고 줄리엣과 함께 울며 팔스타프의 장난에도 웃을 수 있다.[21)]

슈타이너와 체홉의 연관성이라는 측면에서 살펴볼 때, 체홉이 슈타이너의 인지학에 대해 관심을 갖게 된 것은 오이리트미를 시작으로 슈타이너

---

20) Michael Chekhov, *On The Technique of Acting*, 같은 책, 155쪽.

21) Michael Chekhov, *To The Actor*, 같은 책, 90쪽.

와 인지학에 담긴 예술적, 연극적 요소들 때문이었을 것이라고 본다. 체홉은 러시아에서 오이리트미 시범공연을 관람한 1918년부터 슈타이너와 만나고 유럽에서 연극 활동을 하던 약 20여 년간 슈타이너의 인지학을 공부했고 그 영향 속에 자신의 독자적인 연기론을 정립하고 발전시켰다.

2. 슈타이너의 인지학의 배경

슈타이너는 신비주의, 기독교 사상, 인도의 힌두교와 불교 사상, 괴테의 자연과학적 세계관과 인식론, 신지학 등 다양한 학문, 종교, 사상에 영향을 받아 인지학이라는 새로운 정신과학 체계를 완성했다.

1) 인지학의 시대적 배경

슈타이너의 인지학을 이해하기 위해서는 그가 살았던 시대의 사회적인 흐름을 알아볼 필요가 있다.

슈타이너가 주로 활동했던 19세기 후반의 독일제국은 산업자본주의가 본궤도에 올라 풍요의 시대를 맞이하고 있었다. 1871년부터 1890년까지 독일제국의 재상으로 비스마르크가 군림하는 동안 독일은 경탄할 만한 산업화를 이루어냈으며, 과학과 기술 역시 비약적으로 발전했다. 그러나 유럽 전역은 1873년에 갑자기 들이닥친 대불황으로 석유, 알루미늄, 구리, 고무 등 1차 원료를 더 많이 확보하기 위해 앞 다투어 해외 진출에 나섰다. 선진기술이 급속히 확산되고 설비가 대형화되면서 비약적으로 증가한 생산력이 경쟁을 심화시켜 공급과잉 현상을 증폭시켰다. 결국 유럽 열강들은 식민지 쟁탈전에 나섰고, 강력해진 제국주의 후발주자 독일은 다른 국가들의 공동의 적이 되어갔다. 제1차 세계대전의 먹구름이 몰려오는 것이었다.

19세기에서 20세기로 넘어가는 시점에서 자연과학과 기술의 눈부신 발전은 인간의 삶을 전면적으로 바꾸어 놓았다. 인간의 삶은 편리해지고, 대량생산된 상품은 인간의 물질적 욕구를 만족시켰으나 정신은 황폐해져갔다. 인간이 의지하던 오래된 전통과 종교적 믿음이 무너지는 양상을 보였다. 물질적 풍요를 누리는 대신에 인간의 삶, 인간 존재의 가치와 의미를 설득력 있게 제시할 수 있는 사회적 시스템을 잃어버렸기 때문이다. 사람들은 세기말의 불안감 속에서 새로운 시대, 새로운 공동체, 새로운 세상이 도래하기를 기대했다. 예술가들은 불안한 세기말의 모습을 그림으로 음악으로 표현하기도 했다. '신은 죽었다'는 니체의 선언은 서구에서의 기독교의 보편적인 지배약화를 상징적으로 보여주는 것이다. 20세기의 대전환을 맞아 물질문명에 대한 비판적인 시각과 삶의 의미를 찾고자 하는 인간의 강한 욕구는 영지주의,[22] 심령학, 신지학 등 신비주의적 종교에 지대한 관심으로 분출되었다.

산업혁명에 의해 물질문명이 비약적으로 발전했지만 빈부의 격차는 심해져갔고 대중들의 생활은 극도로 빈곤해졌다. 이러한 사회적 모순을 해결하려는 시도는 유럽 전역을 휩쓸었다. 1871년 파리에서는 최초의 노동자 정부인 파리 코뮨이 탄생했다. 자기정화능력을 잃은 산업자본주의는 수차례의 경제공황을 불러왔고, 유럽 열강들의 식민지 쟁탈전 속에 제1차 세계

---

22) 영지주의(靈知主義, Gnosticism)는 고대부터 현대에 이르기까지 존재하는 혼합주의적 종교운동 중 하나이다. 다양한 분파가 존재하지만 기본적으로 인간이 '참된 지식' 또는 '비밀스러운 지식'인 그노시스(gnosis, 신비적 직관 또는 인식)를 얻음으로써 구원을 얻을 수 있다는 구조를 지닌다. 정통 기독교에서는 구원이 '믿음'을 통해 가능하다는 견해를 가진 반면 영지주의에서는 구원이 '그노시스'를 통해 가능하다고 주장한다.

대전이 발발했다. 1917년에는 러시아에서 세계 최초의 노동자정권인 볼셰비키 혁명이 성공했다. 이러한 일련의 사건들이 추구했던 것은 인간의 자유 또는 인간 해방이었다. 이러한 시대적, 사회적 분위기 속에서 슈타이너는 물질문명과 정신적 가치에 대한 종합적인 판단을 할 수 있는 새로운 사상체계를 수립할 필요성을 느꼈다. 철학, 종교, 과학, 예술을 통합하여 황폐화되어가는 정신을 구제하기 위한 새로운 철학으로 만들어내려고 시도했다. 슈타이너의 인지학은 정신적으로 의지할 곳을 찾던 당시 사람들의 열망에 부합하면서 그 영향력을 확대하며 하나의 고유한 인간관, 세계관으로 형성되어갔다.

슈타이너의 인지학은 세기말적 공황에 빠져 있는 인간의 사상적 결핍과 경제적 궁핍을 채워줄 대안으로서 급속히 확산되었다. 그러나 영혼과 정신의 지나친 강조로, 공허한 형이상학적 이데올로기라는 비판에 직면하기도 했다.

2) 신비주의

신비주의는 절대자나 신 등의 초월적 존재를 내적인 직관이나 영적인 체험에 의해 직접 경험하려고 하는 종교 또는 철학의 한 관념이다. 모든 종교는 신이나 절대자 등의 초월적 존재를 전제로 하므로 기본적으로 신비주의 형태를 지니고 있다.

인지학은 정신의 불멸과 영혼의 윤회를 통해 카르마와 윤회의 법칙을 전제하므로, 힌두교나 불교적 전통과 사상을 따르는 신비주의적 종교 성향을 보이고 있다. 그러나 전통적인 힌두교가 물질세계를 환영이라고 간주하고 경시하면서 물질로부터 탈피하여 브라만(Brahman, 우주적 자아)으로 흡수

되는 것을 구원이라고 한다면, 슈타이너는 물질세계와 정신세계의 일원론을 주장하며 물질 역시 진화하여 정신세계에 도달할 수 있다고 하는 점에서는 힌두교와 다르다.

또한 인지학은 기독교적 전통을 나타내기도 한다. 그러나 슈타이너는 정통 기독교를 신봉하거나 인지학을 하나의 종교로 만드는 시도는 하지 않았다. 슈타이너는 정신과학으로서의 인지학이 새로운 종교를 세우기 위한 것이 아니라고 말한다. 인간의 원죄와 그리스도를 통한 인간의 속죄와 구원의 문제도 슈타이너는 정통 기독교와는 다르게 해석한다. 슈타이너는 인간이 자아를 절대 정신의 경지로 실현하면 인간 스스로 그리스도가 될 수 있다고 한다. 이러한 점에서는 기독교와도 다르다.

슈타이너가 힌두교, 불교, 기독교의 영향을 받았다는 사실, 인간 재림 예수론을 믿는 신지학을 추종했다는 사실, 신비주의에서 주장해온 아틀란티스와 레무리아 문명이 지구상에 실존했었다는 주장을 믿었다는 사실,[23) 『아카샤 연대기에서』(*Aus der Akasha-Chronik*)라는 책을 집필하며 아카샤 연대기 기록을 읽을 수 있다고 주장한 사실[24) 등을 통해 인지학이 신비주의적 사상이나 종교의 영향을 받았다고 볼 수 있다. 그러나 이에 대해서는 슈타이너가 신지학회를 탈퇴한 이유가 인간 재림 예수론에 대한 반대였고, 신지학회를 탈퇴한 이후에는 오히려 서구 그리스도교나 철학 사상에 심취하였다는 반론도 제기되고 있다.

---

23) 아틀란티스와 레무리아는 고대 종교 신봉자나 신비주의자들이 태초에 존재했다고 믿는 '잃어버린 대륙'(Lost Continents) 또는 그 문명의 이름이다.

24) 아카샤 크로닉 또는 아카샤 연대기는 인식의 높은 단계에서 알게 되는 '우주와 인류의 역사', '우주 안에 존재하는 모든 것의 생성과 발달에 관한 초감각적 기억이 새겨진 흔적'을 일컫는 용어이다. 대표적인 신비주의 사상이다.

위 근거들을 토대로, 본 저자는 슈타이너의 인지학을 절충적 신비주의로 정의하고자 한다. 인지학은 특정한 종교의 교리에 기초한 학문이 아니라 여러 종교에서 공통적으로 나타나는 정신세계를 인정하고 인간의 본질을 정신세계와 관련짓는 부분적인 종교성, 신비주의에 기초하고 있다.

3) 신지학

신지학은 힌두교와 불교의 카르마와 윤회 사상, 동·서양의 신비주의적 종교, 그리스도교 사상 등이 결합된 독특한 세계관으로, 20세기 초 헬레나 블라바츠키를 중심으로 확립된 신비주의적 세계관 혹은 그에 입각한 학문을 의미한다. 신지학은 인간의 모든 지식과 인식능력을 뛰어넘는 신비적인 계시와 직관에 의해 신과 직접 접촉하여 그 깊은 뜻을 파헤치는 것을 목적으로 한다. 신지학에 의하면, 인간의 영혼 혹은 자아는 영원히 불멸하며, 일련의 윤회 및 재생과정을 거쳐 숭고한 신적 존재로 진화해 간다.

신지학(神智學, Theosophy)은 어원적으로 '신적인(theo) 지혜에 관한 학문(sophy)'이라는 뜻이다. 블라바츠키는 그 명칭의 유래를 고대 이집트 철학자들이 사용했던 '진리의 수호자'(philaletheian)라는 용어에서 찾았다. 인류 역사 이래 신지학과 유사한 종교나 학문은 항상 존재해왔으며, 이들 신지학이 갖는 공통적인 특성은 영혼, 신, 카르마, 해탈, 윤회, 세계의 진화 등을 전제로 한다는 것이다. 또한 고차원의 영적 실재가 존재하며, 계시와 직관 등의 체험을 통해 영적 실재와 직접 접촉할 수 있다고 강조한다.

슈타이너의 주요 관심은 영혼과 정신의 실재를 인정하고 그것을 과학적이고 객관적으로 증명해 보여주는 것이었다. 신지학도 영적 실재나 정신세계를 인정하는 사상 중의 하나였고, 1902년부터 슈타이너는 정신세계의 존재를 확신하며 신지학회에 가입해 활동했다. 슈타이너는 신지학회 독일 지부의 사무국장을 맡아 운영하는 동안 신지학회 회원이 아닌 일반 청중을 위해서도 강연을 했다. 그들에게 인류의 정신적 진화에 대해서 강연을 하면서, 강연 제목을 인지학이라고 했다. 사람들은 슈타이너가 이러한 제목으로 정신세계에 관한 것을 강연한다는 것을 알고 있었고, 이러한 강연을 들은 청중들은 슈타이너를 신지학자라고 불렀다.

그러나 슈타이너의 사상은 신지학회의 지도자인 블라바츠키와 근본적인 차이점을 보였다. 그는 정신세계에 대한 체험을 종교적인 계시가 아닌 수행과 명상을 통한 인식의 문제로 간주했다. 기독교에 대한 입장에 있어서도 슈타이너는 신지학회와는 다른 의견을 제시했다. 슈타이너는 예수 그리스도의 탄생, 예수의 죽음과 부활을 인류 역사상 대전환을 일으킨 결정적이고 유일한 사건이라고 평가했다. 그러나 신지학회 학자들은 전체 종교 안에서 일반적으로 나타나는, 공통적인 종교의 특징이라고 간주한다. 이러한 이유로 신지학회에서는 예수 그리스도의 강림, 예수의 죽음과 부활을 인류 역사 발달에 있어서 일회적이라고 평가하지 않으며, 때가 되면 위대한 존재가 인간의 모습으로 환생할 수 있다고 주장한다. 정신세계 인식에 대해서도 신지학과 인지학의 입장은 차이가 난다. 슈타이너는 물질을 지배하는 영혼과 정신세계는 실재하는 세계이고 이에 대한 접근은 신지학에서처럼 관념적, 종교적 대상이 아니라고 했다. 인간의 정신세계에 대한 탐구도 물질세계에서의 탐구와 마찬가지로 과학적인 방법으로 가능하다는 의미였다.

인지학이 신지학처럼 정신적 실재를 인정하는 사실이나 슈타이너 스스로 정신세계에 대한 인식은 관념을 신비적으로 체험한 것에 기초하고 있다고 설명하며 신지학과의 연관성을 인정했다는 점에서 인지학은 신지학의 영향을 받았다고 볼 수 있다.

4) 괴테

슈타이너의 인지학에서의 가장 큰 고민은 인간의 사고 과정 안에 영혼과 정신이 작용하고 있다는 사실을 어떻게 증명할 수 있는가 하는 것이었다. 슈타이너는 이 문제를 해결하기 위해 다양한 철학과 사상을 연구했으나 그 의문을 해결하지 못했다. 그런데 괴테의 자연과학적 세계관에 근거한 논문들을 편집하면서 괴테가 자연현상 속에서 정신적인 것을 발견한 사람이라는 사실을 확인했다. 그는 1886년에 『괴테의 세계관에 기초한 인식론』(*Grundlinien einer Erkenntnistheorie der Goeth*)이라는 책을 출간했다. 물질세계와 마찬가지로 정신세계를 객관적으로 설명하려고 했던 슈타이너는 괴테의 자연과학적 세계관과 인간관, 인식론의 영향을 받아 자신만의 학문인 인지학을 형성해 나갔다. 괴테는 오늘날 독일 고전주의 문학가로 알려져 있지만, 문학에 국한되지 않고 연극학, 식물학, 동물학, 해부학, 색채학 등에서도 뛰어난 업적을 남겼다.

괴테는 당시 자연과학이 생명현상의 본질은 규명하지 않고 유기체를 개별적인 부분의 총합으로만 설명한다고 평가했다. 일반적으로 과학이라고 하는 것은 사실을 수집하고 그 부분의 사실에서 얻은 것을 일반화를 통해 전체를 설명하는 환원주의적 사고방식에 기초한다. 하지만 괴테는 자연을 관찰하고 연구하는 데 있어서 고유한 방식과 절차 그리고 연구 목적을 가졌다. 괴테는 기계론적인 세계관 대신 자연의 궁극적인 신비를 밝힐 수 있는 살아있는 과학을 찾고자 했고, 이러한 괴테의 영향을 받은 과학을 '괴테 과학'(Goetheanistic Science)이라고 한다. 슈타이너가 영향을 받은 괴테 과학의 주요한 개념은 형태학(Morphology), 변용(Metamorphosis), 원형식물(Urpflanz: Archetypal Plant), 양극성(Polarity) 등인데 이러한 개념들은 체홉의 연기론에도 영향을 미쳤다. 실제로 괴테는 연극 분야와도 밀접한 관련이 있다. 그는 1794년부터 1817년까지 독일 바이마르 왕실극장의 연출가로서 경영, 연출, 배우 교육 등 전반을 책임졌다. 연극 〈파우스트〉(Faust)를 통해 독일 연극을 세계적 수준에 올려놓았다. 괴테의 연기에 대한 접근 방식은 배우 개인의 행동 및 연기에 대한 규범 일체를 담은 「배우들을 위한 규칙들」(Regeln für Schauspieler) 속에 반영되어 있다. 그는 회화적 지식을 이용해 무대 영역을 구분하고 배우들의 위치를 지정하기도 했다. 왕실극장에서의 그의 연극 작업방식은 19세기의 수많은 극작가와 연출가들에게 영향을 주었다.

괴테의 자연과학은 사물의 형태를 비교하는 '형태학'을 기본으로 한다. 형태학은 동식물을 구성하는 각 부분의 배열과 형태에 관한 전반적인 측면을 연구하는 포괄적인 학문이다. 괴테는 기존의 형태학이 개별적인 사물의 형상에서 보편적인 법칙을 찾는 일반화에만 주력한다고 주장하며 이러한 과학적, 분석적인 방법만으로는 사물의 본질에 접근할 수 없다고 했다. 그는 그러한 법칙에 앞서 사물의 형상 자체가 보다 중요하다고 강조한다. 그는 암석, 구름, 색채, 동물, 식물 등에 대한 관찰에서 시작하여 인간 및 인간사회의 문화적 현상에 관한 연구에 이르기까지 형태의 원형과 변형에 대한 체계적 연구를 진행했고 다양한 연구방법을 도입했다.

괴테가 형태학을 근거로 식물과 동물연구에 도입한 개념이 '변용'이다. 그는 유기체의 형태를 자세히 관찰하면, 어떤 것도 정지해 있지 않으며 모든 것은 끊임없이 움직이며 변화한다고 보았다. 변용은 하나의 같은 동물 또는 식물의 기관이 다양한 형태로 분화되어 나타나는 것을 말한다. 예를 들어 식물의 잎, 꽃받침, 화관, 암술 등은 모두 같은 기관에서부터 나와 모양과 형태가 변화한 것이다. 자연의 형성과 변용에 대한 괴테의 이론은 자연과 세계에 대한 인식에 있어서 새롭고 독창적인 개념이었다. 슈타이너는 변용을 인간의 영역에까지 확대, 적용했다. 슈타이너가 교육론에서 강조하는 '변화와 성장하는 인간'이 이러한 변용을 거쳐 발전하는 인간을 말한다. 자연에 대한 새로운 인식을 바탕으로 한 괴테의 변용론과 색채론을 슈타이너는 조형예술의 원리로 발전시켜 교육, 건축, 회화에 적용했다.

괴테는 다양한 식물의 모양과 형태를 자세히 관찰하는 경험적이고 귀납적인 연구방법을 통해 '원형식물'이라는 개념을 정립했다. 그는 관찰의 결과를 직접 그림으로 스케치하면서 식물 뿌리, 줄기, 잎, 꽃이 변하는 형태를 분류했다. 이러한 식물의 형태 변화를 관찰한 끝에 식물은 자연의 여러 조건에 적응하여 점차로 형태를 변화시켜 나간다는 확신을 얻었다. 겉으로 드러나는 모습은 현상에 지나지 않고 식물은 본래가 어떤 근원적인 하나에서 출발했다는 생각을 하게 되었고 그것을 원형식물이라고 불렀다. 괴테의 원형식물의 개념은 인간의 본질, 원형적 인간, 오이리트미, 12감각 등 슈타이너의 인지학에 영향을 주었고 심리의 원형, 원형적 제스처 등의 개념으로 체홉에게도 이어졌다.

괴테는 원형식물의 변용을 촉발시키는 원인에 대해 '양극성'과 '상승'으로 설명했다. 식물의 변용 과정은 팽창과 수축이 번갈아가며 일어나는 양극성에 의해 가능하다고 했다. 식물은 수축된 형태의 씨에서 잎이 나고, 점차 팽창된 형태로 피어나며, 다시 수축된 형태인 꽃받침이 생겨나 꽃봉오리를 둘러싸게 된다. 그리고 꽃가루를 받은 수술로 수축되고 다시 팽창해 열매를 맺고, 열매 안의 수축된 씨의 형태로 된다. 이렇게 팽창과 수축을 반복하며 생명의 주기도 계속 반복된다는 것이다. 또한 식물의 변용 과정에서 단계가 거듭될수록, 즉 잎에서 꽃잎과 생식기관인 암술과 수술로 바뀌어가면서 식물의 색상과 향기는 점점 더 강해지는데 괴테는 이러한 현상을 상승이라고 했다. 이러한 식물의 양극성은 슈타이너의 '자연의 모방'에 등장하고 체홉의 '자연의 모방과 양극성을 통한 심리제스처'에도 나타난다.

괴테는 이러한 자연과학적 연구방법을 토대로 정신적인 존재로서의 인간관을 주장한다. 그에 따르면 인간은 사물과 세상의 옳고 그름을 정확히 분별할 수 있는 이성을 가진 정신적 존재이므로, 타고난 능력을 계발함으로써 보다 완전한 인간으로 발전할 수 있다고 한다.

이러한 괴테의 형태학, 변용, 원형식물, 정신적인 인간관 등은 슈타이너에 의해 인지학으로 계승되었다.

3. 슈타이너의 인지학의 기본개념

1) 인지학의 정의

인지학[25]이라는 용어는 'Anthroposophy'의 번역어로, 라틴어 'Anthropos'와 'Sophia'의 합성어이다. Anthropos는 '인간'을 뜻하고, Sophia는 '지혜, 예지, 앎' 등을 의미하므로 Anthroposophy를 사전적으로 풀이하면 '인간

25) 인지학(人智學)과 인지과학(認知科學)은 서로 다른 개념이다. 인지과학은 인간이나 생물의 인식 과정을 대상으로 하여 지식의 표현, 학습, 시각 및 청각의 메커니즘 등을 연구하는 과학으로 인공지능, 신경과학, 계산기 과학 따위의 넓은 분야와 관련되어 있다.

에 대한 지혜'이다.

인지학이란 용어는 슈타이너가 최초로 창안한 것은 아니고 서양의 신비주의에서 주로 쓰이던 단어였다. 고대부터 17세기까지의 인지학은 '연금술적 우주론'(Hermetic Cosmology)으로 이해되었다. '연금술적인'에 해당하는 단어 Hermetic은 그리스 신 Hermes에서 유래한 것이며, 헤르메스의 역할은 신의 전령, 전달자이다. 이러한 인지학의 용어적 기원은 신비주의 전통을 알려주는 것이다. 19세기에 들어와서는 독일 관념론의 대표적 철학자 셸링(Friedrich Wilhelm Joseph von Schelling, 1775~1854)과 피히테(Johann Gottlieb Fichte, 1762~1814), 짐머만 같은 철학자들이 인지학을 철학적 용어로 사용했다. 스위스의 사상가인 트록슬러(Ignaz Paul Vital Troxler, 1821~1902)는 인지학을 '인간 본성으로부터 도출되는 근본 철학'으로 규정했다.

슈타이너가 인지학이라는 용어를 처음 사용한 것은 1903년 〈자라투스트라로부터 니체까지〉(Von Zarathustra bis Nietzsche)라는 강연이다. 슈타이너는 1882년 빈 공과대학 시절 짐머만 교수가 출간한 『인지학: 현실주의에 기반한 이상적 세계관에 관한 개요』(*Anthropologie: Ein Überblick über die ideale Weltanschauung basierend auf Realismus*)라는 저서의 제목에서 인지학이라는 용어를 따왔다고 밝혔다.

슈타이너는 인간을 '세계라는 수수께끼에 대한 해답'이라고 표현했고, 인지학을 '인간에 대한 지혜'가 아니라 '인간 본질에 대한 인식'이라고 말했다. 슈타이너의 이러한 표현은 인간이 자기 자신을 인식하고자 하는 노력이 무엇보다 중요함을 강조하는 것으로 보인다. 그는 객관적이고 과학적인 인식방법을 통해 정신이라는 실재에 도달할 수 있다고 믿었고 그런 의미에서 자신의 인지학을 정신과학이라 불렀다. 슈타이너는 인지학이란 정신세계 연구를 위한 과학적인 방법론이며 화학, 물리학과 같은 학문에서의 과학성이 정신세계의 인식에도 그대로 적용된다고 보았다.

2) 인식론

슈타이너의 인식론[26]의 대전제는 정신세계를 현실의 감각세계처럼 관찰할 수 있고 개념으로 설명할 수 있다고 하는 것이다. 슈타이너는 신비주의와 신지학의 영향을 받아 영혼과 정신이 실재한다고 주장했다. 또한 괴테의 인식론의 영향을 받아, 감각기관에 의한 경험과 사고 과정에 의한 관념이 서로 다른 것이 아니라 하나로 통일되어 있다는 일원론을 주장했다.

먼저 슈타이너의 인지학은 영혼과 정신이 실재(實在)한다는 이론을 전제로 한다. 슈타이너는 인간의 본질을 '신체, 영혼, 정신'을 가진 3중 구조로 파악했다. 기독교 전통에서는 서기 869년 콘스탄티노플에서 개최된 제8차 공의회에서 '인간은 신체와 영혼으로 이루어진 존재이며 정신은 신의 소유이다. 인간은 신체와 영혼만을 지녔다.'라고 결정한 이후로 정신은 인간 존재의 구성요소에서 제외되었다.[27] 영혼과 정신의 구분은 명확하지 않게 되었고, 유럽의 역사에서는 인간의 본질로부터 정신이 추방당했다. 이러한 흐름에 반기를 들고 슈타이너가 인간의 영혼과 정신을 살려내려고 한 것이다. 영혼, 의식, 관념, 정신 등의 실재를 주장하는 학문적, 철학적 주제는 고대에서부터 현재까지 지속적으로 연구된 과제이고 슈타이너에게만 독창적인 것은 아니다. 그 대표적인 것으로는 '관념론'이 있는데 인간이

---

26) 인식론(認識論)은 지식이나 사상, 학문의 본질 또는 이념의 합리성과 정당성을 다루는 이론이다.

27) 루돌프 슈타이너, 최혜경 옮김, 『인간에 대한 보편적인 앎』, 서울: 밝은누리, 2012, 223쪽.

알 수 있는 실체는 근본적으로 정신적이거나 또는 비물질적이라고 주장하는 철학적 입장이다. 관념론은 마음, 의식, 정신이 물질세계를 형성하는 근원 또는 기초라고 주장하며 경험세계, 물질세계는 정신에 기초한다고 주장한다. 관념론은 고대 힌두교의 우파니샤드 철학에서 시작하여 불교의 사상, 피타고라스학파의 영혼 불멸설, 플라톤주의의 이데아론, 기독교 신학, 유교의 성리학, 칸트의 비판철학, 헤겔의 절대정신 등으로 이어져왔다. 인간의 사고 작용인 영혼과 정신은 많은 철학, 관념론 등의 기본이었고, 인류의 발전은 정신의 가치에 대한 탐구 속에 발전해왔다. 인지학도 이러한 철학적 관념을 토대로 인간의 영혼과 정신의 가치를 중시하고 인간의 본질의 규명과 함께 더 나은 인간으로서의 발전을 모색한 학문이다.

슈타이너는 감각으로 지각할 수 있는 세계는 절반이고 나머지는 관념을 통해 알게 된다고 했다. 자연과학은 감각으로 지각할 수 있는 세계만 알려주기 때문에 나머지 실재를 파악하는 길은 관념적 사고와 경험적 방법 모두에 의해서 가능하다고 말했다. 그는 『자유의 철학』(*Die Philosophie der Freiheit*)에서 인간의 실재를 인식하는 앎은 감각기관을 통한 지각과 관념적 사고 과정을 통한 개념이라고 했다. 더 나아가 슈타이너의 인식론은 실재를 인식하는 것이 개념이나 관념에 의한 것이라고 하는 관념론이나 감각과 지각에 의한 실재의 반영이라고 하는 실재론 어느 한편에도 속하지 않는다고 주장한다. 슈타이너는 실재를 인식하는 앎은 감각과 관념 모두에 의한 것이라고 했다. 그는 세계는 물질적인 면과 정신적인 면을 모두 갖고 있으며 물질적인 면은 감각기관의 지각에 의해 발견되고 정신적인 면은 관념적 사고를 통해 인식되며 이것은 상호관련성을 갖게 된다고 주장했다.

슈타이너는 인지학을 인간과 인간이 존재하는 세계의 본질을 인식하는 학문이라고 정의했다. 물질세계와 정신세계는 상호연관 되어 지속적으로 활동하고 있으므로 현대의 물질 중심적인 사고방식으로는 정신세계를 정확히 파악할 수 없다고 한다. 과학이 물질세계에 대한 경험을 바탕으로 법칙을 찾아내 물질세계를 인식하는 것과 같이, 인지학 역시 정신세계에 대한 경험을 토대로 한 과학적인 방법을 통해 정신세계에 대한 인식이 가능하다고 보았다. 물질세계에 대한 경험들이 인간의 내면에 쌓이고, 이것들이 정신신계를 통해 능력으로 변환되므로 정신적인 능력을 높이는 힘은 물질세계에 대한 체험에서 비롯된다고 할 수 있다. 정신세계에 대한 인식은 완성되고 종결되는 것이 아니라 끊임없이 성장하고 발달하는 것이므로, 인간 내부에 잠재된 인식능력을 깨어나게 하는 인간의 수행과 명상, 교육을 강조했다. 또한 인지학은 인간과 세계의 정신적 본질을 추구하지만, 인간이 살아가는 물질세계에도 많은 관심을 두었고, 인간과 세계에 대한 새로운 이해를 토대로 교육, 의학, 예술, 경제, 농업, 자연과학 등 다양한 분야에서 구체적인 활동으로 실천되고 있다.

슈타이너는 이러한 인식론을 근거로 인간본질론, 우주론, 인간구원론, 윤회론, 기질론, 발달단계론, 정신인식론, 교육예술론 등 방대한 분야, 다양한 이론으로 인지학을 확대, 발전시켰다.

본 저자는 인지학의 중요한 3가지 명제를 근거로 다음과 같이 독자적인 인지학의 학문 구성표를 완성했다.

인지학의 명제	구성 이론	내용
눈에 보이지 않는 영혼과 정신의 세계가 존재한다.	인식론	인지학의 세계관, 정당성, 근거
	우주론	우주의 생성, 발전, 진화
	인간구원론	인간 자력구원, 인간 그리스도
인간의 본질은 신체, 영혼, 정신으로 구성되어 있으며 환생한다.	인간본질론	3중 구조, 9중 구조, 12감각론
	윤회론	생과 사, 카르마와 환생
	기질론	인간을 4가지 기질로 구분
	정신인식론	정신세계 인식, 수행 방법
신체, 영혼, 정신의 조화를 위해 교육이 필요하다.	발달단계론	탄생부터 7년 주기 단계로 인간 발달
	교육예술론	발도르프학교, 오이리트미, 예술치료

〈표 1〉 슈타이너의 인지학의 학문 구성 및 내용[28)]

슈타이너가 영혼과 정신에 대한 연구에 집중했던 목적은 인간의 본질을 파악하기 위함이었다. 인지학은 영혼과 정신의 가치를 탐구하고 인간의 본질을 규명하며 이를 토대로 인간의 계발과 교육을 위해 다양한 사회실천을 하고 있는 학문이다. 또한 슈타이너의 인지학은 인간의 본질, 인간의 자아, 인간의 영혼과 정신을 근본적으로 탐구하는 학문으로서 자연과학과 상치하는 개념이 아니며, 자연과학으로 설명할 수 없는 부분에 대한 이해를 도모하고 보완하는 정신과학이다. 자연과학과 정신과학인 인지학의 학문적 조화와 경쟁 속에 인간의 가치는 고양되고 인간의 능력은 더욱 확대될 수 있다. 체홉이 인지학을 수용한 이유는 인지학이 가진 인간에 대한 깊이 있는 이해와 예술을 통해 인간의 정신을 표현하고 회복하려 한 점에 있다고 본다.

28) 본 저자가 독자적으로 완성한 표이므로 그 구성에 대해 다른 의견이 있을 수 있다.

제2장

슈타이너의 인간본질론

체홉은 자신의 연기론을 설명할 때 슈타이너의 인간본질론의 인간의 3중 구조를 즐겨 사용했고, 그의 저서에도 슈타이너의 인지학 이론에 대한 설명이 자주 등장한다. 인간의 3중 구조와 인간의 9중 구조, 12감각, 정신세계 인식 등 인간본질론은 인지학의 기초 개념이기도 하지만 체홉의 연기론에 있어서도 중요한 기초 개념이다. 특히 인간의 9중 구조 중 상위단계인 정신세계 영역에서 체홉이 핵심으로 여기는 영감, 직관, 상상력이 등장하기 때문이다.

체홉은 일찍부터 인간이 보통의 일상 업무를 수행하는 자아와는 다른 자아 또는 본질인 '나'를 지니고 있다고 했다. 체홉은 이 본질을 '고차적 자아'라고 불렀다. 이 고차적 자아와 의식적으로 연결되어 그것의 방대함을 연구하고 그것의 영감의 소리를 듣는 방법을 배우는 것이 그의 인생의 원동력이 되었다고 한다.[29] 고차적 자아는 슈타이너의 인간본질론의 고차적 정신 또는 고차적 인간의 개념과 동일하다.

체홉의 연기방법 중 '중심'(Center)은 인지학에서 이야기하는 인간의 3중 구조와 영혼 단계에 속하는 '사고(Thinking), 감정(Feeling), 의지(Willing)'와 관련이 있다. 체홉은 이 세 가지에 대응하는 신체를 머리(head), 가슴(chest), 복부(pelvis)의 3개의 중심, 즉 'three centers'라고 하며 그의 연기훈련에 적용했다.[30] 체홉의 연기 테크닉을 발도르프학교 연극수업에 도입한 슬론도 체홉의 연기론은 슈타이너의 인간관, 인간본질론에 기초를 두고 있다고 강조했다.[31]

체홉은 인간본질론을 통해 배우가 연기해야 할 배역의 본질을 밝히기를 원했다. 배우가 배역에 접근할 때, 배우와 배역의 다른 점을 찾는다면 그때 비로소 닮은 점이 보일 것이라고 했다. 그 방법으로, 배우와 배역의 사고는 어떻게 다른지(더 빠른지 · 느린지, 더 날카로운지, 더 정확한지, 더 엉망인지 등), 배우와 배역의 감정은 어떻게 다른지(더 혹은 덜 열정적인

---

29) From early on, Chekhov sensed that he possessed an "I" - an ego or essence which is different from the ego which fulfills our usual daily tasks. This 'essence' is what Michael Chekhov calls the "Higher Self". Consciously connecting with this higher ego, investigating its immensity and learning to listen to its inspiring voice, became the driving force in his life. Mala Powers, 같은 책, 15쪽.

30) Imagine the impulse to move starts in your head.(THINKING), Imagine the impulse to move starts in your chest.(FEELING), Imagine the impulse to move starts in your pelvis.(WILL) Michael Chekhov, 〈Master Classes in the Michael Chekhov Technique User Guide〉, Produced by MICHA, the Michael Chekhov Association, New York: Routledge, 2007, 16쪽.

31) 데이비드 슬론, 이은서 옮김, 『무대 위의 상상력』, 경기: 푸른씨앗, 2012, 17쪽. 미국의 발도르프학교 연극교사인 데이비드 슬론(David Sloan)이 연극수업 경험을 바탕으로 집필한 청소년 연극교육서이다. 체홉의 연기론이 슈타이너의 인간본질론에 기초하고 있다고 강조한다. 원제는 *Stages of imagination: Working Dramatically with Adolescents*이다.

지, 사랑하는지, 추운지, 광분하는지 등), 그리고 배우와 배역의 의지(더 혹은 덜 강한지, 굽히지 않는지, 집요한지, 확고하지 못하는지, 산발적인지 등)는 어떻게 다른지를 먼저 생각하라고 했다.[32]

슈타이너의 인간본질론의 3중 구조, 9중 구조, 12감각 등은 체홉의 연기론의 핵심적인 이론으로 정립되었다. 인간본질론은 육체와 물질에만 한정된 좁은 의미의 인간의 개념을 영혼과 정신을 포함하는 넓은 의미의 인간 개념으로 확장한 것이다. 슈타이너는 인간을 신체, 영혼, 정신의 통합적 존재로서의 인간으로 이해했다. 체홉도 그가 추구하는 배우의 상으로 전인으로서의 배우를 강조했다.

인지학은 고차적 자아인 정신을 발견하기 위한 학문이다. 슈타이너가 정의한 바에 따르면, 인지학은 고차적 자아에 이르는 깨달음의 길이며, 인간 본질에 내재한 정신을 우주에 깃들어 있는 정신으로 이끌어가는 것이다. 체홉 역시 상상을 통한 고차적 자아를 만나는 것이 그의 연기론의 시작이라고 했다.

이러한 슈타이너의 인간본질론과 체홉의 연기론의 기본적인 연관성을 염두에 두고 슈타이너의 인간본질론에 대해 구체적으로 살펴본다.

1. 인간의 3중 구조, '신체, 영혼, 정신'의 통합체

1) 신체, 영혼, 정신의 의미

슈타이너는 인간본질론에서 인간본질의 기본 구조를 신체(Leib, Body),

32) Mala Powers, 같은 책, 25쪽.

영혼(Seele, Soul), 정신(Geist, Spirit)의 3중 구조로 보았다.[33] 신체, 영혼, 정신[34]의 개념 특히 영혼과 정신의 개념의 혼동을 피하기 위해 용어의 의미를 정확히 살펴본다.

신체라는 용어는 독일어의 Leib, 영어의 Body에 해당한다. 사전적 의미는 구체적인 물체로서 사람의 몸이다. 인지학에 의하면 신체는 인간 주변을 둘러싼 환경 속에 있는 물질세계 또는 인간 존재 자체이다. 신체는 영혼의 작용인 사고, 감정, 의지에 따라 행동하거나 표현한다.

영혼이라는 용어는 독일어의 Seele, 영어의 Soul에 해당한다. 사전적 의미는 사후에도 죽지 않고 계속 존재하는 부분 또는 사람의 물질적인 부분 이외의 부분이다. 인지학에 의하면 영혼은 인간의 본질적인 사고와 감정에 속해 있다고 간주되는 부분이다. 슈타이너에 있어서 영혼은 신체와 정신을 매개하는 중간적 영역으로 외부세계로부터 자극을 받아들이고 자극에 대해 외부세계에 반응하는 역할을 한다.

정신이라는 용어는 독일어의 Geist, 영어의 Spirit에 해당한다. 사전적 의미는 물질적이 아닌 부분으로 인간을 조정·통제할 수 있는 초자연적이고 고차원적 힘이다. 인지학에 의하면 3중 구조의 인간에게 있어 불멸의

33) 슈타이너의 인지학에서는 인간의 본질을 2중 구조, 3중 구조, 4중 구조, 4가지 기질, 7중 구조, 7단계 생명 과정, 9중 구조, 12감각 등 다양한 숫자로 설명한다. 2중 구조는 양극성을 나타낸다. 3중 구조부터 9중 구조까지는 인간의 본질의 기본 구조이다. 3중 구조는 신체, 영혼, 정신이다. 4중 구조는 물질육체, 에테르체, 아스트랄체, 자아이다. 또한 7중 구조는 물질육체, 에테르체, 아스트랄체, 자아, 정신자아, 생명정신, 정신인간이다. 9중 구조는 7중 구조의 자아가 감각혼, 오성혼, 의식혼으로 세분화된 것이다. 12감각은 인간이 일반적으로 알고 있는 5개의 감각(시각, 미각, 후각, 청각, 촉각)에 생명감각, 고유운동감각, 균형감각, 열감각, 언어감각, 사고감각, 자아감각 등 7개의 감각을 추가한 감각 개념이다.

34) 신체, 영혼, 정신은 동학사상의 '천·지·인'(하늘, 땅, 사람), 인·내·천(사람이 곧 하늘), 진·선·미(참됨과 착함과 아름다움), 지·덕·체(지육, 덕육, 체육)나 천주교의 성부·성자·성신 등의 개념과 유사한 맥락이라고 본다.

본질은 정신이다. 인지학에 있어서 정신은 신체, 영혼보다 한층 고차원의 세계와 연결되어 있는 영역을 의미한다.

신학이나 심리학 등에서는 인간을 물질과 정신이라는 이원적 구조로 파악하여 영혼과 정신을 하나의 개념으로 이해하고 있다. 인지학에서의 영혼과 정신의 개념은 이러한 일반적인 개념과 일치하지는 않는다. 슈타이너의 인지학에서는 물질 이외의 부분을 영혼과 정신이라고 말하고, 이 두 개념을 명확히 구분해서 사용하고 있다.

2) 신체, 영혼, 정신의 상호관계

슈타이너에 의하면 인간은 신체, 영혼, 정신의 3가지 요소로 이루어져 있으며, 인간의 본질에 대한 파악은 인간을 이러한 세 가지 측면에서 고찰할 때만 가능하다고 한다. 인간은 다음과 같이 세 가지 영역 또는 방식으로 세계와 연결되고 세계를 이해한다고 강조했다.

> 첫째, 우리의 감각기관으로 끊임없이 정보를 보내는 대상이다.
> 둘째, 이런 대상들이 주는 인상이다. 우리가 어떤 것에 호감을 가지거나 반감을 느끼고, 유용한가, 해로운가, 마음에 드는가 안 드는가를 따지며, 욕망을 느끼고 혐오감을 갖기도 한다.
> 셋째, "신적 태도"를 통해 대상에서 얻은 인식내용이다. 그것은 그 대상이 그에게 밝힌 작용과 존재의 비밀이다.[35]

위의 글에서 첫째는 신체에 관한 것이며 둘째는 영혼에 관한 것이고 셋

---

35) 루돌프 슈타이너, 양억관, 타카하시 이와오 옮김, 『신지학: 초감각적 세계의 인식과 인간 본질에 대한 고찰』, 서울: 물병자리, 2011, 20쪽.

째는 정신에 관한 것이다. 예를 들어 들판에 핀 꽃들을 본다고 할 때, 인간의 눈을 통해 관찰되는 외형적 꽃 자체는 신체이며, 그 꽃들이 인간의 감정과 연결되는 것이 영혼이고, 그러한 반복되는 과정 속에서 고차원적 인식을 가능하게 하는 것이 정신이다. 꽃을 보고 좋아하는 감정은 영혼으로서 인간의 내부에 있는 것이지만, 꽃들의 법칙과 본질은 정신으로서 인간 밖의 외부세계에 속하는 것이다. 이와 같이 인지학에서는 인간을 신체, 영혼, 정신의 세 가지 방식으로 세계와 연결되는 통합체로 보고 있다. 즉, 인간은 신체를 통해 몸이 지각하는 세계에 속하고, 영혼을 통해 그 자신의 세계를 만들어내며, 정신을 통해 이와는 전혀 다른 세계를 만날 수 있는데 이 정신세계는 보다 고차원적인 인식을 필요로 한다.

슈타이너는 인간의 본질을 신체, 영혼, 정신의 3중 구조를 가지며 상호작용하는 관계로 보았다. 신체는 물질적 요소를 가졌고 정신은 우주의 요소를 가졌으며 이는 서로 양극성을 지닌다. 정신과 신체를 매개하는 중간요소인 영혼도 신체와 정신을 통해 물질세계와 정신세계로부터 영향 받고 있으며 양극성을 지니는 것이다.

인지학에서는 이러한 인간의 3중 구조를 해부학적 관점으로도 설명하고 있다. 첫 번째는 머리 부분이고, 두 번째는 목 아래부터 횡격막까지의 가슴 부분이며, 세 번째는 횡격막 아래 복부 부분과 사지 부분이다.

첫 번째는 머리(정신) 부분이다. 머리는 여러 개의 뼈들로 구성된 둥근 모양의 두개골로 단단하게 결합되어 하나의 단일체가 된다. 두개골의 역할은 뇌와 경계를 보호하는 것이다. 모든 신경이 모이고 다시 몸 전체로 뻗어가는 중요한 곳이며, 그래서 부분보다는 전체를 하나로 통합하려는 특징이 있다고 한다.

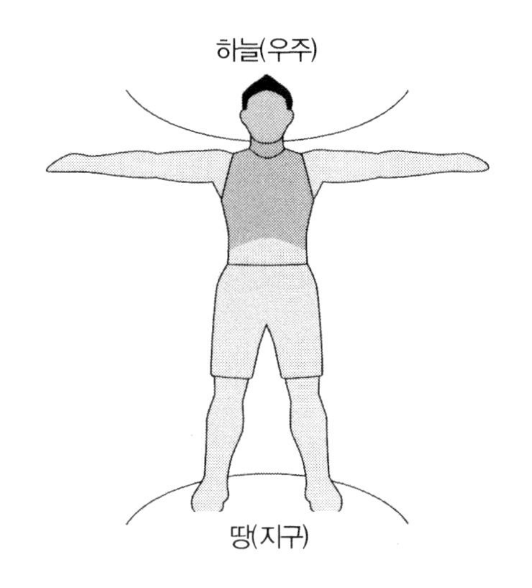

정신	사고	과거	깨어 있음	대칭	신경감각계
영혼	감정	현재	꿈꾸고 있음	대칭/비대칭	리듬계
신체	의지	미래	잠들어 있음	비대칭	신진대사 · 사지계

〈그림 2〉 인간의 3중 구조[36)]

두 번째 가슴(영혼)은 머리와 복부 중간부분이다. 폐는 대칭인 것 같지만 오른쪽 폐가 왼쪽 폐보다 조금 크다. 심장은 가운데 중심에서 약간 왼쪽에 위치하며, 우심방보다 좌심방이 커 완전한 대칭구조가 아니다. 인지학에서는 이러한 비대칭이 서로 협력하면서 인간에게 필요한 리듬(rhythm)을 만들어낸다고 한다.

세 번째는 복부와 사지부분(신체)이다. 복부는 물렁물렁하고 따뜻하다. 복부 내 장기는 대칭적이지 않다. 간의 재생력과 생식기관을 보면 죽음이

36) 본 저자가 인간의 3중 구조이론을 토대로 완성한 것이다. 인지학에서는 신체를 파랑, 영혼을 빨강, 정신을 노랑으로 나타내기도 한다. 신체, 영혼, 정신의 영역이 그림처럼 정확하게 구분되는 것은 아니다.

아닌 생명력이 넘치는 영역이다. 인간의 몸에서 세포성장이 제일 활발하고 피가 가장 따뜻한 곳이다. 사지의 팔 · 다리, 손 · 발의 뼈 구조는 머리와는 달리 전체에서 분화되어 사방으로 뻗어나가는 대조적인 모습이다.

이러한 인간의 해부학적 3중 구조는 대칭, 비대칭의 구조를 포함한다. 머리는 명확한 좌우 대칭구조이고, 가슴은 대칭 · 비대칭을 함께 가지고 있으며, 복부와 사지는 비대칭이다. 또한 머리와 복부 및 사지 부분은 서로 양극을 이룬다. 이러한 인간의 해부학적 구조를 토대로 인간은 머리에 중심을 둔 신경감각계, 가슴에 중심을 둔 리듬계, 복부에 중심을 둔 신진대사 · 사지계 등 3중 구조로도 구분된다.

인간의 3중 구조에 관하여 인지학자이자 발도르프학교 교사인 베티 스텔리(Batty Staley)는 다음과 같이 자세하게 설명하고 있다.

> 신체는 성별, 인종, 키, 골격구조, 색깔, 외모 특징, 심지어 특정 질병의 경향성처럼 유전으로 결정되는 특성이 포함된다. 정신은 우리 안의 영원불멸한 부분이다. 진리나 선 같은 이상의 빛이 사고 속에 비쳐들 때, 신에 대해 명상할 때, 양심의 소리에 귀 기울일 때, 타인의 내면에 존재하는 더 높은 본성을 알아차릴 때 우리는 정신적 자아와 연결된다. 기도와 명상, 헌신은 정신을 위한 행위다. 지상의 삶을 사는 동안 육체와 정신의 상호작용이 이루어지는 곳이 바로 영혼 영역이다. 행위와 느낌, 생각, 즉 의지, 감정, 사고 속에서 경험하는 모든 사건 역시 영혼 속에서 벌어진다. 배고픔, 갈증, 성욕 등의 욕구는 아스트랄체 또는 영혼에서 솟아나지만 그 욕구를 충족하는 영역은 신체다. 그런 욕망 위에 이상, 정신적 가치, 진리의 빛이 비쳐 들어오면서 팽팽한 긴장이 형성된다.[37)]

37) 베티 스텔리, 하주현 옮김, 『인생의 씨실과 날실』, 경기: 푸른씨앗, 2017, 16~17쪽.

신체는 진화 또는 유전으로 결정되는 사물 또는 인간의 특성적인 부분이다. 정신은 진리나 선 같이 인간의 영원불멸한 부분이다. 수행, 명상, 헌신 등이 정신을 위한 행위이다. 영혼은 사고, 감정, 의지 등이며 육체와 정신의 상호작용을 연결하는 영역이다. 배고픔, 갈증, 성욕 등의 신체적 욕망들은 영혼의 작용을 통해 이상, 정신적 가치, 진리의 빛 등으로 승화된다.

신체, 영혼, 정신이 어려워 보이지만, 단순히 생각하면 신체는 눈에 보이는 사물 자체이고 영혼은 이러한 사물에 대해 감각하고 감정을 느끼고 사고하는 인간의 행위나 작용이다. 정신은 신체와 영혼에 의해 승화된 고차원적 진리이다. 이것을 체홉의 연기론으로 설명하면 신체는 배우의 몸이고 영혼은 배우를 통해 표현되는 배역의 동작, 심리, 감정이고 정신은 신체와 영혼을 통해 구현되는 배역의 목적, 의미, 본질이다. 체홉도 인간의 육체가 신체, 영혼, 정신의 서로 다른 기능을 가진 3중의 형태라는 것을 깊이 생각한다면, 배우는 각각 다른 방식으로 배우의 몸을 이해하고 연기에 활용하게 될 것이라고 말했다.

이러한 인간의 3중 구조는 다시 '자아'의 개념을 포함하는 신체, 영혼, 정신의 '인간의 자아 3중 구조'로 〈그림 3〉처럼 나타내 볼 수 있다.

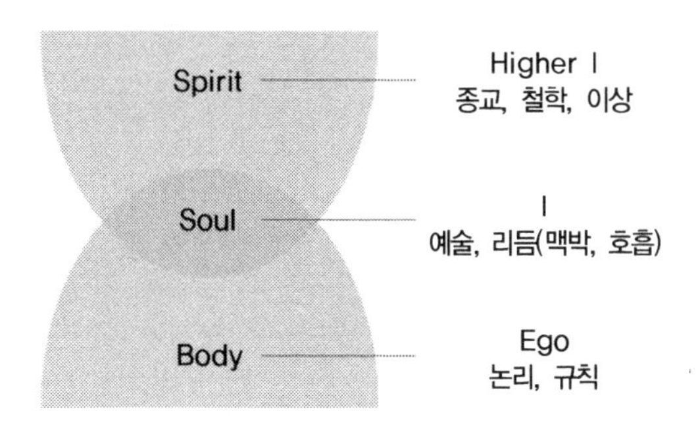

〈그림 3〉 인간의 자아 3중 구조[38]

Ego는 '일상적인 나', 또는 '지상의 삶을 살기 위한 나'로 신체 영역에 속한다. I는 인간이 지속적으로 지니고 있는 인간 특유의 속성인 '자아'이며 영혼의 영역에 속한다. Higher I는 인간이 스스로를 고양하여 발달시켜나가는 이상적인 나, 즉 '고차적 자아'이며 정신의 영역에 속한다.[39] 중간에 위치한 영혼(Soul)은 고차원적인 정신과 저차원적인 신체의 특성도 포함하고 있다. 저급한 영혼과 고양된 영혼이 공존해 있다는 의미이며, 영혼은 신체와 영혼의 관계를 연결하고 조율하는 중요한 역할을 한다.

신체, 영혼, 정신의 관계에 대해 인지학자 미하일 데부스[40]는 '인간은 3가지 세계의 시민'이라고 했다. 인간은 신체를 통해 육체로 감각하는 세계에 속하고, 영혼을 통해 자기의 고유한 세계를 만들고, 정신을 통해 고차적 세계를 만난다고 한다. 정신을 통해 열린 세계는 신체와 영혼의 총합으로서, 정반이 섞인 것이 아니라 상승된 것이라고 말했다.[41]

인지학에서는 인간을 이루는 본질은 '신체, 영혼, 정신'이기 때문에 신체, 영혼, 정신의 3중 구조로 보아야 비로소 인간의 본질이 해명될 수 있다고 한다. 3중 구조로 파악하는 인지학적 인간 이해는 인간을 신체를 가진 물질적 존재뿐만 아니라, 영혼과 정신을 가진 우주적 존재로까지 고양시키는 것이다.

---

38) 본 저자가 인지학공부모임의 토론 내용을 토대로 완성한 그림이다.

39) 인지학에서의 Ego는 심리학이나 정신분석학의 개념과는 다소 차이가 있고, 초자아라는 의미의 용어도 Higher I와 Higher Ego가 혼용된다. 체흡은 Higher Ego를 사용한다.

40) 미하엘 데부스는 독일 튀빙겐대학과 에어랑엔대학에서 수학, 물리학, 철학 등을 전공했고 독일 슈투트가르트 신학대학의 대표교수를 역임했다. 독일인지학회 회장이자 슈투트가르트의 뫼링엔의 그리스도공동체교회 사제로 근무하며 세계 각국에서 인지학 초청 강연을 진행하고 있다.

41) 미하엘 데부스의 강연, 2017. 7. 25, 청계자유발도르프학교 강당.

인지학의 3중 구조와 비슷한 개념으로 동양사상의 '혼백(魂魄)'이 있다. 혼백은 인간의 몸 안에 있으면서 인간을 다스리고 목숨을 붙어 있게 하며, 죽어도 영원히 남아있는 비물질적이고 초자연적인 존재를 말한다. 성리학에서는 인간의 삶과 죽음의 문제를 음양(陰陽)의 기(氣)가 흩어지고 모이는 작용으로 설명했는데, 사람이 죽으면 혼은 양의 성질을 갖기 때문에 하늘로 돌아가고 백은 음의 성질을 갖기 때문에 땅으로 돌아간다고 했다. 혼은 하늘을 향해 날아가는 정신이고 백은 땅으로 스며드는 영혼이다. 제사를 지낼 때 제사상 위의 어떤 것도 움직이면 안 되는데 움직일 수 있는 두 가지가 있다. 하나는 향인데 위로 올라가는 향은 혼을 위로하는 것이고, 다른 하나는 밑에 붓는 술이며 이는 백을 위로하는 것이라고 한다. 동양 사상에서도 인지학에서와 같이 인간이 물질적인 육체만이 아닌 영원히 존재하는 영혼과 정신으로 이루어져 있다고 설명했다.

또한 인지학의 3중 구조의 개념은 인도 철학과도 맞닿아 있다. 인도 사상의 핵심은 '인간 안에는 참모습이 있다'는 명제이고 그것을 '아트만'(Atman)이라고 한다. 아트만은 인도 철학의 기본적인 개념의 하나로, 인간 존재의 영원한 핵이며 죽은 뒤에도 살아남아 새로운 생명으로 다시 태어나거나 존재의 굴레에서 해방되게 하는 인간 자아이며, 인지학의 영혼 또는 정신의 개념과 유사하다. 그런데 인간의 아트만을 찾기 위한 노력은 인간이 스스로 만든 카르마와 윤회에 의해 좌절되고 만다. 인간이 마음과 감각에 휘둘리지 않고 통제함으로써 자신의 참모습을 발견해 나가고 끊임없는 윤회의 반복으로부터 벗어나 인간의 참모습을 발견한 상태를 해탈이라고 한다. 해탈은 인간이 카르마와 윤회의 굴레에서 벗어나서 진정한 참모습을 발견한 자의 자유이다. 인간이 진정한 자아인 아트만을 발견했을 때 인간은 비로소 개별적 존재를 탈피할 수 있다. 모든 존재에게 아트만이 있음을 발견하면 인간이야말로 세상의 근원이고 세계의 본질임을 깨닫게 된다. 인도 철학에서도 인간 스스로 인간의 본질, 인간의 절대정신을 추구한다는 측면에서 인지학과 유사하다.

이러한 인간의 3중 구조이론은 인간 존재의 기본적인 구조를 정의하고 인간의 행동 및 사고의 작용 체계를 설명하여 인간의 본질을 밝히는 것이다. 또한 궁극적으로는 인간 존재의 목적, 이상, 가치 등을 고양하고 인간의 스스로의 노력을 독려하여 인간의 능력을 계발하고 확대하기 위한 방법을 제시하는 것이다.

2. 3중 구조의 확장, 인간의 9중 구조

인간의 3중 구조의 신체, 영혼, 정신은 〈표 2〉와 같이 각각 3개로 세분화되어 9중 구조로 확장된다.

인간의 3중 구조	인간의 9중 구조
정신 Spirit	정신인간 Spirit Man(변화한 물질육체) → '직관' 생명정신 Life Spirit(변화한 에테르체) → '영감' 정신자아 Spirit Self(변화한 아스트랄체) → '상상력'
영혼 Soul	의식혼 Consciousness Soul(진리와 선) 오성혼 Intellectual-Mind Sou(질서와 감정의 양극성) 감각혼 Sentient Soul(공감과 반감)
신체 Body	아스트랄체 Astral Body 에테르체 Etheric Body 물질육체 Physical Body

〈표 2〉 인간의 9중 구조[42]

1) 신체(의지): 인간의 존재 형식

(1) 인간의 몸 '물질육체'

인지학에 의하면 물질육체(Physical Body)는 인간의 몸을 구성하고 있는 기본 물질 존재 자체이다. 이것은 장기간의 변화를 거치며 뼈, 근육, 신경 등이 응축되어 생성된 결과물로 계속 순환한다. 세상에 존재하는 물질은 구조와 형태에 따라 크게 광물, 식물, 동물 등 세 가지 존재형식으로 구분된다. 물질육체는 인간이 땅에서 나는 광물과 같은 속성을 가진 부분이다. 사체(死體)는 인간이 광물과 같은 방식으로 존재하는 것임을 증명한다.

인간의 신체는 광물적, 식물적, 동물적 존재형식이 모두 갖추어져 있고, 여기에 네 번째의 독자적이고 인간적인 존재형식인 '자아'가 덧붙여져 있다. 광물적 형식으로 인해 인간은 모든 눈에 보이는 물질과 같고, 식물적 형식으로 인해 성장하며 번식하는 모든 생물과 같고, 동물적 형식으로 인해 외부 환경을 지각하고 외적 인상을 기반으로 내적 체험을 하는 모든 존재와 같다. 그리고 자아라는 인간적 형식으로 인해, 인간은 몸의 차원에서 이미 그 고유한 세계를 형성하게 된다.

인간의 몸이 식물적, 동물적 형식을 가졌다고 해도 인간의 물질육체는 다른 식물이나 동물의 그것과는 다르다. 인간의 신체구조, 신경조직, 특히 뇌의 형태와 기능은 의학자나 생리학자, 해부학자도 밝히기 힘든 수수께끼이다. 물질육체의 집중성, 통합성, 완전성이 어떤 식물이나 동물도 달성하지 못한 수준에 도달했음은 이미 확인된 과학적 진실이다. 따라서 인간은 물질육체의 계발과 육성을 위해 노력해야 한다. 아름답고 힘차게 발달한 몸, 특히 고도로 훈련된 두뇌는 독창적인 사고를 통해 고차적 정신인식을

---

42) 본 저자가 루돌프 슈타이너의 이론을 토대로 완성한 표이다.

위한 중요한 요소가 되기 때문이다. 이것은 몸으로 배역을 표현하는 배우에게도 동일하게 적용되는 것이다.

(2) 습관, 전통 '에테르체'

그리스어로 '빛남'을 의미하는 에테르체(Etheric Body)는 인간의 9중 구조의 두 번째 본성이며 '생명체'라고도 한다. 보통의 감각으로는 지각할 수 없으나 내적기관이 육성될 때 지각되는 신체이다. 이는 물질적 소재나 힘을 생명력으로 바꾸는 독립적이고 현실적인 본성으로 인간이 식물과 같은 속성을 가진 부분이다. 생물의 유기적인 활동을 촉진하는 눈에 보이지 않는 신체 부분이자 동양의 '기'(氣)에 해당하는 신비주의적 용어로, 이미 파라켈수스[43]가 이 말을 사용했다. 살아있는 동안 육체가 붕괴되지 않도록 육체에 에너지, 성장과 생식, 호르몬 등 내적 움직임의 현상을 만들어주는 원천이어서 '생명형성력'이라고도 한다. 물질육체의 일종의 분신처럼 보이는 신비한 몸이고 물질육체와 아스트랄체 사이에 있는 중간 단계이다. 에테르체는 '아우라'(Aura)와 같이 인간을 보다 단단하게 유지해주는 '보이지 않는 힘'이다.

에테르체는 감각 인식에 있어서 물질육체보다 고차의 단계이다. 육체 곳곳에 침투되어 있으며, 인간의 모든 신체 기관은 에테르체의 흐름에 따라 유지된다. 이 흐름을 통해 인간은 본래의 고차적인 생명 요소를 제어할 수 있게 되고, 물질육체로부터 고도의 자유를 획득할 수 있게 된다. 에테르체는 생명체이기 때문에 인간이 죽게 되면 치아, 손톱, 머리카락처럼 물질

43) 파라켈수스(1493~1541)는 르네상스 시대 스위스의 의사, 화학자로 고대의학, 연금술에 통달하였고, 의학·화학의 시조로 일컬어진다. 그는 전 우주를 하나의 살아 있는 생명체로 보았다.

육체와 분리된다.

인지학에서는 무의식적인 충동, 습관, 전통, 관습 등이 에테르체의 활동에 의한 것으로 본다. 에테르체가 작용하기 때문에 물질육체는 단순한 광물 이상의 임무를 담당하게 되며, 물질육체의 성장, 번식 등을 가능하게 하는 원동력이 된다. 슈타이너는 에테르체를 '물질육체의 건축가 혹은 물질육체 안에 사는 거주자'라고 말했다.

(3) 본능, 욕망 '아스트랄체'

인간의 신체를 구성하는 세 번째 본성은 아스트랄체(Astral Body)이다. '별'을 의미하는 아스트랄체는 '영혼체' 또는 '감각체'라고도 한다. 인간의 본능, 충동, 욕망처럼 생존의 필요성에 의해 나타나는 것으로 인간이 활동하기 위한 내적인 원동력을 의미한다.

아스트랄체는 에테르체보다 더욱 미세한 신체 부분이다. 외부 대상을 지각하여 내면의 체험을 만들어내는 토대가 된다고 한다. 고통, 쾌락, 충동, 열망, 열정, 쾌, 불쾌 등의 본능이나 감각 또는 기초적인 감정 등이 아스트랄체의 활동에 의한 것이다. 예를 들어 다람쥐가 도토리를 저장하는 것은 사전에 준비하고 계획하고 사고하고 하는 것이 아니라 본능에 따라서 행동하는 것이다. 땅을 파고 먹이를 묻는 것 역시 오랜 개체의 진화에 따라 내재된 본능이다. 사고라고 인정하기는 힘들고 지상의 삶을 유지하기 위한 아스트랄적 본능이다.

인간 신체를 광물, 식물, 동물적 형식으로 구분할 때, 광물은 물질육체를 지니고 있다. 식물은 물질육체와 에테르체를 지니고 있지만 자극에 대한 간단한 반응 정도여서 아스트랄체는 없다. 인간을 포함한 동물은 물질육체, 에테르체, 아스트랄체를 모두 지니고 있다. 따라서 감각작용과 연관되어 있는 아스트랄체는 동물적 특성을 공유한다고 할 수 있다. 아스트랄체는 자아를 통해 영혼의 영역의 시작인 감각혼으로 한 단계 발전한다.

아스트랄체는 내적으로 움직이며 빛을 발하는 형태인데, 아스트랄체를 쉽게 이해할 수 있는 단서는 '잠'(Sleep)이다. 잠은 인간이 살아가는 동안 중요하지만, 인간이 계속해서 잠만 자는 것은 아니다. 잠을 자는 것만큼 잠에서 깨어나는 것도 중요하다. 슈타이너는 인간을 잠에서 깨어나게 하는 초감각적 힘을 아스트랄체라고 했다. 만일 인간에게 아스트랄체가 없다면, 신체는 살아 있으나 영혼의 활동도 없고 정신의 활동도 없는 식물인간이 된다. 아스트랄체는 인간을 깨어나게, 깨어 있게 하는 힘으로 작용하는 것이다.

신체 단계에서는 물질육체, 에테르체, 아스트랄체만 있을 뿐이지 아직 영혼은 없다. 신체에서 영혼으로 한 단계 발전하는 것을 인지학에서는 'Body Free'라고 한다. 신체는 지상의 삶에 묶여있는 것이기에 영혼으로 올라가기 위해서는 신체에서 벗어나 자유로워져야 함을 의미한다. 몸을 벗어던지는 것은 조금 더 고양된 영혼적 삶을 추구하는 것이다. 영혼적 삶을 통해 인간은 신체 단계에서 얻을 수 없는 문화와 예술을 창조할 수 있게 된다.

2) 영혼(감정): 인간의 행위와 작용

영혼은 감각혼, 오성혼, 의식혼으로 구성된다. 영혼 단계에서는 자아가 신체를 변형시켜주는 역할을 한다. 자아를 통해 인간은 저급한 동물적 신체에서 영혼의 영역으로 발전되고, 인간적인 삶을 영유할 수 있게 된다. 신체를 물질육체, 에테르체, 아스트랄체로 구성된 '그릇'이라고 한다면, 그 안에 담겨지는 내용이 바로 '영혼'이다. 신체는 겉으로 드러나 보이는 부분이지만 영혼은 신체 안으로 들어가 내재된 부분이다. 그래서 눈으로는 볼 수 없고 느끼기만 할 수 있다.

영혼의 또 다른 구분은 사고, 감정, 의지이다. 영혼이 중요한 이유는 신체에서 감각한 것을 정신에 전달하는 매개체 역할을 하기 때문이다. 물질육체, 에테르체, 아스트랄체에서 일어나는 변화는 영혼의 세 가지 작용이자 발전과정인 사고, 감정, 의지에 의해 정신에 전달된다. 특정한 사고가 의식 속에 떠오르면, 자연스러운 법칙에 따라 어떤 감정이 사고에 연결되고 사고와 합법칙적으로 연관되어 있는 의지적 결단이 뒤따른다. 예를 들어 어느 방에 들어갔다가 그 방이 덥다고 느끼면 창문을 연다거나, 자기 이름을 부르는 소리를 들으면 고개를 돌린다는 등의 행동들은 사고와 감정, 의지 사이의 간단한 연관관계를 확인할 수 있는 것들이다. 인간 생활을 살펴보면 모든 행위가 이와 같은 연관관계로 구축되어 있음을 발견할 수 있다. 이 모든 것은 영혼의 사고, 감정, 의지라는 세 가지 작용이 서로 결합되어 상호 영향을 미치기 때문이다.

인지학에 의하면 감각혼, 오성혼, 의식혼으로 이루어져 있는 영혼 중, 영혼 전체를 담당하고 있는 핵심은 바로 '자아'이다. 자아는 영혼의 중심에 위치하며 영혼이 갖는 다양한 경험을 총괄한다. 자아의 고유한 특징은 기억(Memory) 작용으로, 인간 내부에 기억을 생겨나게 하는 근원적인 힘이다. 인간이 자신의 경험과 체험을 망각하지 않고 기억할 수 있는 것은 자아를 소유하기 때문이다.

(1) 공감과 반감 '감각혼'

감각혼(Sentient Soul)은 신체, 특히 아스트랄체와 연관이 많지만 기본적으로 영혼 단계이다. 외부의 인상(자극)에 의해서 인간의 영혼에 생겨나는 감각, 감정과 관계되는 영역을 감각혼이라고 한다. 동물은 순수한 본능에 충실할 뿐 감각혼을 가지고 있지 않으며, 인간에게만 가능한 것이다.

감각혼은 외부세계와 연결되어 있어 영혼이 외부세계와 만나는 통로가 된다. 감각혼은 외부세계를 보고, 듣고, 받아들이는 역할을 한다. 감각혼은 외부의 감각적인 세계를 인지하고 능동적으로 외부세계와 반응한다. 그러나 이러한 반응은 동물적인 본능, 욕망이 포함된 단순하고 즉흥적인 반응이다. 고차적 영혼인 오성혼이나 의식혼과는 달리 감각혼은 깊게 사고하지 않고 반응한다. 그래서 감각혼을 즉흥적으로 반응하는 인간의 행위의 원천이라고도 한다. 예를 들어 파란색을 보고 파란색이란 감정이 느껴지는 것은 감각혼에 의한 것이고, 파란색이라는 개념을 생각하게 된다면 오성혼에 의한 것이다.

감각혼에서 인간은 공감과 반감이라는 인간적인 감정을 가질 수 있다. 공감은 인간이 다른 것을 끌어당겨 이해하고 같은 생각으로 융합하려는 힘이다. 반감이란 다른 것을 밀어내고 배제하며, 자신의 특성을 주장하려는 힘이다. 주위에 있는 다른 것을 공감 작용으로 끌어당기려 하지만 그와 동시에 반감이 작용하여 주위에 있는 것을 물리친다. 그래서 외부적으로는 오직 반감의 힘만 보이지만, 공감과 반감은 함께 존재하고 있다. 이러한 공감과 반감의 결합과 상호작용을 통해 인간은 존재에 필요한 기초적이고 다양한 감정들을 만들어낸다.

체홉은 심리제스처를 위한 훈련으로 원으로 서서 돌아가며 '공 던지기'

를 한다. 체홉의 연기훈련에서는 공을 활용한 다양한 훈련(ball work)을 접하게 된다. 연기방법으로서의 공 던지기는 모스크바 예술극장과 영국 다팅톤 스튜디오의 연기훈련 프로그램에서 채택된 체홉의 역사 깊은 훈련방법이다. 공 던지기는 현재에도 four brothers, three sisters, 심리제스처 등 체홉의 연기 테크닉을 배우기 위한 훈련방법으로 다양하게 응용되고 있다. 상대에게서 공과 함께 던져지는 색깔(단어)에 즉흥적 반응으로 나오는 단어를 외치는 훈련을 하는데, 이것은 배우들의 감각혼을 깨우기 위한 것이라고 판단한다. 체홉의 'six directions' 훈련은 앞뒤, 좌우, 위아래 등 모든 방향으로 배우의 신체를 더욱 확장시키는 것인데 이것은 배우 자신을 더 열어 반응하겠다는 의미이다. 그러한 측면에서 six directions 훈련도 감각혼과 관계가 깊다.

(2) 질서와 감정의 양극성 '오성혼'

오성혼(Intellectual-Mind Soul)은 이성혼, 지성혼이라고도 한다. 오성혼은 두 가지의 양극성을 가지고 있다. 'intellectual'한 진리와 선(善)인 상위영역과 'mind'의 기본적인 감정의 하위영역을 포함하는 감각혼과 의식혼의 중간 단계이다. 상위영역인 질서, 규칙과 하위영역인 감각, 감정, 혼돈의 적절한 긴장관계에 있는 영혼적 상태가 오성혼이다. 이러한 상위영역과 하위영역이 상호작용하며 인간이 가지고 있는 본능을 승화시킨다. 특히 오성혼은 질서와 규칙이라는 상위영역을 통해 건강한 이성적 판단을 하게 하는 영혼의 힘이다. 오성혼은 인간이 직면하는 상황의 합리성 여부나, 그 상황이 건강한 의식에 어긋나는지 여부를 판단하는 능력을 제공한다.

또한 오성혼은 감각혼에 의해 받아들여진 감각을 사고로 인지한다. 따라서 감각혼과 밀접한 연관이 있다. 인간이 하위 단계인 감각혼만 갖고 있다면 질서가 없고 혼돈스러운 일이 많이 생길 것이다. 오성혼은 건강한 이성적 판단을 통해 질서와 논리를 만들어주고, 이를 토대로 기계와 과학을 발전시켜 인간의 삶의 근간을 이루는 물질문명을 만들어낸다. 예를 들어 차를 후진할 때 뒤를 돌아보는 것은 감각혼인데, 이 감각혼에 사고를 더하여 이제는 후방 카메라를 통해 편리하게 인식하는 것이 오성혼이다. 감각혼을 발전시키는 사고의 임무를 맡은 영혼이 오성혼이다.

(3) 진리와 선 '의식혼'

인지학에 의하면 의식혼(Consciousness Soul)은 진리와 선을 추구하는 영혼이다. 사고, 감정, 의지 등 영혼의 세 가지 활동이 실제로 작용하여 실천되는 단계이다. 감각혼과 오성혼이 여전히 본능, 충동, 욕망 등 인간의 신체적 본성의 영향을 받는다면, 의식혼은 그것을 벗어나 인간의 사고가 작용하는 고차적 영혼에 도달한 상태이다.

의식혼에서의 진리와 선은 정신을 지향하는 고차적 영혼 상태의 진리와 선이다. 감각혼과 오성혼 단계에서는 본능, 충동, 욕망 등 감각이나 감정으로 느낀 것을 진리라고 믿는다. 그러한 하위 단계의 진리 개념에 의식혼의 사고가 작용하여 '좋다, 싫다'는 본능적이고 감정적인 요소들을 제거한 것이 의식혼이다. 진정한 진리는 정신적 영역인데 그것을 당장 받아들이지는 못하지만 거부하거나 부정하지 않고, 고차적 인식을 위해 열어 놓는 상태인 것이다. 의식혼은 아직 정신 단계에 이르지는 못했지만, 감각혼과 오성혼보다 객관적인 의미의 진리와 선을 추구하는 영혼의 단계이다. 이와 같이 의식혼이 인간을 진리와 선으로 향하게 하는 것은 정신의 작용과 비슷하다고 볼 수 있다. 이에 대해 슈타이너는 의식혼에는 정신이 스며들어 있고 정신과 연결되어 있기는 하나 완전히 동일한 것은 아니라고 한다. 슈타이너는 정신을 바다에 비유한다면 의식혼은 바다로부터 흘러나온 물방울과도 같은 것이라고 말했다.[44)]

감각혼(본능적 감정), 오성혼(질서와 규칙), 의식혼(진리와 선)의 관계를 나타내는 대표적인 예시는 영화관의 화재시 대피 상황이다. 영화관에서 화재 안전대피요령을 들었을 때는 의식혼의 진리와 선을 추구하는 실천 작용에 의해 "당연하지, 노약자를 먼저 대피시켜야지."라고 속으로 받아들이지만, 막상 실제 불이 나면 그렇게 행동하기 쉽지 않다. 불, 뜨거움, 연기 등은 감각에 의해 경험된 것이고 감각혼의 본능적 감정이 "내가 먼저 살아야 한다."고 강조하기 때문이다. 인간이 직면한 상황의 합리성 여부를 판단하는 오성혼에 의해 질서와 규칙으로 받아들여진 "차례대로 대피해야 한다."는 의식은 감각혼에 의해 무시된다. 그래서 실제로는 노약자를 밀치고 자기가 먼저 살아야겠다는 생존 본능으로 행동하는 것이다. 재난이 발생했을 때 타인을 위해 자신을 희생하는 의인들이 나타나는 것은 의식혼이 깨어있는 경우에 가능하다.

인지학에서는 의식혼이 물질문명과도 깊은 관련이 있다고 한다. 기계와 과학과 같은 물질문명 자체는 오성혼의 결과물이지만 그 물질문명의 객관적 기술, 테크닉, 윤리 등은 의식혼이 전제되어야 한다. 예를 들어 비행기 조종사가 아침에 일어났을 때 나쁜 소식을 들었다면 슬퍼할 것이다. 하지만 비행기를 조종할 때에는 개인적인 감정인 슬픔을 모두 내려놓아야 한다. 인간은 의식혼을 통해 기술의 객관성을 배워야 한다. 기술의 내용은

44) 정윤경, 『루돌프 슈타이너의 인지학과 발도르프학교』, 인천: 내일을여는책, 2000, 108쪽.

오성혼이지만 기술의 습득은 의식혼을 전제로 해야 한다. 의식혼은 진정한 진리, 순수한 진리이고 그것은 주관적인 감정이나 사고보다 더 객관적이고 정신적인 것이다. 의식혼은 물질문명이 단순한 물질만능주의 또는 물질우선주의에 빠지지 않도록 제어하는 역할을 한다.

연기는 기술이다. 기술이라는 것은 여러 번 반복하여 시행한다 하더라도 같은 결과를 낼 수 있어야 한다. 체홉은 자신의 연기방법을 '테크닉 연기'라 하며 배우의 정서, 감정에 함몰되는 연기가 아닌 객관적이고 정신적인 연기술이 되길 바랐다. 이는 인지학의 '의식혼'과 맥락을 같이 하는 것이라고 본다. 의식혼은 개인적 감정이나 주관적 사고에서 벗어난 것이고 객관적 진리이기 때문이다.

3) 정신(사고): 인간 존재의 비밀

정신은 상상력과 관계하는 정신자아, 영감과 관계하는 생명정신, 직관과 관계하는 정신인간으로 구분된다. 슈타이너는 신체와 영혼의 단계를 넘어서는 초감각적이고 고차적인 정신세계 인식은 세 단계로 이루어진다고 했다. 첫 단계는 상상력(Imagination), 두 번째 단계는 영감(Inspiration), 정신적 인식의 마지막이자 최고의 단계는 직관(Intuition)의 단계이다.

인지학에서는 감각혼, 오성혼, 의식혼이 고양되면 각각 정신의 영역인 정신자아, 생명정신, 정신인간의 단계로 발전할 수 있다고 한다. 신체와 영혼 영역은 인간이면 누구나 공통적으로 보유한 인간의 본질이지만, 정신의 영역은 인간의 노력에 의해서만 발현될 수 있는 독창적인 인간의 본질이라고 한다.

(1) 변화한 아스트랄체 '정신자아': 상상력

정신의 첫 단계는 정신자아(Spirit Self)이며, 상상력(Imagination)의 단계이다. 정신자아 단계는 감각에서 자유로우며, 감각의 자리에 감각 대상이 존재하지 않아도 상(象)을 형성할 수 있는 능력인 상상력이 대치된다. 상상력이 지각하는 내용은 하위 감각들이 결코 접근하지 못하는 정신적 사실이고 실체라고 한다. 상상력의 사전적 의미는 경험하지 않은 현상이나 사물에 대해 머릿속으로 그려 보는 능력으로, 정신적인 이미지와 개념을 형성하는 독창적인 능력이다. 그래서 상상력은 지식과 경험의 의미를 이해하는데 도움을 준다.

정신자아는 의식혼으로부터 발전하여 고양된다. 인간의 살아 있는 동안의 체험으로 축적된 의식혼의 진리와 선이 정신자아, 즉 상상력에 영양분을 공급하는 것이다. 정신자아는 모든 인간이 공통적으로 보유한 인간 본질의 한 요소가 될 수는 없다. 상상력에 대한 분명한 의식을 가지고 정신적인 것을 주시할 수 있는 사람들에게만 존재하는 것이며, 이것이 바로 모든 인간이 똑같이 뛰어난 상상력을 발휘할 수 없는 이유라고 한다. 동양 사상에서는 정신자아를 마나스(Manas)라고 부르며 인간에 내재하는 발현 가능한 능력으로 언급한다.

인지학에서는 정신자아를 관계를 확장하는 능력으로도 표현한다. 인간은 누구나 자신에게 주어진 고유한 삶의 과제와 독창적인 능력을 가지고 태어난다. 이러한 타고난 소질과 능력을 계발하여 발전시키는 데에는 인간의 노력이 필요하고, 그렇게 인간의 일부분이 된 능력이 바로 정신자아가 되는 것이다. 정신자아는 인간 존재 자신의 고유한 자아의 영역을 유지하는 동시에 외부세계의 다른 존재의 자아와 관계를 맺으며 끊임없이 정신자아를 확장시킬 수 있게 된다. 인간은 자신만을 인식하는 자기 안에 갇힌 존재가 아니라, 자아에 대한 인식과 동시에 타인에 대한 인식도 하게 된다. 그렇기 때문에 외부세계를 향하는 정신자아란 개념은 다른 개체와의 관계 속에서 드러나는 인간 개인의 독특한 개성이다.

정신자아는 그 독창성으로 인해 보편성을 초월하는 인간의 개성이 되어 타인에게 영향을 미친다. 인간은 지나치게 보편적 진리에 경도되는 경향이 있다. 사각형의 네 각의 합이 360°라는 사실은 만고불변의 진리이지만, 바로 그러한 보편성으로 인해 생동감 없는 이론으로 전락하는 것이다. 만인에게 통용되는 이론은 지극히 지루할 수 있으며, 개인의 개성이 가장 강하게 묻어나는 것만이 또 다른 수많은 개인에게 감동을 주는 법이다. 예술가들이 자신만의 상상력으로 독창적인 예술 작품을 통해 타인에게 감동을 주는 것이 그 좋은 예이다. 이것이 상상력의 힘이고 정신자아의 본질이라고 할 수 있다.

정신자아를 계발하기 위해서는 세계를 향해 열려 있어야 하고, 무엇인가 이 세계에서 삶의 희열을 찾아야 한다. 즐거움에 둔감할 때, 인간은 환경으로부터 더 이상 영양분을 공급받지 못하는 식물처럼 된다. 인지학에서는 정신자아의 계발을 위해 예술교육을 강조하였는데 특히 즐거움에 기반한 창조적 교육을 중시한다. 즐거움은 지루하거나 생동감 없는 인간의 삶을 변화시키는 수단이며 인간이 외부세계와 소통할 수 있는 방법이라고 한다. 체홉도 무대 위에서 계속해서 새로운 무언가를 발견하며 변화의 즐거움을 느껴보지 못한 배우는 진정한 창조적의 의미를 알기 어렵다고 하며 항상 자신의 연기 테크닉을 훈련할 때는 즐거워야 한다고 강조했다.

(2) 변화한 에테르체 '생명정신': 영감

정신의 두 번째 단계는 생명정신(Life Spirit)이며 영감(Inspiration)의 단계이다. 인지학에 의하면 영감은 인간이 살아온 삶에 의해 생성되는 창조적 원동력 또는 창조적 정신이다. 모든 인간은 삶의 계획에 의해 인간 내면에 잠재된 창조적 힘을 보유하고 있는데 이것이 정신적으로 발현된 것을 생명정신 또는 영감이라고 한다. 영감은 변화한 에테르체이고 눈에 보이지 않는 직관과 상상력의 중간 단계이며 대상의 본질을 올바로 볼 수 있는 '정신적인 힘'이다. 영감의 사전적 의미는 '창조적인 일의 계기가 되는 번득이는 착상이나 자극 또는 인간의 영혼과 정신을 인식하는 초자연적인 감각'이라고 한다.

영감은 고대부터 예술과 종교를 통해 이어져온 개념이다. 플라톤은 그의 저서 『변명』(*Apology*)에서 시인의 창작은 지혜에서 비롯되는 것이 아니라 선천적인 재능과 비이성적인 영감의 힘에서 나온다고 하며 예술에서의 영감의 중요성을 강조했다. 종교에서는 예언자나 사도가 신의 계시나 구원에 관한 진리 등을 기술할 수 있도록 신으로부터 받는 성령을 의미하는 용어로 사용되었다.[45] 이러한 본래의 의미가 변하여 현대에서는 예술가·철학자·과학자 등이 창조적 활동에서 얻게 되는 착상이나 아이디어로 인식되고 있다.

슈타이너는 정신자아인 상상력과 생명정신인 영감의 내용을 다음과 같이 대비시켜 서술하고 있다.

---

45) 『신약성서』, 「디모테오 후서」, 3장 16절. "성경은 모두 하느님의 영감에 의거한 것이며 가르치고 논박하고 바로잡고 그리고 의로움을 위해 교육하는 데 유익합니다."

> 영감의 세계는 단순한 상상력의 세계와는 완전히 새로운 어떤 것이다. 상상력을 통해서 우리는 타자들 안에서 일어나는 과정의 변화를 지각하며, 영감을 통해서 우리는 존재의 내적인 본성이 바뀜을 알게 된다. 상상력을 통해 우리는 존재의 영적 표현을 인식하며 영감을 통해 우리는 그 표현의 정신적 내면 안으로 돌입한다. 우리는 무엇보다 정신적 실체들이 다양함을 그리고 일자와 타자와의 관계가 다양함을 인식한다.[46]

이러한 영감은 보통의 인간이 직접 감각하거나, 쉽게 불러올 수 있는 것이 아니라고 인지학에서는 말한다. 보통의 인간이라면 오랜 수련과 훈련을 통해 높은 깨달음을 얻은 자가 되어야 가능한 일이다. 인지학에서는 인간의 모든 행동이나 인간의 생활에서 일어나는 많은 현상들은 모두 카르마에 의해 계획된 목적대로 움직여지는 것이라고 한다. 또한 카르마에 의해 인간의 삶의 과제나 계획이 이미 무의식 속에 잠재적으로 결정되어 있다고 한다. 그래서 인간은 단순히 행위나 현상만 볼 것이 아니라 그 이면에 감춰진 잠재된 삶의 과제와 계획의 연관성을 파악해내야 한다. 인간의 노력을 통해 그것을 인식하게 될 때 인간은 완전한 의식으로 깨어난 삶의 창조적 원동력인 영감을 얻게 되는 것이다.

(3) 변화한 물질육체 '정신인간': 직관

정신세계 인식의 최고 단계는 모든 개념성에서 자유로운 정신인간(Spirit Man)이며, 직관(Intuition)의 단계이다. 사전적 의미로는 대상이나 현상을 보고 즉각적으로 느끼는 깨달음이다. 직관은 정신적인 인식을 통해 대상의 본질을 직접적으로 파악하는 능력을 말한다. 인지학에서의 정신인간, 즉

46) 강상희, 「발도르프 교육학의 기초 인지학 연구」, 연세대학교 박사학위논문, 2002, 50쪽.

직관은 인간이 추구하는 가장 높은 정신의 단계이다.

고대 그리스 시대에는 인간 육체를 우주의 모든 창조물 중에서 가장 완벽하고 존귀한 신의 피조물로 찬양했고, 그래서 인간의 육체를 '정신의 신전'이라고 믿었다. 이렇게 완벽하고 신성한 인간의 육체, 인간의 본질을 정확히 이해하고 파악하는 정신 단계를, 인지학에서는 물질적 육체인간의 대립개념으로 보아 정신인간이라고 표현한다. 인간이 정신인간, 즉 직관의 단계에 도달했다 함은 신체, 영혼, 정신이 완전히 하나 된 완벽한 인간이 되었음을 의미한다.

인지학에서는 물질세계의 표현이 감각이라면, 정신세계의 표현은 직관이라고 한다. 어떤 대상을 봤을 때 물질적으로 받아들여지는 것을 감각이라고 하고, 정신적으로 느껴지는 것을 직관이라고 한다. 인간은 자신의 사고 내용을 직접 손으로 만지거나 눈으로 볼 수는 없지만 직관에 의해서는 가능해진다. 또한 영혼의 사고는 감각에서 초감각으로 만드는 정신세계 인식을 확장한다. 그렇기 때문에 사고는 직관을 불러일으키고, 인간은 직관을 통해 사물의 본질과 인간의 자아를 들여다볼 수 있다. 정신인간, 즉 직관은 모든 인간이 온전히 가지고 있는 능력이다. 문제는 그것을 인간이 어떻게 일깨우느냐 하는 것이다. 인지학에 의하면 정신인간, 즉 직관에 도달하기 위해서는 내면의 깊은 순수한 사고와 객관적 인식, 명상을 통한 끊임없는 정신 탐구의 노력이 필요하다고 한다.

지금까지 9중 구조의 인간의 본질에 대해 살펴보았다. 9중 구조는 각각의 영역별로 역할이나 과제들이 구분되지만 또한 각각의 영역은 상호관련이 있다. 〈그림 4〉와 같이 물질육체는 의식혼을 거쳐 직관을 만들어내는 정신인간과 연결되고, 에테르체는 오성혼을 거쳐 영감이 생기는 생명정신과 연결된다. 아스트랄체는 감각혼을 통해 상상력이 발휘되는 정신자아와 연결된다. 특이한 점은 신체의 가장 하위영역인 물질육체가 의식혼을 거쳐 정신의 가장 상위영역인 정신인간과 연결된다는 점이다. 인간의 육체는 오래도록 변화를 거친 지체이며 그래서 물질육체는 물질적이지만 상당히 정신적인 것이라고 판단하는 것이 인지학의 입장이다.

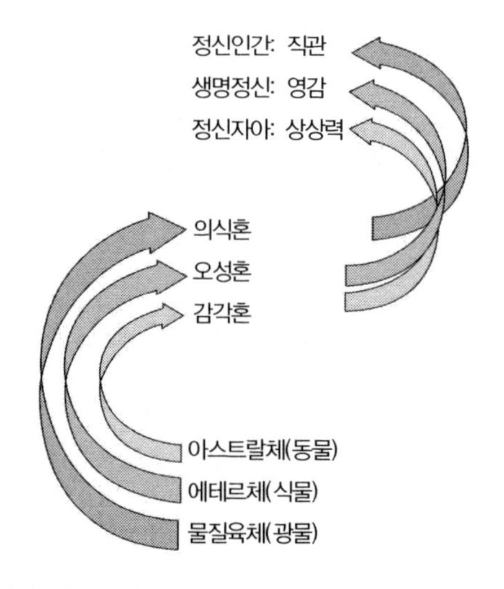

〈그림 4〉 신체 · 영혼 · 정신이 상호 연결되는 인간의 9중 구조[47]

인지학에 따르면 신체와 영혼의 단계는 보통의 인간이면 누구나 공통적으로 도달하거나 또는 그 능력을 보유하고 있는 인간의 본질이라고 한다. 그러나 정신의 영역인 정신자아(상상력), 생명정신(영감), 정신인간(직관)의 단계는 잠재적인 능력이어서 인간의 노력에 의해 발현될 수 있는 독창적이고 고차적인 인간의 본질이다.

---

47) 본 저자가 인간의 9중 구조이론을 토대로 완성한 그림이다.

〈그림 4〉를 토대로 살펴보면, 상상력이 떨어진다면 스스로 공감과 반감하는 공감 능력(감각혼)이 부족하다는 의미이다. 영감이 부족하다면 사고와 의지를 통한 인식의 확장(오성혼)이 요구된다. 직관은 절대적 의미의 진리와 선인 의식혼의 발달로 생기는 것이기 때문에 그것들을 위한 인간의 노력이 더욱 필요하다고 본다.

또한 신체, 영혼, 정신의 인간은 계속 순환하는 존재이다. 신체가 영혼과 정신의 영향을 받고 상호 밀접한 순환관계이므로 인간이 더 높은 차원의 존재가 되기 위해서는 내면을 고양시키려는 끊임없는 학습과 수양이 필요하고 그래서 인지학이 오이리트미, 발도로프 등 교육을 강조하는 이유이다.

인지학의 3중 구조, 9중 구조 등 인간본질론은 평범한 인간이 외부세계를 감각하고 받아들여 자신의 의지로 학습하고 수양하여 고차원의 인간으로 태어나는 인간의 발달에 관한 이론이라고 본다. 이것은 배우가 자신의 배역에 대해 생각하고 느끼고 이해하는 활동과 끊임없는 배역 탐구를 통해 창조적 인물을 구축하고 연기하는 체홉의 연기론과도 연결된다.

3. 12감각

12감각[48]은 슈타이너 인지학의 핵심을 이루는 이론 중의 하나이다. 12감각은 신체, 영혼, 정신의 3중 구조 속의 인간이 외부세계를 감각하고 소통하며 인식하는 12가지 종류의 감각에 대한 이론이다. 12개의 감각기관은 인간 본질의 3중 구조를 토대로 신체감각, 영혼감각, 정신감각으로 크게 구

48) 인지학에서 '12'는 황도 12궁의 별자리, 1년의 주기인 12개월, 기독교의 예수를 추종한 12제자들의 수와 일치하는 의미 있는 수이다. 발도르프 학교도 12학년 과정이다.

분된다. 인간은 촉각, 생명감각, 고유운동감각, 균형감각이라는 신체감각으로 자신의 육체를 인식하게 된다. 후각, 미각, 시각, 열감각이라는 영혼감각으로 외부세계와 소통한다. 청각, 언어감각, 사고감각, 자아감각이라는 정신감각을 통해 정신적 존재로 발달할 수 있게 된다. 자연과학에서는 인간이 오감만을 구별한다고 하지만, 인지학에서는 인간이 12감각을 가지고 있다고 한다.

슈타이너는 인간의 신체가 영혼과 정신으로 연결되어 직접적인 연관을 맺을 수 있는 방법이 있는데 그것이 12감각이라고 말했다. 그는 12감각론을 통해 인간은 본질적으로 언제나 주변에 관심을 표명하고, 또한 상대방의 반응을 기대하며 상호간의 관심 속에서 살아가는 존재임을 언급하고 있다.[49] 인간은 오감을 통해 감각세계를 지각하고 인식하지만, 슈타이너는 인간의 본질을 인식하기 위해서는 감각의 한계를 뛰어넘어야 한다고 했다. 감각의 한계를 넘어서는 곳에서 정신세계를 인식할 수 있다고 했고, 그것은 감각의 한계를 초월하는 12감각을 통해 가능하다고 보았다. 인간의 12개의 감각기관은 외부세계를 경험하는 기본적인 도구이며 인간의 능력을 계발하여 완성된 인간을 도모하는 원동력이 된다.

슈타이너의 12감각을 특별히 연구한 사람은 네덜란드의 의사이자 인류학자인 알베르트 수스만(Albert Soesman, 1914~미상)이다. 그는 수십 년간 정기적으로 슈타이너의 12감각론에 대한 강연과 세미나를 주관했고, 그 내용을 녹취, 편집하여 『12감각』(*The Twelve Senses*)을 출간했다.

12감각은 단독으로 존재할 수 없으며, 서로 보완하거나 대립하는 상호작용을 통해 인간이 외부세계를 인지할 수 있다고 보았다. 인간의 12감각

49) 알베르트 수스만, 서유경 옮김, 『12감각』, 경기: 푸른씨앗, 2016, 240쪽.

은 각각의 개별 감각들이 상호 불가분의 관계로 구성되고 상호연관 되어 작용한다.

인간의 3중 구조	12감각	
정신 Spirit	정신감각	자아감각(sense of ego)
		사고감각(sense of thought)
		언어감각(sense of language/speech)
		청각(sense of hearing)
영혼 Soul	영혼감각	열감각(sense of temperature)
		시각(sense of sight/vision)
		미각(sense of taste)
		후각(sense of smell)
신체 Body	신체감각	균형감각(sense of balance)
		고유운동감각(sense of self-movement)
		생명감각(sense of life)
		촉각(sense of touch)

〈표 3〉 12감각[50]

12감각은 인간의 3중 구조나 9중 구조와 마찬가지로 감각을 통해 인간의 본질을 깊이 이해하게 만드는 도구이다. 감각기관의 종류와 역할에 대한 이해를 통해 인간 존재의 본질에 대해 쉽게 이해할 수 있다고 본다.

12감각에 대해서는 과학적으로 증명되지 않은 감각을 마치 실재하는 인간의 능력처럼 설명하여 비과학적 초능력을 설명하는 것이라는 비판이 제기된다. 그러나 생래적으로 또는 수련을 통해 오감을 뛰어넘는 능력을 가진 인간에 대한 보고가 많고, 과학적 증명이 12감각의 실재 부정의 유일

50) 본 저자가 12감각 이론을 토대로 완성한 표이다.

한 기준은 아니므로, 12감각을 정신세계 인식을 위한 인간의 인식능력 확장이라는 관점에서 이해하는 것이 바람직하다고 본다. 특히 발산, three sisters, 창조적 응시, 감각기억, 분위기, 이미지통합과 상상 등 체홉의 연기론에서 12감각에 근거한 이론과 비유가 자주 발견되므로, 체홉의 연기론을 이해하기 위한 범위 내에서 12감각을 고찰한다.

1) 신체감각

신체감각은 촉각, 생명감각, 고유운동감각, 균형감각으로 나뉜다. 인간이 외부세계와 적극적으로 상호작용할 수 있는 기반을 마련하는 감각이다.

촉각은 물질과 접촉할 때 느끼는 기본적인 감각이며 12감각 중 물질육체에 해당하는 하위 감각이다. 인간은 물체의 힘을 몸의 감각으로 지각한다. 물체를 만지게 되면 무엇인가 존재한다는 느낌과 함께 인간 신체의 일부분을 의식하게 된다. 그러나 인간은 촉각을 통해서는 신체와 외부세계와의 경계만을 인식할 수 있다. 인간이 무엇인가를 더듬어볼 때 인간은 어떤 세계가 존재한다는 사실은 파악하지만, 표면적인 것 또는 접촉하는 것만을 인식하는 촉각의 한계로 인해 그 세계의 실체와 본질은 파악할 수 없다. 이러한 한계가 역설적으로 미지의 초감각적 정신세계에 대한 동경과 탐구를 촉진한다.

생명감각은 생명과 관계되는 신체의 상태를 점검하는 역할을 하는 감각이며 이로 인해 정상적인 생체활동을 유지할 수 있다. 슈타이너는 일반 자연과학에서는 인간이 항상 의식할 수 있는 오감에 대해서만 언급하므로 생명감각을 언급하는 경우는 거의 찾아보기 힘들다고 말했다. 인간은 생명감각의 역할을 통해 스스로 생명체임을 가장 확실히 인식할 수 있다고 한다. 생명감각은 몸의 체질, 즉 몸의 생명활동에 관여하는 것으로, 몸의 건강상태를 판단하거나 목마름이나 배고픔, 갈증, 통증 같은 생리적인 현상을 감지한다. 또한 생명감각은 어떤 생명체가 살아 있는가 죽어 있는가와 같은 유기체의 활동 상태를 판단하는 내부감각이다. 인간의 9중 구조에서 에테르체란 인간이 생명감각으로 인지할 수 있는 아주 미묘한 기운의 생명활동을 의미하는데, 인간은 생명감각을 통해 몸의 에테르체, 즉 생명력을 의식하게 된다.

고유운동감각은 인간의 신체를 스스로 움직일 수 있는 감각이다. 인간은 팔과 다리를 움직일 때 일부러 팔다리를 쳐다보지 않아도 스스로 움직일 수 있는데 이것이 고유운동감각이고, 자연과학에서는 심층감각 또는 근육감각이라고 한다. 고유운동감각은 인간의 9중 구조의 아스트랄체와 관련이 있다. 스스로 움직일 수 있는 능력, 이 역동적인 힘의 원리를 인지학에서는 아스트랄체라고 한다. 인간의 신체의 많은 부분은 의외로 인간의 의지 밖에 놓여 있는데, 고유운동감각을 통해서 인간은 비록 제한적이기는 하지만 몸에 대한 결정권을 갖는다. 신체를 구성하는 근육 중에서 수의근에 해당하는 골격근은 최소한 인간의 의지대로 움직일 수 있다. 인간은 의지에 따라 움직일 수 있는 수의근으로 자유롭게 활보할 수 있으며, 이러한 움직임의 결정체가 개개인의 전체적인 삶을 규정하게 된다.

균형감각은 인간의 신체의 균형을 잡아주는 감각이다. 인간은 세반고리관[51]을 통해 움직이면서 평형을 유지하며 직립보행을 할 수 있다. 균형감각을 통한 직립보행은 인간만이 보유한 존재의 고유한 개별성이고 자아

51) 세반고리관은 귀 안쪽에 위치한 3개의 반원이 서로 연결되어 있는 신체기관이다. 세반고리관 내 림프액이 움직여 이 자극이 신경을 통해 뇌에 전달되고 이를 통해 몸의 평형, 회전운동, 운동방향, 속도 등을 감지한다.

이다. 또한 인간은 균형감각을 통해 자신의 위치를 정함과 동시에 타인의 위치를 확인하게 되고 이를 통해 서로 관계를 맺게 된다. 공간을 지각하는 균형감각을 통해 자신의 위치에서 중심을 잡는 자립적인 존재이면서 동시에 주변 환경의 존재를 구별하고 의식할 수 있는 존재가 되는 것이다. 인간이 사물과 대상 등 만물의 존재를 인식할 수 있는 것은 균형감각을 가지고 있기 때문이다.

2) 영혼감각

영혼감각은 인간의 신체와 정신을 연결하는 매개의 역할을 하는 감각이다. 또한 인간의 개별적이고 내밀한 신체와 외부세계를 연결하는 역할을 한다. 영혼감각은 후각, 미각, 시각, 열감각으로 나뉜다. 인간의 영혼이 이 감각기관들의 힘을 빌어서 외부세계를 인식하게 된다.

후각은 코를 통해 냄새를 맡는 인간의 감각이다. 냄새를 맡는다는 것은 코로 숨을 들이마시며 외부세계의 어떤 것을 인간의 몸 내부에 받아들인다는 것을 의미한다. 그래서 후각은 인간의 호흡과 불가분의 관계에 있고, 강제적으로 외부 자극에 직접 노출되는 기본적인 특성을 갖는다. 그런데 인지학에 의하면 후각을 통해 인간은 우주에 존재하는 물질의 가치를 판단하게 된다고 한다. 후각은 냄새를 감각하는 기능을 넘어 인간의 도덕적인 행위나 선악의 기준을 판단하는 것이다. 인간은 항상 냄새의 자극에 노출되어 거의 무의식적으로 좋고 나쁨을 판단하게 된다. 도덕성과 후각의 연관성은 인간의 일상생활 속에서도 잘 드러나는데, 예를 들어 정치적으로 부도덕한 상황이나 비리에 연루된 사건에서 보통 썩은 냄새가 진동한다고 표현하는 것과 같은 맥락이라고 본다. 그래서 인지학에서는 코를 인간성의 상징이라고 했고, 그 형태는 인간 개인의 삶의 궤적과 인격적인 성숙에 따라 변화한다고 했다.

미각은 혀를 통해 맛을 느끼고 음미하는 감각이다. 입은 인간의 의지에 의해 열고 닫을 수 있는 사적인 공간이다. 미각은 후각처럼 외부의 자극에 직접 노출되지는 않지만, 외부에서 받아들인 자극이나 영양분을 적극적으로 흡수하여 인간의 몸을 구성하는 요소로 변화시키는 역할을 한다. 인간이 양분을 섭취한다는 것은 대우주인 자연의 일부를 소우주인 인간의 몸으로 받아들이는 과정이라고 한다. 대우주인 자연이 소우주인 인간의 생명을 유지하며 변화시키고, 다른 한편으로는 소우주인 인간이 자연을 육성하고 보존하는 것이다. 즉, 미각이 자연과 인간을 매개하는 역할을 하는 것이다. 또한 미각은 음식의 맛을 느끼는 감각뿐만 아니라 인간이 외부 환경을 자신의 취향에 따라 다양하게 꾸미는데 사용되는 미적 감각이라는 의미도 지니며 이 미적 감각이 바로 인류 문화 창조의 원동력이 된다고 한다. 자연은 물질로 인간에게 생명을 부여하고, 인간은 문화 창조를 통해 대자연에 정신적인 생명을 불어넣는 것이다.[52)]

시각은 눈을 통해 사물을 바라보고 인지하는 감각이다. 시각을 통해 인간은 처음으로 객관적인 외부세계와 마주한다. 시각은 인간이 스스로 자신 또는 다른 모든 감각기관을 관찰할 수 있는 고유한 특성을 지닌 감각이다. 인간은 눈을 통해 몸의 다른 모든 감각기관을 관찰할 수 있으며, 눈은 거울을 이용하여 스스로 자신을 관찰할 수도 있는 감각기관이다. 시각을 통해 만물은 비로소 그 크기와 넓이와 부피로 실체를 드러내고, 이를 인식하는 존재의 의식도 진정한 의미에서 깨어난다고 할 수 있다. 시각을 통해 인간

---

52) 알베르트 수스만, 서유경 옮김, 같은 책, 175쪽.

은 사물의 실체와 존재를 인식하게 된다는 것이다. 보통 인간의 감각기관들은 신체의 일부가 예민하게 발달하면서 특별한 능력을 가진 감각기관으로 변화되고 뇌의 중추신경계와 연결된다. 그러나 시각은 뇌가 직접 감각기관의 발생에 관여하여 생성된 감각기관이라고 한다. 인간이 물체를 인식할 수 있는 것은 뇌에 연결되어 발달한 안구 뒷면의 망막에 사물의 형상이 맺힘으로써 가능하기 때문이다. 눈은 뇌가 연장되어 생성된 영혼의 거울이며, 인간의 가장 기본적인 감정이 표출되는 통로라고 한다.[53] 시각을 통해 인간은 색상을 감각하고, 그 색상이 가지는 느낌을 통해 인간의 감정에 영향을 미친다. 색상은 인간의 내면을 자극하여, 기본적인 감정을 외부로 이끌어낸다. 또한 시각은 인간의 사고 작용에 있어 중요한 역할을 하는데, 인간이 눈으로 물체를 감각하면서 동시에 사고하기 때문이다. 인간이 눈이라는 감각기관을 소유하지 못했다면 사고하는 존재로 진화하기는 어려웠을 것이라고 한다. 인간은 끊임없이 사고를 하는 존재이므로, 사고와 직접적으로 연관되는 인간의 눈은 항상 깨어 있는 감각기관이라고 할 수 있다.

열감각은 인간에게 있어 가장 먼저 발달한 감각이다. 인간의 에너지 보충과 체온 조절 등 에너지를 전달하는 통로 역할을 한다. 인간의 육체가 움직일 수 있는 것은 열감각에 의해 가능하고, 그 열감각의 원천은 아스트랄체이다. 인간은 열감각을 통해 외부 환경과의 온도차를 감지하여 외부세계를 인식하고 또 그 외부세계에 참여할 수 있다. 열감각은 인간이 외부환경에 관심을 갖도록 끊임없이 자극을 주는 역할을 한다. 외부세계에 대한 관심에 따라 인간의 체온은 변화하는데 열기는 소속감이나 동참을, 냉기는 고립과 단절을 의미한다고 한다. 함께 살아가는 주변에 대한 관심으

---

53) 알베르트 수스만, 서유경 옮김, 같은 책, 189~190쪽.

로 표출되는 열감각은 인간 영혼의 가장 본질적이고 근원적인 감정의 통로가 되는 것이다. 인지학에 의하면 열에너지는 모든 생물이 존재하기 위한 필수 조건이고, 인간의 신체도 열에너지를 생존의 원천으로 삼는다. 인간은 열감각에 의해 태양으로부터 열에너지를 공급받고, 의욕적으로 활동하며 그 에너지를 소모하고, 소진한 에너지는 수면을 통해 다시 충전하게 된다.

3) 정신감각

인지학에 의하면 정신감각은 청각, 언어감각, 사고감각, 자아감각으로 구분된다. 특히 언어감각, 사고감각, 자아감각은 슈타이너의 독창적인 사고의 결과물이다.

청각은 귀를 통해 소리의 자극을 뇌에 전달하여 느끼는 감각이다. 청각으로 지각하는 소리는 물체의 가장 깊은 곳에서 울려 나오는 물체의 고유한 성질이며, 그래서 인간은 청각을 통해 물질의 본질을 파악할 수 있다. 겉으로 드러난 사물의 현상만을 지각할 수 있는 시각과는 달리, 청각은 인간이 사물의 본질을 인식하게 하는 힘을 지니고 있다는 것이다. 또한 청각은 인간의 사회적 관계 형성의 계기가 되는 감각이라고 한다. 청각을 통해 인간은 타인의 말에 귀 기울이고 타인에게 몰입하게 되기 때문이다. 남의 말에 귀를 기울인다는 것은 자신의 육체적인 것을 넘어서서 정신적 차원에서 타인에게 몰입하는 것을 의미한다. 이렇게 청각을 통해 인간은 서로의 소리를 들으며 관계를 형성해 나간다. 청각을 통해 인류 사회에 비로소 사회적인 요소가 작용하게 된다.

언어감각은 단어감각이라고도 하는데 다른 사람이 사용하는 언어를 인지하는 감각을 말한다. 인간이 귀로 듣는 다양한 소리 중에서 언어를 구별하여 인지하는 감각이다. 언어감각은 인간 상호 간의 의사소통 또는 인간 관계를 맺는 역할을 함으로써 인간의 사회성을 확대하는 감각이다. 언어감각이 언어를 듣는 감각이므로 청각과도 관련이 있고, 음악적인 요소를 지니므로 청각에 포함될 수 있다고 한다. 그러나 청각은 언어뿐만 아니라 다양한 소리, 음악, 음향 등을 감각하는 기관이고, 언어감각은 청각에서 이러한 비언어적인 요소를 배제한 인간의 고유한 감각이다. 언어는 소리, 음악, 음향보다 더 높은 차원이고 언어를 이해하기 위해서는 더 많은 사고와 의식의 과정을 거치게 된다. 인간은 언어의 영향에 의해 독자적인 문화와 민족성을 가지게 되는데 이것은 언어가 가진 문화 형성의 기능 때문이다.

사고감각은 언어에 담긴 의미를 분석하고 파악하여 언어를 통해 전달된 타인의 생각을 인식하는 감각이다. 인간이 자신의 체험을 언어로 명확하게 설명하기는 쉽지 않다. 무엇인가 생각 속에서는 선명하게 떠오르지만 그 생각에 옷을 입힐 적절한 어휘를 찾는 것이 쉽지 않기 때문이다. 사고감각은 언어에 담긴 불완전한 의미, 생각 등을 제대로 밝혀내는 기능을 한다. 슈타이너는 언어 속에 존재하는 진정한 개념들을 파악하는 것은 사고감각이며 사고감각을 통해 타인의 생각을 진정으로 이해할 수 있다고 했다. 사고감각은 인간의 희생과도 관련이 있다. 사고감각은 자신과 관계하는 모든 것을 버리고 오로지 타인의 생각을 이해하기 위해 타인에게 완전히 집중하는 감각이기 때문이다.

자아감각은 12감각 중 최상위의 감각으로 타인의 자아를 인지하는 감각이다. 인간 자신과 관계하는 타인도 자신과 똑같은 하나의 자아를 소유한 존재이며 하나의 독립된 개체임을 인식하는 감각이다. 인간이 자아감각을 통해 경험하는 것은 말이나 사고의 주체가 진정 누구인지를 판단하는 것이다. 누군가와 대화를 나눌 때 인간은 상대방도 자아의 주체이며 독립된 개체라는 사실을 인식하게 된다. 그래서 인간의 만남은 자아와 또 다른 자아가 만나는 것이다. 자아감각을 통해 인간은 자신의 자아에 대한 기본 인식을 강화하고 주체적인 존재가 될 수 있으며 이를 통해 타인의 존재, 타인의 자아를 정확히 판단할 수 있다. 인지학에 의하면 인간의 능력을 발휘할 수 있는 개별적인 감각기관의 발달도 중요하지만, 보다 궁극적인 것은 이 모든 감각의 통합체인 자아감각의 발달이라고 한다. 자아감각을 통해 인간은 서로 관계를 맺고 서로의 의식을 일깨우며 타인과의 관계를 맺는다는 것이다. 자아감각이 작용하기 위해서는 깨어있는 의식과 선입견을 배제하는 것이 중요하다. 고정관념이나 편견으로 사람을 대하는 것은 자아감각의 발달을 저해하는 요인이 된다.

이상에서 인간의 본질과 관련된 12감각에 대해 살펴보았다. 신체, 영혼, 정신이라는 3중 구조 속의 인간 존재가 가진 12감각은 독자적으로 또는 서로 연결되어 자아를 인식하고 외부세계와 관계를 맺는 조화로운 관계를 형성하고 있다.

슈타이너가 인간의 감각을 세분화한 것은 인간의 감각체험을 보다 정확하게 이해하려는 노력이다. 이들 각각의 감각은 실제로는 동시에 작용하여 공감각적 체험을 일으키는 것이지만, 감각을 세분화하여 이해함으로써 인간이 외부세계와 구체적으로 어떻게 관계를 맺고 교감을 이루게 되는지를 정확히 설명해준다. 12가지 감각들은 인간의 의지에 의해 서로 결합되어 인간의 감각을 확장하고 자아를 표현하게 되는 것이다.

4. 정신인식과 고차적 자아

인지학에 의하면 인간은 신체, 영혼, 정신을 지닌 존재이고 인지학은 고차적 정신세계를 발견하는 학문이다. 인간이 12감각을 통해 물질육체의 한계를 극복하고 영혼을 고양시켜 상상력, 영감, 직관이 가능한 정신세계를 인식하면 인간의 자아는 고차적 자아로 승화된다. 즉, 인간은 정신인식[54]을 통해 인간 존재에 숨어 있는 고차적 인간인 고차적 자아를 일깨우게 되는 것이다. 모든 인간은 일상적인 인간 이외에 또 하나의 고차적인 인간, 즉 고차적 자아를 자기 속에 간직하고 있다. 그러나 고차적인 인간은 인간 스스로 수행과 명상, 교육을 통해 계발하지 않는 한, 언제까지나 숨어 있다. 이 고차적인 인간이 깨어나지 않는 한, 인간 내면에 잠자고 있는 고차적인 능력, 즉 고차적 자아는 발현되지 않는다.

고차적 자아에 관한 개념은 체홉의 연기론에서도 발견된다. 체홉은 영감을 얻어 창작하기 위해서는 배우가 창조적 개성을 지니는 고차원적인 존재가 되어야 된다고 한다. 또한 배우는 자신 안에 공존하는 고차원적이고 창조적으로 확장된 자아, 즉 창조적 자아와 일상의 자아를 자각하며 둘을 구별할 수 있어야 한다고 말했다. 즉, 예술창작은 일상의 나가 아닌, 나의 고차적 세계의 창조적 자아가 하게하며, 일상의 나는 창조적 자아가 한계선을 넘지 않도록 통제하며, 협업하는 일을 하게해야 한다. 여기서 말하는 고차적 존재라 함은 현실의 감각세계 너머의 초감각적 세계까지도 인식이 가능한, 즉 정신인식의 직관과 상상력과 영감이 자유롭게 흐를 수 있는 배우이다.

이 고차적 자아를 발견하는 정신인식은 사물과 대상에 대한 정확한 집

54) 정신인식은 정신세계 인식 또는 고차적 정신 인식의 줄임말로 사용된다.

중과 관찰, 주체와 객체를 분리하여 객관적으로 바라보는 순수한 사고, 사고의 조합을 통한 인식에 의해 발현된다.

정신인식의 씨앗은 집중과 관찰이다. 사물에 대한 정확한 집중과 관찰은 인간의 감정과 사고를 내적으로 더욱 풍부하게 만든다. 이것은 사물을 사고 과정의 전제조건으로 그대로 받아들이고 그것에 대립하여 서 있는 인간 자신을 바라보는 것이다. 인간은 집중과 관찰을 통해 인간 자신이 생성해낸 사고를 보는 것이 아니라, 인간이 생성해내지 않은 즉 사고의 대상물에 몰두하고 바라보며 다가서는 것이다.

정신인식의 줄기라고 할 수 있는 깊은 내면의 순수한 사고는 정신세계 인식의 토대를 만들어준다. 여기서의 사고는 감정이나 충동, 본능을 배제한 깊은 내면의 순수한 사고이다. 인지학에서는 사고를 통해서 정신세계에 다가가는 것이 인간에게 주어진 과제라고 한다. 인간이 옳고 그름을 분별할 수 있는 것은, 인간이 사고하는 인간으로서 진리를 파악할 수 있는 존재이기 때문이다. 사고는 정신적인 능력이므로 더 높은 세계에 도달하기 위해 지속적인 발전을 도모해야 한다. 또한 정신인식을 위한 사고의 기능은 주체와 객체의 분리, 자아의 분리이다. 사고는 주체로서의 인간과 객체로서의 사물을 넘어서서 존재한다. 개인적인 주체가 사고하는 것이 아니라, 인간을 주체로서 객체의 맞은편에 세워둠으로써, 주체와 객체를 분리시켜 객관적으로 사고하는 것이다. 예를 들어 타인에 대해 사고할 때 주체인 인간의 입장에서, 인간과 연결시켜 사고하는 것이 아니라 인간 자신과 타인을 분리하여 타인을 그 존재 자체로 편견 없이 이해하는 것이다. 이러한 순수한 사고와 자아의 분리를 통해 인간은 사물과 대상에 대해 객관적이고 총체적으로 이해하게 된다.

관찰과 집중을 통해 사물과 대상을 지각하고 사고를 통해 사물과 대상을 이해했다면 이제 사고하는 관계의 조합을 통해, 즉 다양한 사고를 상호 구성하고 종합하여 사물과 대상에 대한 올바른 인식에 도달하게 된다. 인간이 사고의 주체로서 사물과 대상을 제대로 지각하고 사고하여 인식으로 끌어올리게 하는 것은 자아의 힘이다. 사고의 주체인 인간과 객체인 사물과 대상의 거리를 줄이는 것이 인식이고, 인간의 자아가 활동하여 진정한 인식을 하게 되면 그 사물의 본질에 접근할 수 있다. 슈타이너에게 있어 인식의 개념은 인간의 본질과 외부세계의 관계에 대한 인간의 관찰의 결과이며, 눈으로 드러나는 것에만 국한하지 않는다. 오히려 내적인 영혼 및 정신의 활동에 집중함으로써 정신인식을 고양시켜 인간 자아를 고차적 자아로 심화하고 확장하는 데 기여할 수 있다고 했다.

이와 같이 집중과 관찰, 사고, 인식을 통해 사물과 대상을 제대로 인식할 때 정신인식이 가능하고, 인간의 자아는 모든 것을 관통하는 총체적 개별존재인 고차적 자아로 확장된다.

그런데 슈타이너는 정신인식의 과정 속에서 상상이 중요한 역할을 한다고 강조했다. 이 개념은 체흡의 연기론에서 등장하는 상상의 개념과 유사하다. 상상은 집중과 관찰, 사고, 인식 등 정신인식의 전 과정에 내재하며, 고차적 자아를 만나는 정신인식의 중요한 요소로 작용한다. 집중과 관찰의 단계에서 상상은 사물과 대상에 대한 다양한 정보를 파악하는 도구가 되고, 사고의 단계에서 상상은 사물과 대상에 대한 개념들을 생성하는 도구가 되며, 인식의 단계에서 상상은 사물과 대상에 대한 각각의 개념들의 의미와 내용을 짜임새 있는 구조로 형성하는 도구가 된다. 이러한 상상의 기능을 통해 집중과 관찰, 사고, 인식은 상호작용하여 정신인식에 도달하게 된다. 상상은 사물과 대상 속에 숨겨진 비밀을 밝히고, 정신인식과 고차적 자아의 길을 발견해낼 수 있는 열쇠로 작용한다.

인지학에서는 이 고차적 자아의 개념이 다양하게 응용된다. 이미 살펴본 것처럼 인간본질론에서는 정신인식을 통해 발현된 고차적 자아의 개념으로 사용된다. 인간구원론에서는 인간이 예수라는 고차적 정신을 인식하면 인간이 그리스도가 될 수 있다는 인간그리스도 개념으로 원용된다. 인간교육론에서는 교육을 통해 인간이 창조적 인간으로 거듭날 수 있다고도 한다.

인지학의 고차적 자아와 체홉의 고차적 자아를 비교하면 〈그림 5〉와 같다. 인지학에서 인간의 본질의 궁극적 목표인 고차적 자아의 개념은 체홉의 연기론에 있어서도 핵심을 이루고 있다고 본다. 체홉에게 있어 무대에서 연기를 수행하는 것은 일상의 자아가 아닌 상상을 통해 만나게 되는 고차적 자아인 창조적 자아[55]이기 때문이다. 배우가 고차적 자아를 찾아 극중 인물을 구축하는 것이 연기이고, 그래서 창조적 자아를 발견하는 것은 체홉의 연기론에 있어서 배우의 중요한 과제이다.

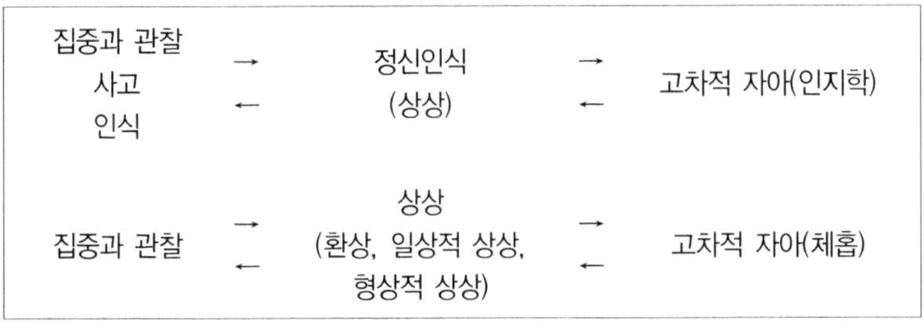

집중과 관찰 사고 인식	→ ←	정신인식 (상상)	→ ←	고차적 자아(인지학)
집중과 관찰	→ ←	상상 (환상, 일상적 상상, 형상적 상상)	→ ←	고차적 자아(체홉)

〈그림 5〉 인지학의 고차적 자아와 체홉의 고차적 자아[56]

55) 고차적 자아와 창조적 자아는 같은 의미이다. 슈타이너와 체홉은 두 가지 개념을 같이 사용하고 있다. 초감각적 정신세계를 개념적으로 보다 넓게 이야기 할 때는 고차적 자아라는 용어를 사용하고, 기능적으로 좁혀서 이야기할 때는 창조적 자아라고 한다.

슈타이너는 인지학을 인간의 본질을 발견하기 위한 학문이라고 규정했다. 인간의 본질을 신체, 영혼, 정신의 3중 구조 및 9중 구조의 통합된 인간으로 파악했으며 정신의 실재를 주장했다. 12감각을 통한 감각의 확장으로 정신세계 인식이 가능하다고 보았고, 이를 위해 수행과 명상을 중요시했다. 슈타이너는 인간의 본질, 인간의 자아, 인간의 정신에 대한 연구를 통해 인간의 가치를 고양하고 인간의 삶의 변화와 발전을 모색했다.

---

56) 본 저자가 인지학의 고차적 자아와 체홉의 고차적 자아 이론을 토대로 완성한 그림이다.

제 2 부

미하일 체홉의 연기론

제2부에서는 슈타이너의 인지학 수용이라는 관점에서 체홉의 연기론을 파악하는 데 중점을 두었다. 특히 파워스, 멀린, 진더, 허친슨, 페티, 슬론 등 체홉을 연구한 배우와 연출가, 학자들의 주장과 이론을 제시하여 체홉의 연기론을 입체적으로 살펴본다.

제3장 '인지학을 수용한 체홉의 연기론'에서는 체홉의 생애, 연기론의 배경, 체홉의 구체적 연기방법인 영감, 문지방 넘기, 고차적 자아, 심리제스처, 가상의 신체, 중심, three sisters, 분위기, 즉흥, 발산, 창조적 응시, 이미지통합과 상상, 고스트 등이 무엇이고 슈타이너의 인지학이 구체적으로 어떻게 체홉의 연기론에 적용되었는지 살펴본다.

제4장 '인지학을 수용한 체홉의 배우의 상(像)'에서는 슈타이너의 인지학을 수용한 체홉이 추구하고자 했던 연극과 배역의 본질, 배우의 상은 무엇인지 알아본다.

제3장

인지학을 수용한 체홉의 연기론

체홉은 자신의 연기론의 완성은 슈타이너의 인지학에 의한 것이라고 강조했다. 체홉은 인지학과의 만남은 자신의 인생에서 가장 행복했던 시기였고, 인지학을 통해 새로운 연기양식의 활로를 찾았다고 고백했다. 인지학적 세계관, 인간본질론의 3중 구조, 9중 구조, 12감각 등 슈타이너의 인지학은 그의 연기론의 이론적 배경이 되었고 그의 연기론을 정립하고 확장시키는 계기가 되었다고도 말했다. 체홉은 슈타이너의 정신을 중시하는 철학과 예술론을 통해 그의 연기론의 실마리를 찾았다. 슈타이너의 영향을 받아 배우 연기에 있어 육체를 신체, 영혼, 정신의 통합으로 이해하거나, 시스템 연기에서 강조하는 체험과 정서기억의 굴레를 벗어날 수 있었다고 한다. 체홉은 인지학을 알게 된 후 평생 동안 자기 자신을 발견하려는 거침없는 사투를 벌였고, 남은 생애 동안 슈타이너 인지학의 성실한 제자가 되기로 했다고도 말했다.

이와 같이 슈타이너의 인지학은 체홉의 연기론에 있어서 근원적, 이론적 토대로서의 역할을 하고 있다. 본 장에서는 체홉이 수용한 슈타이너의 인지학을 토대로 체홉의 연기론과 개별 연기방법의 인지학적 근원, 개념, 본질, 훈련적용 사례 등을 살펴본다.

본 저자는 〈표 4〉를 통해 슈타이너의 인지학과 체홉의 연기론의 상호 연관성에 대해 먼저 밝힌다.

〈표 4〉는 제1장과 제2장에서 고찰한 슈타이너의 인지학과 본 장에서 살펴볼 체홉의 연기론 또는 구체적인 연기방법, 훈련방법들의 상호 연관성을 본 저자가 비교, 분석하여 완성한 표이다. 본 저서에서는 슈타이너의 인지학을 수용한 13가지 체홉의 연기방법 및 훈련과제에 대해 살펴보았으나, 체홉의 인물구축, 스타일, 앙상블 등 체홉의 다른 연기방법 및 훈련과제도 인지학과 많은 연관이 있다.

본 저자의 분석에 의하면 체홉의 연기론이 기본적으로 슈타이너의 인식론, 인간본질론에 토대를 두고 있음을 알 수 있다. 체홉은 슈타이너의 인지학의 개념이나 용어를 자신의 연기방법의 개념이나 용어로 동일하게 사용하기도 했다. 본 저자의 이러한 구분에 대해 체홉의 연기론을 기계적으로 분석했다는 지적이 있을 수도 있겠으나, 이는 슈타이너의 인지학과 체홉의 연기론의 연관성을 명확히 구분하려는 목적임을 밝힌다. 본 저자는 〈표 4〉를 참고한다면 슈타이너의 인지학을 수용한 체홉의 연기론과 연기방법을 이해하는 데 큰 도움이 될 것이라고 본다.

슈타이너의 인지학 용어	체홉의 연기방법 용어	체홉이 수용한 인지학 이론 또는 개념
존재의 본질을 밝히는 영감	**영감**	- 영감, 고차적 자아
문지방 수호령과의 만남	**문지방 넘기**	- 문지방 수호령 - 카르마와 윤회
영감을 주는 고차적 인간	**고차적 자아**	- 고차적 인간 - 초자아, Higher I - 제3의 눈, 엿보기 눈
총체적 몸짓, 오이리트미	**심리제스처**	- 오이리트미 - 자연의 모방, 양극성 - 자연의 4원소
가상의 신체 옷 입기	**가상의 신체**	- 가상의 신체 - 고차적 자아
인간의 중심, 차크라	**중심**	- 차크라 - 사고, 감정, 의지 - three centers
자고 있는 신체 깨우기	three sisters	- 12감각 중 균형감각 - 아스트랄체, 감각혼
꿈꾸는 영혼의 자극	**분위기**	- 아스트랄체 - 12감각 중 영혼감각 - 영혼의 속성 - 인간의 3중 구조
깨어있는 정신	**즉흥**	- 직관 - 12감각 중 후각
빛을 밝히는 인간	**발산**	- 인간구원론 - 에테르체 - 12감각 중 열감각
정관적 숙고인 명상	**창조적 응시**	- 명상
내면을 보는 정신의 눈	**이미지 통합과 상상**	- 정신의 눈, 제3의 눈 - 송과체 - 인간의 3중 구조 - 12감각 중 시각, 열감각
카르마와 윤회	**고스트**	- 카르마와 윤회

〈표 4〉 슈타이너의 인지학과 체홉의 연기론의 연관성

1. 체홉의 생애와 연기론의 배경

체홉의 연기론을 이해하기 위해서는 체홉의 생애와 연기론의 배경을 먼저 살펴보는 것이 중요하다고 본다. 체홉은 러시아 연극의 전성기인 1910년대에 모스크바예술극장에 들어가 스타니슬라브스키로부터 시스템 연기를 배웠고 최고의 배우로 발돋움해 큰 존경을 받았다. 그러나 체홉은 점차 스타니슬라브스키의 연기에 대해 비판적인 시각을 갖게 되었고 자신만의 훈련체계를 세워갔으며 이를 자신이 세운 여러 연기학교와 스튜디오를 통해 발전시켰다. 이렇게 정립되고 완성된 연기론을 통해 많은 배우들과 학자들을 양성했다.

1) 체홉의 생애와 인지학

체홉의 생애와 관련된 연구는 이미 많으므로 본 저서에서는 체홉의 생애에 있어 인지학을 접하게 된 계기와 인지학의 영향 등을 중심으로 고찰하고자 한다.

체홉은 1891년 8월 29일 러시아 상트페테르부르크에서 출생했다. 인지학을 수용한 체홉의 연기론의 탄생은 유년시절의 경험에서부터 출발한다. 체홉의 아버지는 철학자이자 발명가였는데, 유년시절 아버지로부터 자연의 법칙, 별들의 세계, 행성의 움직임과 구조, 12궁도의 궤적 등에 관한 이야기를 들었다고 한다. 무신론자였고 유물론적 개념을 가지고 있던 아버지로부터 체홉은 지식에 대한 사랑을 배웠다고 말했다. 체홉은 자연세계의 법칙과 현상, 철학적 체계에 대해 관심이 많았으나 체계적으로 공부하지는 못했으며 여러 가지 궁금증들만 가득했다. 우주와 관련된 별과 행성, 12궁도는 인지학에서 많이 다루는 주제이다.

또한 체홉은 인지학에서 이야기하는 인간 본질의 양면성과 세계를 통합하려는 일원론적 사고를 그의 유년생활의 가정생활에서 느끼고 있었다.

> 아버지와 어머니가 나에게 미친 영향은 마치 내가 두 개의 다른 가정에서 살았던 것만큼이나 매우 다른 것이었다. 아버지의 직설적임, 단순함, 나아가 거침은, 어머니의 부드러움, 상냥함과 함께 내 안에서 균형을 이루었고, 이 두 가지 영향은 이상한 방식으로 내 안에 함께 살고 있었다. 많은 모순들이 내 안에 있었지만, 나는 오랫동안 그것들을 외적으로 조화시킬 수가 없었다. . . . 나는 선과 악, 옳고 그름, 미와 추, 강함과 약함, 건강함과 병듦, 위대함과 하찮음을 어떤 통합된 하나로 받아들였다.[57]

이러한 어린 시절의 경험들과 풀리지 않던 의문들이 해결된 것은 훗날 인지학과의 만남이었다.

체홉은 1907년 16세에 알렉세이 수보린 연극학교에 입교했고, 21세인 1912년에 모스크바 예술극장(Moscow Art Theatre) 제1스튜디오에 입단했다. 1912년과 1918년 동안 스타니슬라브스키와 극단의 몇몇 단원과 가끔 마찰을 빚기는 했지만 체홉은 여러 역할에서 재능 있는 배우라는 평판을 쌓아갔다. 그러나 스타니슬라브스키는 체홉이 공연에서 맡았던 역할에 대해 자신의 배역을 가지고 지나치게 재미있게 놀고 있다고 비판했으며 한 번은 다른 단원들이 보는 앞에서 '우리 연극의 종양'이라고 악평하며 모멸감을 주었다. 체홉은 자신의 배역에 대한 해석이 작가의 의도에 맞지 않다고 공격받자 대본과 작가를 뛰어넘어 진짜 캐릭터를 찾았다고 주장했다.

1918년경의 체홉은 제1스튜디오에서의 성공에도 불구하고 사생활은 엉

---

57) 미하일 체호프, 이진아 옮김, 『배우의 길』, 서울: 지식을만드는지식, 2012, 45~46쪽.

망이었다. 러시아 혁명의 영향으로 사회는 혼란스러웠다. 그는 알코올 중독, 이혼, 어머니의 죽음 등으로 우울증에 빠져 자살충동을 느꼈고 정신분열증을 앓았다. 그는 연기를 할 수도 없었으며 공연 도중에 무대를 떠나기까지 했다.

> 아버지가 죽은 후, 어머니와 나는 모스크바로 이사했다. 나는 스물한 살이었고 병역의 의무를 이행해야 했다. 이 당시 나의 내면의 정신 상태는 이미 낙담에 빠진 절망 상태였다. 나는 많은 사람들이 있는 장소에서는 거의 평정심을 잃었다. 이것은 군중에 대한 두려움으로 발전했다.[58]

체홉의 위기는 개인적 · 사회적인 문제만이 원인이 아니었다. 배우로서 정상의 위치에 있을 때 정신적인 붕괴가 찾아온 것은 '배우로서 자신이 무엇이 되고자 하는가'[59]에 대한 고민이었다. 그는 자신의 삶 속에서 자신의 의미를 발견하기 위해서 그리고 자신의 예술의 원천을 찾기 위해서 방황했다. 그는 당시 러시아 연극의 상업주의나 정치적 성향을 뛰어넘는 '좀 더 깊고 새로운 연기양식'을 꿈꾸었다. 본 저자는 이것이 체홉이 추구하는 배우와 연기에 대한 고민이었고 그것은 결국 예술의 본질, 연극의 본질에 대한 고민이었다고 본다.

체홉은 자신의 정신적인 고통과 예술적 고민을 치유할 수 있는 방법을 찾기 위해 다방면으로 노력했다. 고대 그리스 연극, 힌두 철학, 진화론, 유물론 등의 사상과 세계관에 심취하기도 했으나 그것들이 그의 고통을 해결

58) Michael Chekhov, *The Path of The Actor*, 같은 책, 60쪽.

59) "what he was becoming as a performer"- Michael Chekhov, *On The Technique of Acting*, 같은 책, xv쪽.

해주지는 못했다.

> 내가 말 그대로 사랑에 빠졌던 다윈의 가르침은 나에게 기쁨과 함께 많은 고통을 가져다주었다. 엄격한 법칙성과 자연법칙에 대한 지혜와 함께, 나는 그 안에서 삶 전체가 우연의 법칙에 의해 지배당하는 것을 보았다. 우연은 끔찍한 악몽처럼 어디나 나를 따라다녔다. 역사적 유물론 개념의 질서정연한 체계도 역시 나를 우연으로부터 구원해 주지는 못했다. 세계 질서의 현명함은 나에게 의미 없는 우연인 것으로 여겨졌다.[60]

체홉은 그가 추구하고자 하는 배우와 연기의 본질에 대해 정신적으로 방황하던 1918년에, 슈타이너의 제자들이 러시아에서 공연한 오이리트미 시범공연을 관람했다. 그는 음향과 색의 동작으로서의 변형을 시도한 이 영적인 춤에서 강렬한 인상과 함께 새로운 예술에 대한 자극을 받았다. 1918년부터 1922년까지 슈타이너의 인지학 서적을 읽고 러시아의 인지학 센터에 찾아가 인지학을 공부하며 슈타이너의 인간관, 예술관, 세계관을 습득했다.

> 오스트리아의 철학자이자 인지학자인 루돌프 슈타이너의 『사람은 어떻게 고차적 세계의 인식에 도달하는가?』이라는 책을 서점에서 보았다. 그는 당시에는 만약 고차적 인식에 도달하는 것이 실제로 가능하다면, 이미 도달했을 것이고 그것에 대해 책까지 쓸 필요는 없었을 것이라고 생각하며 웃었다. 그럼에도 불구하고 체홉은 그 책을 샀다. 그 후 몇 년 동안 이 책과 루돌프 슈타이너의 다른 책들이 그에게 막대한 영향을 주었다. 슈타이너의 세계관은 체홉이 가졌던 많은 질문에 대한 해답이 됐다. 삶에 대한

60) Michael Chekhov, *The Path of The Actor*, 같은 책, 72쪽.

관점과 태도가 완전히 변화했고, 염세주의는 사라졌다. 인생은 새로운 목적과 의미로 다가왔다. 건강은 점차 회복되었고 과도한 음주도 중단했다.[61]

특히 슈타이너의 예술론은 체홉의 예술적 고민에 대한 해답을 발견하는 계기가 되었다. 슈타이너에게 있어서 인간의 영혼은 신체와 정신을 조화롭게 통합시키는 매개체이기 때문에 영혼의 역할은 매우 중요하다. 또한 조화로운 인간 발달을 위한 예술은 슈타이너에게 있어 핵심적 개념이었고 그래서 그는 영혼의 작용인 사고, 감정, 의지의 발달을 위해 인간의 예술적 가치를 존중했다. 예술은 인간의 신체, 영혼, 정신이 통합하는 과정을 돕는 것이기 때문에, 끊임없는 변화를 통해 성장, 발달하는 인간을 위해 반드시 필요한 것이었다.

슈타이너에 의하면 예술은 인간의 영혼과 정신을 감각이 가능한 세계로 표현하는 것이다. 진정한 예술가가 추구하는 길은 살아 움직이는 정신을 향한 길이다. 예술은 물리적으로 지각할 수 있는 세계에서의 감각을 통해 출발하고, 예술가는 감각에서 지각된 것을 정신적인 것으로 변형하여 표현하는 것이다. 예술가를 이끄는 힘은 단순히 주관적인 충동만이 아니며, 예술가는 물리적으로 지각할 수 있는 것에 정신이 드러나 있는 형태를 부여하려고 노력하는 사람이다. 그리고 아름다움이란 감각으로 지각할 수 있는 어떤 형태가 부여된 관념이 아니라, 정신적 형태가 부여된 감각지각에 의해 가능한 것이다. 따라서 인간에게 있어서 예술이란, 정신세계가 감각 가능한 세계로 변형되어 표현된 영역이다. 슈타이너는 예술을 통해 인간의 정신을 표현하고 회복하려 한 것이다. 그에 의하면 예술은 언제나 인

---

61) Michael Chekhov, *To The Actor*, 같은 책, xxxiv쪽.

간의 마음이 정신으로부터 충동을 받아서, 그 충동을 여러 가지 외적인 소재에 의해 구현할 필요를 느낄 때에 생겨난다고 했다.

이러한 슈타이너의 예술론을 통해 현실의 체험을 무대 위에 재현해내는 것을 강조하는 스타니슬라브스키의 연극에 대해 체홉이 가졌던 막연한 의문들이 실마리를 찾게 되었다. 체홉은 신체와 물질세계의 연기가 아닌 영혼과 정신세계의 연기를 고민하게 되었다. 인간의 영혼과 정신을 표현하는 것을 예술이라고 한 슈타이너의 예술론을 통해 연극이 배우의 상상을 표현하는 것이라는 생각을 구체화하기 시작했다.

체홉은 인지학을 통해 배우로서의 정상에서 만나게 된 예술 창조의 공백과 예술의 본질에 대한 해답을 찾아가기 시작했다. 연기에 있어서도 오이리트미의 영향을 받아 동작의 형태와 특징을 다양하게 시도하고 신체 자세와 형태를 변형시킴으로써 창조적으로 역할을 구축해나갔다. 인지학에서는 인간이 보통 인지하는 일상의 자아와 창조적인 고차적 자아를 구별했다. 이러한 인지학의 이론은 체홉이 자신의 개인적인 문제와 거리감을 느낄 수 있게 해주었으며, 스스로에 대해 관대해지고 자기 파괴적인 성향에서 벗어날 수 있게 했다. 슈타이너의 인지학과 인간본질론은 체홉이 개인적인 문제에서 탈출할 수 있는 중요한 계기가 되었고 그의 배우로서, 연출가로서의 연기이론 형성에 중요한 영향을 미쳤다.

1918년 이후 체홉은 스타니슬라브스키의 개인적인 경험과 정서기억을 사용하는 연기에 대해 강력하게 반대하기 시작했다. 그는 그것이 배우의 창조성을 열어주는 것이 아니라 배우를 일상의 습관으로 속박하는 것이라고 주장했다. 더 나아가 체홉은 배우의 감정이 아닌 캐릭터 즉 배역의 감정을 강조했다. 체홉은 슈타이너가 말한 고차적 자아를 '모든 창조적인 과정 뒤에 숨어 있는 예술가'라고 해석하며 자신의 연기 접근법의 핵심에 두었다. 그는 고차적 자아란 배우가 연기해야 하는 배역마다 어떻게 다르게 연기할 수 있는지를 설명해주는 해답이라고 했고, 배우가 대본을 뛰어넘도록 도와주는 '창조적 개성'의 원천이라고 했다.

체홉은 슈타이너의 영향으로 오이리트미와 심리제스처를 통해 움직임과 화술에 관한 이론을 정립하기 시작했는데 이것은 체홉의 연기체계의 중요한 일부분이 되었다. 모스크바 예술극장에서의 경험, 배우 연기에 대한 고민에 더하여 슈타이너의 인지학이 결합되자, 체홉은 스타니슬라브스키의 연기론과는 다른 새로운 연기체계를 구상할 수 있게 되었다. 1918년과 1921년 사이에는 인지학에 대한 관심과 그 가능성에 대해 탐색해보고자 그의 아파트에서 워크숍을 열기도 했다. 1922년 체홉은 독일로 가서 슈타이너의 강연을 듣고 그를 따라 네덜란드로 가서 연극 예술에 대하여 개인적인 대화를 나누기도 했다. 이후 체홉은 남은 생애 동안 슈타이너 인지학의 성실한 제자가 되었다.[62)]

체홉은 1921년부터 1927년까지 배우로서의 전성기에 올라선다. 제1스튜디오와 제2모스크바 예술극장에서 수많은 주요 배역을 섭렵하며 배우로서 비범한 예술적 재능을 발휘했다. 체홉의 성공적인 연기 작품 중 하나는 1921년 박탄코프 연출, 스트린드베리 작 〈에릭 14세〉에서 주연을 맡았던 것이다. 체홉은 캐릭터의 나약함을 표현할 수 있는 육체적인 방법을 찾던 와중에 박탄코프로부터 영감을 얻었다. 박탄코프는 에릭 14세를 자신이 빠져나오려고 하는 원 안에 갇혀 있는 인물로 설명했다. 희망을 품고 손을 원 너머로 뻗어보지만 아무것도 찾지 못하고 좌절 속에 빠진다. 체홉은 에

62) Mala Powers, 같은 책, 18쪽.

릭 14세라는 캐릭터가 박탄코프의 제스처에 의해 정확히 표현되었다고 느꼈다. 이렇게 캐릭터의 본질을 하나의 신체동작으로 압축하는 것이 체홉이 말하는 심리제스처의 모형이었다. 제스처로 배역의 본질을 표현한다는 생각이 스타니슬라브스키나 박탄코프에게도 있었지만, 체홉은 오이리트미를 이용해 심리제스처라는 개념으로 발전시켰고 그의 연기론의 핵심적 요소가 되었다.

1922년에 박탄코프가 죽자 체홉은 모스크바 예술극장 제1스튜디오의 연출 직책을 맡게 되는데 이 스튜디오는 1924년에 제2모스크바예술극장이 된다. 그는 연기교육 및 연출뿐만 아니라 연기도 계속해 나갔다. 이때부터 체홉은 스타니슬라브스키와는 달리 배우 자신의 체험, 일상의 문제, 삶의 자취 등을 무대 위에서 연기로 재현하지 않았다. 실제로 체홉은 1924년의 〈햄릿〉 공연을 통해 자신의 공연 속에서는 배우의 삶과 일상은 없고, 스타니슬라브스키 방식의 배우의 개인적 경험이나 정서기억만으로는 〈햄릿〉의 세계를 제대로 이해하거나 구현할 수 없다고 했다.

〈햄릿〉에서 체홉이 받은 찬사에도 불구하고 소비에트 정권은 제2모스크바예술극장이 혁명에 관한 연극은 상연하지 않고 실험적인 예술만을 지향한다며 압박을 가하기 시작했다. 소련에서 인지학은 금지되었고 체홉은 체포될 수 있다는 경고를 받았다.

1927년 소비에트 정권이 엄격히 금지한 오이리트미를 이용하고 슈타이너에 관심을 보였다는 이유로 체홉은 소비에트 정권에 의해 '형식주의자', '신비주의자'로 비판받았다. 또한 체홉의 연기 테크닉에 반대해 17명의 배우들이 예술극장을 떠났다. 배우로서의 성공에도 불구하고, 모스크바의 주요 신문들은 그를 '병적인 예술가'로, 그의 공연을 '반동적이며 이질적'이라고 비난했다. 소비에트 정권은 그에게 1년 내에 모든 예술작업을 청산하라는 명령을 내렸다. 이때 그는 오스트리아 연출가 막스 라인하르트(Max Reinhardt, 1873~1943)로부터 독일에서 함께 작업하자는 제안을 받았고 1928년 가족과 함께 러시아를 떠나 독일 베를린으로 이주했다. 그의 연극적 성과는 1969년에 러시아연극학교의 정규 교과과정으로 편성될 때까지 빛을 보지 못했다.

베를린에서 그는 인지학에 대한 공부를 계속했고 라인하르트 극단에서 배우와 연출 작업을 병행했다. 1929년 베를린에서 연극 공연 뒤에 스타니슬라브스키와 만났을 때 체홉은 상상력의 중요성을 강조하면서 스타니슬라브스키의 정서기억의 위험성에 대해 신랄하게 비판했다.

1931년에 체홉은 파리로 옮겨 새로운 스튜디오를 설립하지만 여러 가지 어려움에 봉착했다. 그는 톨스토이 작품을 각색하여 공연하면서 오이리트미와 슈타이너의 예술론 등을 적용시켰으나 상업적으로는 실패했다. 1932년과 1933년 당시에는 독립국이던 라트비아와 리투아니아에서 작업을 했지만 정국불안으로 파리로 돌아갔다.

1934년과 1935년 체홉은 러시아에서 망명한 배우들과 극단을 만들어 미국에서 순회공연을 가졌다. 그는 스텔라 애들러(Stella Adler, 1901~1992)의 초청으로 그룹 씨어터[63]에서 연기 시범과 함께 강연도 했다. 이 강연에서 체홉은 배우가 배역에 접근할 때는 배역에 기반한 무의식적 심리의 원형을

---

63) 그룹 씨어터(Group Theatre)는 1931년 뉴욕에서 조직된 연극인 단체로, 이전의 씨어터 길드(Theatre Guild) 회원이었던 해럴드 클러먼이 연출가 리 스트라스버그, 체릴 크로퍼드 등과 함께 사회성을 지닌 미국 연극을 공연할 목적으로 만들었다. 이 극단이 확립한 통일된 연기 및 작업방식은 1941년 극단 해체 뒤에도 실질적인 표준으로 자리 잡았고, 극단 출신의 많은 배우와 연출가들이 미국 연극영화계에서 중요한 위치를 차지했다.

제일 먼저 찾아내야 한다고 설명했다. 그는 '중심'과 '가상의 신체'에 대한 그의 연기이론을 대략적으로 설명하고 '상상'에 대한 중요성을 강의했다. 이 당시 체홉은 뉴욕에서 베아트리스 스트레이트와 데이드리 허스트 듀 프레이를 만났는데 그들은 영국 데본의 다팅톤에 위치한 실험 공동체로 체홉을 초청했다. 1936년에 체홉 연극 스튜디오가 세워졌고, 그곳은 상업적인 압박이 없었기 때문에 체홉이 자신의 연기론을 발전시키기에 이상적인 공간이 되었다. 체홉은 3년 과정의 연기훈련을 계획했는데 거기에는 슈타이너의 인지학에 기반한 집중, 즉흥, 상상력, 오이리트미, 발성과 화술, 음악 작곡이 포함되어 있었다. 이 시기에 상상, 영감, 고차적 자아, 가상의 신체 등 그의 연기론에 있어서의 핵심 개념들이 정립되기 시작했다.

1939년 발생한 제2차 세계대전으로 인해 체홉은 또다시 자신의 연극의 본거지를 옮겨야 했다. 그는 많은 학생을 데리고 미국 코네티컷 주의 리지필드로 이동해 체홉 스튜디오를 오픈했다. 심한 재정적인 압박으로 인해 충분한 준비도 없이 연극 공연을 올렸기에 초기 공연들은 좋은 평가를 받지 못했지만, 1941년 셰익스피어의 '십이야'(Twelfth Night)는 브로드웨이에서 긍정적인 평가를 받았다. 체홉은 이 시기에 1920년대 이래로 가졌던 심리 제스처에 대한 개념들을 구체화하기 시작했다.

전쟁은 다시 한 번 그의 작업을 중단시켰으니, 1942년 체홉 스튜디오는 징병으로 인하여 문을 닫게 되었다. 1943년 체홉은 LA로 옮기고 나서 할리우드에서 영화 경력을 쌓기 시작하는데 1945년 히치콕 감독의 〈Spellbound〉에 출연하여 아카데미상 후보에 오르기도 했다. 하지만 그의 영화 경력은 1948년에 찾아온 심장마비로 중단되었고 1954년에 두 번째 심장마비로 완전히 영화를 접어야 했다.

이후 체홉은 LA를 중심으로 액팅 코치로 활동하며 놀라운 명성을 얻었다. 당시 할리우드에서는 스튜디오 제작 시스템으로 거대 영화산업이 발달하기 시작했고 배우들은 영화사 전속으로 배치되었다. 영화 장르가 확장되고 인력이 요구되면서 배우에 대한 수요가 커지게 되었다. 영화배우 잭 팰랜스(Jack Palance, 1919~2006), 율 브린너(Yul Brynner, 1920~1985), 말라 파워스(Mala Powers, 1931~2007), 마릴린 먼로(Marilyn Monroe, 1926~1962), 앤서니 퀸(Anthony Quinn, 1915~2001) 등이 그의 제자들이다. 또한 앤서니 홉킨스, 클린트 이스트우드, 잭 니콜슨 같은 배우들도 연기할 때 체홉의 주요 테크닉인 중심과 심리제스처 등을 사용한다고 했다. 그룹 씨어터의 원년 멤버인 스텔라 애들러는 미하일 체홉을 20세기의 가장 위대한 배우로 손꼽았다.

체홉은 개인적, 재정적, 정치적 어려움 속에 힘들어하다가 1955년 64세의 나이로 LA에서 심장마비로 사망했다. 러시아를 떠나 1938년까지의 유럽에서의 연극 활동과 인지학 연구, 1939년부터 미국에서의 배우와 연기 지도자로서의 활동이 그의 연기론의 정립과 발전의 배경이 되었다.

2) 체홉의 연기론의 배경

(1) 시대적 배경

1905년 러시아 혁명은 정치 · 사회 체제에 대한 불만으로 시작되어 평화시위를 하는 군중들을 군대가 무차별 살상함으로써 절정에 달했다. 엄청난 규모의 파업에 당면하자 러시아 황제는 헌법제정과 의회의 창설을 약속했으나, 정부가 시베리아 횡단철도와 군대의 통제권을 다시 장악해 혁명이 막을 내렸다. 1912년 체홉이 모스크바예술극장에 입단했는데, 2년이 지난 1914년 제1차 세계대전이 터지면서 세계가 전쟁의 격랑에 빠져들었다. 영국 · 프랑스 · 미국을 중심으로 한 연합국과 독일을 중심으로 한 동맹국으로 나뉘어 전면전을 벌였다. 이 전쟁으로 900만 명 이상이 목숨을 잃었다. 4년 넘게 이어진 제1차 세계대전은 연합국의 승리로 막을 내렸다.

제1차 세계대전 이후 산업화의 모순과 전쟁의 참화로 대중들의 삶은 극도로 피폐해져갔다. 이러한 사회적 모순을 해결하려는 다양한 시도가 학문, 사상, 종교 측면에서 유럽 전역에 분출되었다. 오이리트미와 인지학이 1913년경부터 유럽에 전파되었고 러시아에도 인지학센터가 설립되었다. 물질의 가치를 중시하는 사회주의적 유물론 사상이 유럽을 휩쓸었다. 1917년에 러시아에서 사회주의 혁명이 발생했고, 사회민주노동당의 볼세비키 세력이 권력 장악에 성공하며 소비에트 정권이 수립됐다. 러시아혁명은 20세기 내내 전 세계에 영향을 끼쳤다.

혁명으로 소비에트 정권이 들어서면서 많은 사회적 혼란이 야기되었는데, 러시아의 문화예술계 또한 예외는 아니었다. 소비에트 정권은 이전에 중산계급과 상류계급을 위해 이루어지던 연극을 프롤레타리아(proletariat) 산업노동자 계급으로 확산했다. 문맹상태의 국민들에게 사회주의나 공산주의 이념을 공급하는데 있어 연극이 최적의 장르라고 생각했기 때문이다. 연극은 국가 차원에서 장려되어 주요 도시뿐만 아니라 농촌지역에서도 농부, 노동자, 군인들로 조직된 비전문 극단이 등장했다. 소비에트 정권은 민중을 위한 극장 건설 추진과 무상 공연 정책을 적극적으로 추진하며 연극을 지원했다. 혁명 이후 혁명 정신을 실현하기 위해 새로운 형식의 문화예술이 요구되었다. 그것은 다양성과 실험성, 새로움을 추구하려는 아방가르드 연극 예술가들에게 새로운 가능성의 공간이 되었다. 그들은 새로운 체제 속에서 과거와 단절된 새로운 연극적 형식을 창조하고자 했다. 예술과 연극을 사회주의 전파의 도구로 사용하려던 소비에트 정권에 의해 모스크바예술극장과 체홉은 혁명 초기에는 별다른 영향을 받지 않았다.

그러나 소비에트 정권의 예술지원정책의 성과가 기대에 미치지 못했다고 판단한 레닌(Vladimir Lenin, 1870~1924)과 뒤이어 정권을 잡은 스탈린(Joseph Stalin, 1878~1953)은 1920년대 중반부터 모든 예술지원정책을 중단했다. 문화예술을 탄압했으며 체제 유지를 위해 소비에트 정권을 선전할 수 있는 연극만 강요했다. 연극의 내용과 형식을 검열하여 소비에트 체제의 이념과 다른 연극은 어떤 연극이든지 '형식주의'라 불리며 파문을 면치 못했다. 이 시기 연극은 사회주의 리얼리즘 연극만이 강요되고 용납될 수 있을 뿐 다른 모든 연극 상연이 금지되었으며, 많은 이름 있는 극장들이 폐쇄되었다.

(2) 스타니슬라브스키의 시스템 연기의 영향과 극복

체홉의 연기론에 대한 연구는 스타니슬라브스키의 시스템 연기로부터 시작된다. 그는 스스로 스타니슬라브스키의 뛰어난 제자는 아니었지만, 스타니슬라브스키의 연기론은 자신의 연극 예술의 기초가 되었다고 말했다.

20세기에 들어서 배우의 연기론은 스타니슬라브스키와 함께 큰 전환점을 맞는다. 체험과 정서기억으로 대표되는 그의 연기론에 의하면 배우는 매 순간 마다 자신의 배역이 처한 정서적 상황과 감정을 체험하여 연기해야 했다. 그에 의하면 배우는 먼저 연극 대본을 완벽하게 분석해야 한다. 배우는 배역의 배경, 상황, 인물 관계, 기타 작가가 희곡을 통해 제공하는 다양한 정보를 확실하게 습득해야 하는데, 이것을 '주어진 상황'(Given Circumstances)이라고 했다. 또한 그는 배우들이 감정을 사실적으로 표현하는 것을 돕기 위해 정서기억 혹은 감정기억이라고 알려진 연습을 창안해냈다. 배우가 극중의 정서적 상황과 유사한 사건이 자신의 삶 속에서 일어났던 때를 기억해내서 동일하게 연기하는 방법이다. 배우 자신과 극중 인물인 배역을 동일시하기 위해서 스타니슬라브스키의 배우들은 '만약에. . .'를 사용했다. 배우는 자신에게 '만약에 내가 대본과 비슷한 상황에 처한다면 어떻게 행동할까?'라고 반문해보고, 극중 인물에게 주어진 동기가 무엇인지, 극중 인물의 전체적인 목표를 설명해주는 '초목적'(Super-Objective)은 무엇인지 찾아야 했다.

스타니슬라브스키는 현대 연극의 발전에 커다란 공헌을 했다. 미국 등지에서 시행하고 있는 연기훈련 방법은 대부분 스타니슬라브스키의 연기론의 변형된 형태라고 할 수 있다. 그의 시스템 연기는 많은 변형과 진화를 거쳐, 지금도 세계 곳곳에서 확산되고 있다.

이러한 스타니슬라브스키의 시스템 연기에 대해 체홉은 초기 모스크바 예술극장 시절에는 대부분 받아들였다. 체홉과 스타니슬라브스키는 모두 구시대의 유물인 상투적인 연기와 진부한 연극성을 극복하기 위해 노력했다. 그러나 1918년 이후 체홉은 자신의 연기론이 구체적으로 형성되기 시작하면서부터 스타니슬라브스키의 연기론에 대해 강력히 비판을 하며 서로 다른 길을 걷기 시작했다. 체홉이 슈타이너의 인지학을 접하게 된 것이 이러한 반목의 중요한 계기가 되었다.

먼저 체홉은 스타니슬라브스키의 체험과 정서기억 등에 대해 완전히 다른 시각을 가졌다. 체홉은 체험과 정서기억 대신 상상력과 직관을 그의 연기론의 토대에 두었고 상상력을 모든 예술의 핵심이라고 여겼다. 스타니슬라브스키 이론에 의하면 배우는 인간의 실제 행동에서 또는 인간 심리의 논리 안에서 진실을 찾을 수 있다. 그러나 체홉은 연극과 삶의 밖 또는 배우의 상상력 깊은 곳 어딘가에 진실이 놓여 있다고 말했다. 연기를 수행하는 방식을 크게 내부적인 충동과 외부적인 자극으로 구분한다면, 체홉은 후자가 더욱 중요하다고 했다.

체홉의 연기론은 배우의 외부에 객관적 상상의 세계가 있다는 전제하에 시작한다. 그에 의하면 배우는 심리와 신체의 유기적 결합을 이용하여 상상의 세계와 소통해야 하며 연기가 자신의 체험을 늘어놓는 자서전이 되어서는 안 된다. 배우의 개인적인 경험이라는 한정된 연기 재료에 계속 의존하다 보면 재능의 퇴보로 이어질 수 있다. 배우는 연기를 위해 자신의 무의식에서 무엇인가를 건져 올리려고 하기보다는 의식적으로 자신의 상상력을 자유롭게 자극하고 활성화하기 위해 노력해야 한다. 체홉은 인간의 경험 중에서 오직 상상력만이 배우의 능력을 최대로 확장시켜줄 것이라고 확신했다. 상상을 통해 배우는 배역에 대한 새로운 내용, 새로운 의미, 새로운 가치, 새로운 표현 수단을 발견할 수 있다. 배우는 항상 연극의 상황이나 배역의 표면적 모습에 얽매이지 않고 상상을 통해 그 숨겨진 의미를 깊이 파고 들어감으로써 진정한 아름다움을 찾아내야 한다.

스타니슬라브스키와 체홉의 연기는 배역에 접근하는 방법에 있어서도 기본적 차이가 있었다. 스타니슬라브스키는 배우가 극중 인물이 되어 연기하는 것이고, 체홉은 배우로부터 분리된 고차적 자아가 연기하는 것이다.

> 스타니슬라브스키의 메소드에서 그는 상상력을 다음과 같은 방법으로 이해한다. 만약에 내가 돈키호테의 역할을 준비하고자 한다면, 나는 그의 주변을 상상하고 내가 아닌 바로 그가 되어서 그를 상상해야 한다. 즉 나는 나 자신을 돈키호테로 여겨야 한다. 이것이 바로 스타니슬라브스키가 이

해하는 상상력이다. 그러나 나의 메소드는 나 자신이 그를 상상해야만 한다. 우선적으로 나의 상상 속에서 그를 즐기는 것 이외에 내가 해야 할 일은 없으며, 그랬을 때 나는 점차 그로부터 영감을 받게 된다. . . . 그의 연기론이 스타니슬라브스키와 결정적으로 다른 점은, 배우의 개인적 체험과 내면으로부터 역할의 구원을 이끌어내는 것은 위험하다고 생각했다는 점에 있다. 미하일 체호프의 배우는 상상력과 직관의 힘으로 극중 인물로부터 이상적인 형상을 도출하고, 이 인물의 형상과 배우가 끊임없는 소통의 과정을 진행함으로써 최종적으로 무대 위에 형상을 완성한다. 무대 위의 형상은 배우의 분리된 의식으로 배우가 궁극적으로 지향하는 인물의 형상이며 배우의 외부에 존재한다. 극중 인물(인물의 형상) ⇆ 배우(무대 위 형상)의 관계인 것이다. 미하일 체호프의 배우는 자신이 만들 형상을 이미 상상 속에서 객관적으로 볼 수 있기에 스타니슬라브스키의 배우와는 달리 자신의 역에 심리적으로 함몰되지 않는다.[64]

체홉의 연기론에 의하면 배우는 상상력과 직관의 힘으로 극중 인물로부터 이상적인 형상을 도출하고, 이 인물의 형상과 배우가 끊임없는 소통의 과정을 진행함으로써 최종적으로 무대 위에 형상을 완성한다. 이 이상적인 형상이 체홉이 인지학으로부터 영향을 받은 배역의 본질 즉, 고차적 자아라고 본다. 인지학의 인간 본질에 대한 탐구는 배우가 배역의 본질을 찾아가는 노력과 일맥상통하기 때문이다.

체홉은 스타니슬라브스키가 강조하는 배우와 배역의 동일시, 대본의 '주어진 상황'에 대한 주도면밀한 분석에 대해서도 비판했다. 많은 배우들이 배역과의 동일시를 통해 배우 자신과 배역 사이의 벽을 허물어 극중 인물로 거듭나고자 하지만, 이것은 오히려 배역을 배우의 체험 속에 실존하

64) 미하일 체호프, 이진아 옮김, 같은 책, 11~12쪽.

는 인물로 상정하는 과정에서 배우 자신의 신체와 심리에 대한 개성과 주체성을 상실하게 만들었다.

체홉은 희곡에 대한 논리적 분석과 극중 인물에 대한 정보 수집을 바탕으로 한 인물구축에도 심각한 문제가 있다고 지적했다. 희곡을 지적인 방식으로만 접근하면 할수록 극중 인물은 단지 논리적 분석에 의해 해체될 뿐이고, 그것이 무대 위 배우의 의지와 그에 따른 자연스러운 연기로 이어지지는 않는다고 했다. 체홉은 스타니슬라브스키의 배우들이 배역의 배경, 상황, 인물관계, 성격을 찾아내려고 대본을 고증하듯이 분석하는 것에 대해 강하게 비판했다. 배우들이 수집하고 분석한 방대한 배역의 정보들을 연기로 구현할 방법을 찾지 못해, 결국 오래된 연극적 관습에 따라 틀에 박힌 연기를 하거나 과도한 감정에 매몰되어 자아도취적인 연기를 한다고 지적했다. 체홉은 스타니슬라브스키의 냉정하고 지적인 배역의 목적 분석은 인위적이고 빈약하며 잘못된 것이라고 했다. 체홉에 의하면 배우는 논리나 이성보다는 무의식의 문을 열어 창조적 개성이 활발히 작용할 수 있도록 해야 한다는 것이다.

체홉은 인물의 목적을 찾기 위해 배역의 지적인 분석에 몰두하는 스타니슬라브스키식 연기방법의 대안으로 상상력을 제시했다. 배우는 배역이 연기하는 것을 마음의 눈으로 보고 그것을 관찰하는 동안 배역의 목적이 무엇인지 알아내려고 노력해야 한다고 했다. 이성적 추론이 아니라 배우의 상상력에 의해 활발하게 생성되는 생생한 그림을 보며 배우는 그 목적을 찾을 수 있다는 것이다.[65]

또한 체홉은 배우의 감각 확장과 심리제스처 등 신체적 훈련을 통해

---

65) Michael Chekhov, *On The Technique of Acting*, 같은 책, 108쪽.

'객관적인' 연기를 이끌어내려고 했다. 가령 심리제스처를 사용할 때 신체의 빠르기나 강도의 크기가 곧 정서의 밀도와 직결되기 때문에, 신체의 템포나 리듬으로 감정을 이끌어내려고 했다. 이러한 신체훈련방법을 통해 배우의 연기는 언제든 반복되게 하더라도 같은 결과를 낼 수 있게 된다고 했다. 그렇지만 감정으로만 표현하고 감정에만 의존하는 스타니슬라브스키의 연기는 배우의 집중도나 여러 상황 등에 따라 다른 결과들이 나올 수 있다고 했다. 그래서 체홉의 연기에서는 배우 자신의 신체적 감각을 정확히 사용하여 영혼적 감각, 정신적 감각으로 고양시키는 것이 필요하다. 또한 그것은 최종적으로 상상과 연결된다고 할 수 있다.

스타니슬라브스키와 체홉의 연기론에 관한 대립은 체홉이 러시아를 떠난 5년 후 베를린의 어느 카페에서의 만남에서 최고조에 달했다.[66] 스타니슬라브스키와 체홉은 배역에 관해 긴 시간 대화를 나눴지만, 그들은 배우가 배역에 접근하는 방법에 관하여 의견이 달랐다. 스타니슬라브스키는 배역이 배우 앞에 있고, 배역이 배우 자신으로 변형하여 배역과 배우가 하나가 될 수 있도록, 배우가 배우 자신을 향해 이 배역을 끌어당겨야 한다고 말했다. 체홉도 배우 앞에 배역이 있다는 것에는 동의했지만, 그는 배우가 배역을 향해 이동하여 배우 자신이 배역으로 변형되어야 한다고 믿었다. 이 두 가지 접근의 중요한 차이점은 스타니슬라브스키의 제안대로 배우가 연기한다면 배역이 배우의 자아에 종속되고 말 것이라는 사실이다. 결국 이것은 배우가 해결해야 할 많은 문제들을 발생시킨다. 그러나 체홉이 제안한 접근은 그러한 많은 문제들로부터 배우를 자유롭게 만든다. 왜냐하면

66) 스타니슬라브스키와 체홉의 베를린 대화는 아주 유명하여 체홉의 연기론에 관한 대부분의 저서에 조금씩 변형되어 등장한다. 본 저서에서는 배우의 자아와 배역의 자아(고차적 자아)를 명확하게 대비한 페티의 설명으로 소개한다.

배우의 자아가 배역의 자아에 종속되고, 배우의 신체가 배역의 신체로 변화되기 때문이다. 그것은 작가가 요구하는 것들을 쉽게 표현할 수 있게 만든다.[67]

당시 체홉은 배우가 자신의 외부로 나와 극중 인물의 요구에 따르는 것, 즉 고차적 자아를 새로운 신조로 삼았다. 체홉은 스타니슬라브스키를 만난 자리에서 고차적 자아에 대해 설명하며, 시스템 연기가 의존하고 있는 정서기억이 배우에게 해로운 훈련시스템이라고 비난했다. 체홉은 정서기억을 순수한 상상력으로 대치해야 하며, 오직 상상만이 배우의 예술 창조에 효과를 가져다 줄 것이라고 말했다. 그러나 스타니슬라브스키는 이 주장에 동의하지 않았다.

스타니슬라브스키의 시스템 연기와 체홉의 테크닉 연기의 공통점은 구시대의 상투적인 연기와 진부한 연극성을 뛰어넘는 창조적 연기의 길을 모색했다는 점이다. 반대로 가장 큰 차이점은 역시 정서기억과 상상이다. 스타니슬라브스키는 배우 연기의 출발점을 배우 자신의 체험에서 찾는 내부의 연기이고 체홉의 연기는 연기의 출발점을 배역에서 찾는 외부의 연기이다. 스타니슬라브스키의 연기는 배우의 실제적 체험과 정서에 토대를 두는 내면의 연기이지만, 체홉의 연기는 배우가 개인적 경험을 떠나 상상으로 만들어내는 가상의 객관적 실체를 찾아야하는 외면의 연기이다. 스타니슬라브스키의 연기는 배우 자신의 감정과 체험을 중시하는 주관의 연기이고 체홉은 고차적 자아, 엿보기 눈을 통해 배우 자신이 아닌 제3의 눈으로 바라보는 객관의 연기이다.

---

67) Lenard Petit, 같은 책, 163~164쪽.

2. 영감

슈타이너의 인지학을 수용한 체홉의 연기방법 중에서 첫 번째로 살펴볼 것은 '영감'(Inspiration)이다. 체홉은 인간본질론의 9중 구조에서 정신단계에 해당하는 영감을 같은 용어로 연기론에 도입했다.

어원적으로 영감은 '안으로'라는 의미의 접두사 in과 '숨을 쉬다'라는 뜻의 라틴어 spirare이 결합된 형태로 '안으로 숨을 쉬다', 즉 '숨을 들이쉬다'라는 의미이다. 숨은 인간의 생명에 가장 중요한 것이고, 숨을 쉬는 것은 기운이나 생명력을 흡입하는 것이므로 여기서 영감(Inspiration) 또는 정신(Spirit)이라는 단어들이 파생된 것이다.

인지학에 의하면 영감은 인간 존재의 본질과 그 변화를 투명하게 밝혀주는 불빛이다. 인간의 영혼과 정신을 인식하는 초자연적인 능력이고 인간의 삶의 경험에 의해 축적된 고차적 정신이다. 영감을 통해 인간은 정신적 내면 안으로 돌입하고, 보이지 않던 정신적 실체들의 다양함을 인식할 수 있게 된다. 본 저자는 체홉의 영감은 배우의 상상과 예술적 체험에 의해 축적된 고차적 존재인 '창조적 정신'이라고 본다. 체홉도 영감과 다른 테크닉과의 관계를 인지학에서와 같이 전구와 불빛으로 묘사했다.

> 체홉은 자신이 직접 그린 '영감의 연기를 위한 도표'(Chart for Inspired Acting)를 보여주었다. 그는 이것이 자신의 연기 테크닉을 요약한 것이라고 말했다. 체홉은 이 도표가 배우 주위에 그려진 원을 나타내는 것이라고 설명하며 자신의 주위에 가상의 원을 그렸다. 그는 이 도표에 언급된 다양한 개별 테크닉(분위기, 인물구축, 성질 등)이 원 주위에 있는 전구와 같다고 상상해 보라고 했다. 그리고 영감이 '떠오르면' 모든 전구에 즉시 불이 켜져 빛으로 밝아진다고 했다.[68]

체홉은 영감을 모든 연기 테크닉을 밝혀주는 불빛이고 테크닉의 중심으로 여겼다. 체홉에 의하면 영감이 떠오르면 자신의 테크닉을 구성하는 요소들이 연쇄반응을 일으킨다. 개별 연기 테크닉 중 일부의 전구에만 불이 켜져도 모든 전구에 불이 들어와 자동적으로 중심 전구인 영감에도 불이 밝혀진다고 한다. 영감과 테크닉은 상호작용하는 관계이며, 따라서 배역을 창조하기 위해서는 각 요소들로 인해 영감의 불빛이 밝혀질 수 있게 배우 자신이 강한 연기 테크닉을 가져야 한다고 강조했다.

체홉은 *Lessons for The Professional Actor* 에서 영감을 불빛으로, 개별 테크닉과 연결되는 문으로도 설명하고 있다.

> 배우는 영감을 중심으로 보아야 한다. 영감의 주변에는 많은 문이 있다. 영감의 순간에 이들 문을 통해서 얻는 것은 무엇일까? 연기 테크닉이다. 배우가 분위기에 대해 이야기할 때 분위기는 배우가 열 수 있는 문의 하나이고 그 문을 열면 창조적 과정이 있고 영감의 불빛이 있다. 우리가 다른 문을 연다면 거기에는 아마도 편안함의 감정이 있거나 상상의 문이 있을 수도 있다.[69]

체홉은 영감의 개념을 발전시켜 자신의 연기론을 '영감의 연기'(Inspired Acting)라고 규정했다. 그의 연기론은 영감의 연기의 길 위에 올라선 배우들을 올바로 인도하기 위해 다양한 연기 테크닉을 체계화한 것이라고 말했다.

이러한 영감의 정의와 다른 연기 테크닉과의 관계를 토대로, 인지학의

68) Michael Chekhov, *On The Technique of Acting*, 같은 책, xxxv~xxxvii쪽.

69) Michael Chekhov, *Lessons for The Professional Actor*, New York: Performing Arts Journal Publications, 1985, 80쪽. 1941년 뉴욕 미하일 체홉 스튜디오에서의 강의 내용을 체홉의 제자인 데어드리 허스트 듀 프레이(Deirdre Hurst du Prey)가 모아서 출간한 책이다.

영감과 체홉의 영감을 배우의 연기라는 관점에서 비교하고자 한다.

인지학의 오래된 명제 중 하나는 인간이 눈으로 볼 수 없는 것, 인간이 알 수 없는 것이 정말 존재하지 않는 것인가 하는 것인데, 이에 대한 인지학에서의 답은 '아니다'이다. 인지학에서는 눈으로 볼 수 없는 것들은 정신으로 보아야 한다고 하며 정신적 인식의 방법을 제시한다.

> 눈에 보이지 않는 세계가 그에게 의식되어야 한다면, 그는 정신적으로 보아야 한다. 하지만 '고차' 세계를 위한 이 시력은 '저차' 세계에서 겪은 체험을 통해 점차적으로 길러진다. 감각 세계 속에서 정신적 눈을 성장시키지 못한 사람은, 정신세계에서 정신적 눈을 가지고 태어날 수 없는 법이다. 이는 마치 자궁 속에서 육안이 제대로 자라지 않은 어린아이가 장님으로 태어날 수 있는 것과 같다.[70)]

인간이 외부세계를 경험하고 인식하는 것은 기본적으로 신체 감각기관에 의해서 이루어진다. 시각, 청각, 후각 등을 포함한 오감을 통해 외부세계를 감각할 수 있다. 이러한 감각은 3중 구조의 신체 단계여서 감각세계, 물질세계만 인식할 수 있다. 그렇다면 감각세계 외부에 있는 대상은 인간이 어떻게 알아낼 수 있을까 하는 의문이 생긴다. 인지학에 의하면 이때 인간의 내면에 있는 영감을 불러내야 한다. 영감은 인간의 고차적 정신이어서 보이지 않는 세계를 밝혀주고 다양한 정신적 실체, 즉 존재의 본질을 밝혀주는 불빛의 역할을 하기 때문이다. 본 저자는 영감이 신체적 감각에 대비되는 정신적 감각이라고 본다. 슈타이너도 감각이 물질적 우주를 보는

---

70) 루돌프 슈타이너, 김경식 옮김, 『고차세계의 인식으로 가는 길: 어떻게 더 높은 세계를 인식하는가』, 서울: 밝은누리, 2013, 241쪽.

것이라면 영감은 정신적 우주를 보는 단계라고 설명하고 있다. 슈타이너는 인간은 오감을 통해 감각세계를 지각하고, 감각기관을 넘어서는 초감각적 정신세계는 영감으로 인식할 수 있다고 했다. 모든 인간에게는 감각세계 이상의 것을 인식할 수 있는 능력이 있으며 정신적 감각인 영감으로 초감각적 대상을 보고 인식할 수 있다고 했다.

> 모든 인간의 내면에는 감각적 세계를 넘어 보다 높은 차원의 세계를 인식할 수 있는 능력이 잠재되어 있다. 신비가(神秘家), 그노시스파, 신지학자(神智學者)들은 예로부터 눈으로 볼 수 있고 손으로 만질 수 있는 물질계의 사물과 다를 바 없이, 영혼과 정신의 세계 또한 현실적으로 존재하고 있다고 말해 왔다. 그들은 진솔하게 받아들일 수 있는 사람이면 누구나, 언제, 어떤 경우에도 마음속에 다음과 같이 새겨볼 수 있다. "아직은 잠들어 있는 내면의 어떤 특정한 힘을 각성시킨다면, 나는 그 사람들이 말하는 세계를 스스로 체험할 수 있다"고. 단지 그러한 내면의 능력을 각성시키기 위해 무엇부터 어떻게 시작해야 할지를 모르고 있을 뿐이다.[71]

체홉도 인지학의 고차적 정신인 영감을 통해 배우의 연기를 해석했다. 체홉은 영감이 인간에 대한 깊이 있는 이해를 가능하게 한다고 했다. 인간의 본질은 보이지 않지만, 정신적 감각인 영감을 통해 그 본질을 감각할 수 있듯이, 배우가 연기하는 배역의 본질도 보이지 않지만 창조적 정신인 영감을 통해 인식할 수 있다고 한다. 배우는 영감을 통해 극중 인물의 본질을 밝혀낼 수 있고 또 극중 인물의 본질을 밝혀 새로운 영감을 얻을 수도 있는 것이다.

---

71) 루돌프 슈타이너, 양억관, 타카하시 이와오 옮김, 『초감각적 세계 인식에 이르는 길: 영적 계발에 대한 이해와 통찰』, 같은 책, 19쪽.

본 저자의 견해로는 영감을 통해 배역의 본질을 밝히기 위해서는 대전제가 하나 있다. 배우와 배역의 분리, '분리된 의식'(Divided Consciousness)이다. 주지하는 바와 같이, 배우와 배역의 분리는 인간본질론에서 다룬 고차적 자아의 영향을 받은 개념이다. 체홉은 배우와 배역의 분리를 강조했으며, 배우가 연기하는 것이 아니라 배우 외부에 존재하는 객관적인 실체가 연기하는 것이라고 했다. 일상의 배우가 아닌 배우 자신의 의식이 확장된 고차적 자아가 바로 공연을 위해 인물을 창조하는 인물구축의 재료가 되는 것이다. 체홉은 배우란 배역의 창조자로서 자신의 연기를 객관적으로 바라볼 수 있는 관찰자가 되어야 한다고 하며 이 분리된 의식을 강조했다.

본 저자가 인지학적으로 해석해도 결과는 동일하다. 인간본질론의 3중 구조에 의하면 배우는 신체 단계의 감각세계만을 경험할 수 있는 존재로서 고차적 정신세계를 감각할 수 없다. 초감각적 정신세계를 인식할 수 있는 것은 고차적 자아이다.

이러한 배우와 배역 분리가 선행된다는 전제 하에, 체홉은 배우가 영감의 불을 밝혀 배역을 표현하기 위해 노력해야 하는 것은 첫째 배우의 외부에 있는 수많은 보이지 않는 개체(배역)에 대한 발견이고, 둘째 그 수많은 개체(배역)에 대한 구체적인 이해라고 했다.

배역의 발견에 관하여는 배우의 배역이 배우가 알지 못하는, 보이지 않는 세계의 존재라고 할지라도 이미 그 자리에 존재하고 있다고 인정하는 것이 중요하다고 했다. 체홉에 의하면 배우의 배역이 세상에 없는 존재이므로 배우가 만들어내야 한다는 생각은 위험한 것이라고 한다. 배우의 역할은 보이지 않지만 이미 존재하는 어떤 대상 또는 개체를 찾아내는 것이다. 체홉은 작가가 제시해 놓은 배역조차도 피상적인 것이라고 봤다.

배역에 대한 구체적인 이해에 관하여는, 배우는 배역에 대한 피상적인 이해를 탈피하여 숨어있는 배역의 본질을 이해할 때만이 배우와 배역이 진정으로 통하는 관계가 된다고 할 수 있다. 인지학에서는 세상의 모든 존재는 신체, 영혼, 정신이 하나로 연결된 통합체라고 한다. 그러한 인간을 이해하려면 그 인간의 피상적인 외피가 아니라 그것에 가려진 인간의 내면의 진실이 무엇인지 파악해내야 한다. 이것은 배우의 역할에서도 동일한 것이다. 체홉은 배우와 배역이 내면으로 연결되고 영혼으로 이어지는 것을 강조했다. 본 저자의 견해로는, 체홉이 말하는 배우의 역할은 대본에서 주어진 배역에 대한 정보를 가지고 배우가 논리적으로 하나의 인물상을 짜 맞추는 게 아니다. 배우의 역할은 배우가 연기해야 하는 모든 대상 또는 대본에 설정된 배역의 본질을 드러내는 것이다. 배우는 배역의 피상적인 외면이 아니라 내면의 본질까지 접근해야 하는 것이다. 그런데 배우의 배역 속의 존재는 인간이므로 결국 배우는 인간의 본질을 이해하고 끊임없이 탐구해야 하는 것이다.

체홉은 영감을 배역의 본질을 밝히는, 보이지 않는 창조적 정신이라고 했다. 신체와 영혼을 발달시키려는 노력을 통해 얻어지는 것이며 모든 연기 테크닉을 빛나게 하는 도구이다. 영감은 배우와 배역이 서로가 교감할 수 있게 하는 하나의 매개체이다. 배우가 배역의 영혼 또는 배역의 본질을 찾아내게 할 수 있는 능력이고, 고차적 자아인 배역이 배역의 본질에 따라 연기하게 이끌어주는 힘이다. 체홉의 연기론에 있어서 영감과 고차적 자아는 정신의 영역에 속하는 것으로서 존재의 본질과 배역의 본질, 배우와 배역의 분리의식이라는 측면에서 고리처럼 연결되어 상호영향을 주고받는 중요한 개념이다.

체홉의 연기론의 핵심은 영감이고 영감은 인간의 본질에 대한 깊이 있는 이해를 목표로 한다. 체홉은 인지학의 인간의 본질에 대한 이론을 받아들여 영감의 연기를 더욱 구체화했고, 상상을 통한 영감을 배우의 배역과의 영혼, 정신의 교감의 도구로 삼았다.

영감이란 정신적인 감각이다. 체홉은 눈에 보이는 것이 전부라고 하는 세상의 생각들에 대해 커다란 의문을 던졌고, 결국 사물의 본질이라고 하는 것은 인간이 말할 수 없는 것, 인간이 볼 수 없는 것을 발견해내는 것이라 말한다. 그러기 위해서는 '영적인 눈'이 필요한데 그 이유는 대상에 대한 본질, 변하지 않는 진리를 찾기 위해서이다. 다시 말하면 배우의 정신세계가 있듯이 배우가 맡은 배역에도 보이지 않는 정신세계가 있다. 따라서 배우의 배역을 배우의 경험이나 입장으로만 보는 것은 위험한 것이다. 배우가 맡은 배역의 본질은 배우의 경험 밖의 세계에 존재하며 그것과의 정신적인 교감을 강조한 것이 체홉의 영감의 연기이다.

영감이란 배우와 배역의 영혼과의 정신적 교감이 가능할 때 비로소 배우가 그 배역을 창조적으로 구축해낼 수 있게 만드는 힘이다. 배우가 외부세계인 배역과 영혼적, 정신적으로 교감하여 하나 되는 것이 체홉이 이야기하는 영감의 연기를 통한 배역 창조이다. 이것은 배우가 표현하려고 하는 구체적인 배역, 즉 인간의 본질에 대한 깊이 있는 파악을 위한 작업이고 그 배역과의 깊이 있는 교감을 위한 전제이다. 결국 체홉의 영감의 연기는 인간 본질에 대한 끊임없는 탐구이고 그 노력의 산물이고 그의 연기론의 핵심이다.

3. 문지방 넘기

체홉의 '문지방 넘기'(Crossing The Threshold)는 인지학의 윤회론과 우주론에 속하는 '문지방 수호령과의 만남'[72]에 토대를 두고 있다. 인지학에서 말하는 문지방의 수호령과의 만남은 고차적 정신세계의 인식을 위한 맨 처음 단계이며 고차적 정신세계에 입문하기 위한 가장 중요한 체험이다. 이것은 인지학에서 강조하는 고차적 정신인식 및 고차적 자아와도 밀접하게 관련된 개념이다.

문지방 수호령은 신비주의나 인도의 불교사상 등에서 영향을 받은 것으로 인지학에서만의 독창적인 것은 아니다. 문지방 수호령과의 만남은 기본적으로 윤회론 특히 카르마와 동일한 개념으로 논리가 전개된다. 신비주의의 영향을 받은 학문이나 종교 등에서의 '수호령'이란 인간이 전생과 현생에서 만든 인간 자신의 행동과 감정과 사고의 결과로 구성되어 있는 총체적 존재이다. 이것은 인간 자신의 삶에 따라 아름다운 성인의 모습일 수 있고 기괴한 괴물의 형상일 수도 있다. 이것을 신지학에서는 아스트랄계의 관문 수호령이라고 하고, 슈타이너는 문지방 수호령이라고 정의한다. 저승사자, 스핑크스, 무당의 신 내림, 토속신앙의 문지방신 등이 문지방 수호령과 비슷한 맥락의 개념이라고 할 수 있다. '인간의 길흉화복과 관련이 있으므로 문지방에 올라서면 안 된다'는 것도 문지방 수호령의 개념과 유사하다고 본다.

인지학에서의 '문지방'은 인간이 현실세계에서 고차적 정신세계로 들어가는 경계이다. 문지방은 외부의 속된 공간에서 내부의 성스러운 공간으로

72) '문지방 수호령과의 만남'은 번역자에 따라 '문지방의 위대한 수호자와의 만남' 등과 같이 다르게 번역되나 같은 의미이다.

이행하여 새로운 세계로 들어감을 상징한다. 문지방은 자연과 초자연이 만나는 경계선이고, 인간의 과거와 미래를 규정하는 기준선이라는 것이 인지학의 설명이다.

'문지방 수호령'은 현실세계와 고차적 정신세계의 경계를 지키며, 인간의 미래 행위에 대한 규범이 되고, 인간을 끊임없이 질책하며 개량할 의무를 짊어진 존재이다. 변화하는 것과 변화하지 않는 것이 뒤섞인 이중적 본성을 띤 인간의 초상(肖像)이다. 문지방 수호령은 인간 자신이 만들어 낸 초감각적 존재이며, 그 몸체는 과거의 인간 자신의 행동과 감정, 사고의 결과로 구성되어 있다. 인간 자신의 카르마에 의해 스스로 만들어진 피조물이고 인간과의 공동운명체인 것이다.

슈타이너도 이러한 문지방 수호령과의 만남을 인지학의 카르마와 윤회론으로 설명하고 있다. 인간의 운명은 인간의 눈으로 볼 수 없는 카르마에 의해 지배당해왔다. 카르마는 인간의 인생에서 선행은 상을 받고 악행은 나쁜 결과를 갖도록 영향을 끼쳐 왔다. 그 카르마의 영향력을 통해 인생 경험과 생각을 기초로 인간의 성격이 형성되었고 인간의 운명이 결정되었다. 현생(現生)의 특정한 시기에 경험하는 기쁨과 고통의 정도는 전생(前生)에서의 인간의 행동에 따라 규정된 것이다. 인간의 모든 삶과 운명은 전생의 삶에 의해 인간 존재의 내부에 이미 결정되어 있었지만 인간의 눈으로는 볼 수 없었다.

인간이 카르마를 떨쳐내고 고차적 세계를 인식하기 위해서는, 인간이 삶에서 확실한 진실이라 여겼던 것까지도 버리고 초감각적 세계로 들어서는 문지방을 넘어야 한다. 인간이 문지방을 넘게 되면 카르마는 인간의 내면에서 빠져나와 인간 존재의 외부로 나가게 된다. 카르마는 외부세계의 돌이나 꽃을 대하듯이 인간의 눈으로 바라볼 수 있는 독립된 형상이 된다. 인간이 문지방을 넘어 고차적 정신세계에 들어서면, 삶은 완전히 새로운 의미를 띠며, 과거와 미래에 대해 새로운 시각으로 조망하게 된다. 인간이 문지방을 넘어서는 순간 인생의 과거와 미래를 스스로 바라볼 수 있는 카르마라는 고차적 자아는 문지방 수호령이라는 가시적인 형상으로 나타나 인간의 눈앞에서 사라지지 않는 존재가 된다.

인간은 문지방 수호령과의 만남을 통해, 문지방 수호령이라는 초월적 존재를 탄생시킨 것이 인간 자신이라는 것을 알게 된다. 문지방 수호령의 육체는 인간이 눈으로 볼 수 없었던 인간 자신의 행위, 감정, 사고의 결과들 즉, 카르마로 구성되어 있기 때문이다. 문지방 수호령과의 만남을 통해 인간은 왜 자신이 이 사람을 사랑하고 저 사람을 미워하는지, 왜 이 일에는 행복을 느끼고 저 일에는 불행해하는지, 그 이유를 이해할 수 있게 된다. 눈에 보이는 인생의 문제들이 눈에 보이지 않는 원인들을 인식함으로써 이해할 수 있게 된다. 삶의 기본적인 양상들, 건강과 질병, 탄생과 죽음 등이 인간의 앞에 의미를 드러낸다. 인간은 자신이 태어나기 이전에, 다시 이 세상에 태어나지 않으면 안 될 어떤 원인이 이미 형성되어 있었음을 느끼게 된다. 이때부터 인간에 의해 만들어진 문지방 수호령은 인간의 미래 행위에 대한 규범이 되어 인간을 끊임없이 질책하며 개선하는 공동운명체가 된다. 인간이 옳지 못한 짓을 행하거나 생각한다면 인간의 죄는 문지방 수호령에게 투영되어 문지방 수호령은 추악하고 악마적인 형상으로 변한다. 반대로 문지방 수호령이 타락한다면 인간 또한 문지방 수호령과 함께 어두운 나락으로 떨어진다. 그러나 인간이 과거에 행한 모든 잘못된 일을 개선하고 인간에게 더 이상 나쁜 일이 일어나지 않도록 인간을 정화했을 때 비로소 문지방 수호령은 빛을 발산하는 아름다운 존재로 변하게 된다고 한다.

이상의 설명을 근거로 정리하면, 문지방 수호령과의 만남을 통해 인간은 자신의 카르마에 대해 통찰할 수 있는 고차적 시각을 갖게 되고 이를 통해 한 개인으로서 인간 자신의 삶의 과제뿐만 아니라 자기 민족, 세계의 과제에 대해서도 눈을 뜨게 된다. 문지방 수호령과의 만남을 통해 인간은 인간 존재의 한계를 넘어선 진정한 고차적 정신세계를 발견할 수 있다.

문지방 수호령과의 만남에 대해서는 슈타이너의 저서 『사람은 어떻게 고차적 세계의 인식에 도달하는가?』(*Wie erlangt man Erkenntnisse der höheren Welten?*)에도 드러나 있다. 슈타이너는 여러 단계의 정신 수양을 묘사하고 있는데, 마지막 단계는 이른바 '문지방의 위대한 수호령'(grosser Hüter der Schwelle)과의 만남이다. 문지방 수호령은 인간에게 다음과 같이 말한다.

> 너는 네가 여전히 감각 세계에 의존하였던 동안 감각 세계에서 발달시킬 수 있었던 능력들을 통해 네 완성의 현재 단계에 이르렀다. 그러나 이제 너를 위하여 해방된 네 힘들이 이 감각세계에서 더 활동하는 시간이 시작되어야 한다. 지금까지 너는 다만 네 자신을 구원하였을 뿐이나 이제 너는 해탈한 자로서 감각 세계에 머무르고 있는 너의 모든 동료들을 함께 구원할 수 있다.[73]

슈타이너의 문지방 수호령과의 만남은 본래 영혼과 정신의 실재를 인식하는 방법으로 등장했다. 감각에 의존하는 인간의 일상적인 지각에서 출발하여, 문지방을 넘어 새로운 정신세계를 인식할 수 있는 인지학적 방법인 것이다.

---

73) Steiner, Rudolf, *Wie erlangt man Erkenntnisse der höheren Welten?*, Dornach, 1982, 211쪽.

체홉은 인지학의 문지방 수호령과의 만남을 응용하여 '문지방 넘기'라는 연기훈련 방법을 창안해냈다. 문지방 넘기를 통해 배우는 일상의 나에서 고차적 자아로 넘어간다고 말했다. 이로써 배우의 고차적 자아는 창조적 개성을 만나게 된다고 한다. 문지방 넘기는 체홉의 연기 테크닉 훈련의 첫 시작으로, 항상 맨 처음에 진행된다. 실제 훈련에서는 배우 자신의 숨겨진 과거, 현재, 미래를 발견하고 이를 통해 창조적인 인물구축을 위한 기본 테크닉으로 응용된다.

페티도 문지방 넘기에 대해 언급하고 있다. 그는 초보적인 예술가로서의 배우는 매일의 삶을 창조적인 예술가의 세계로 만들기 위해 문지방을 넘어야한다고 했다. 깨어 있는 집중과 상상의 힘이 인도하는 새로운 세계로의 발걸음을 배워야 한다고 했다. 문지방 넘기를 통해 배우들은 체홉이 '배우의 행진'(actor's march)이라고 말한 진정한 배우의 길을 계속 걸을 수 있다고 강조했다.[74] 페티에게 있어서 문지방 넘기는 창조적인 예술가로 거듭나기 위해 배우들이 넘어야 할 예술과 창조의 경계선을 넘는 것이다. 진더는 문지방 넘기를 '숨을 깊게 들이마시며 알려지지 않은 땅으로 걸음을 내딛는 것'이라고 비유했다. 그는 문지방 넘기는 체홉의 연기 테크닉의 교육과정, 연기훈련, 워크숍을 시작하는 데 있어 매우 중요한 훈련방법이며, 배우가 창조적 연기를 시작하기 전에 수행해야 하는 필수적인 변화의 과정이라고 했다.

진더가 설명하는 체홉의 문지방 넘기 훈련방법은 다음과 같다.

① 배우들은 연습 공간의 가장자리 경계선 주위에 정렬하여 늘어선다.
② 그런 다음 배우들은 그들 자신에 대해 잠시 생각하는 시간을 갖는다.

---

74) Lenard Petit, 같은 책, 19쪽.

③ 배우들 각자가 연습 공간으로 들어갈 준비가 되었다고 느낄 때, 발을 내디뎌 문지방을 넘는다.
④ 전체 배우들이 연습 공간으로 넘어갈 때까지 나머지 배우들은 조용히 집중하며 기다린다.
⑤ 워크숍은 모든 배우들이 연습 공간으로 넘어갔을 때 시작한다.
⑥ 이 훈련방법을 변형하여, 배우들이 벽에 등을 대고 서서 보이지 않는 막에 직면하고 있다고 가정하여, 연습 공간으로 들어가는 것은 그 막을 통해 다른 종류의 공간으로 이동하는 것이라고 생각할 수 있다.
⑦ 습관은 큰 걸림돌이므로 문지방 넘기 훈련을 진행할 때에는 매번 다른 장소를 선택하는 것이 좋다.[75]

이러한 문지방 넘기 훈련은 다양하게 응용되고 있다. 체홉의 제자들이나 후학들은 체홉의 연기 테크닉의 본질은 공유하지만, 그것을 연구하고 응용하고 적용하는 훈련방법에 있어서는 각자 개별적이고, 다양한 훈련방법들을 강조하고 있기 때문이다. 다음은 체홉의 저서 *To The Actor*의 공동 번역자이자 한국미하일체홉스튜디오의 액팅 코치인 김선이 제시하는 문지방 넘기 훈련 방법이다.

① 편안한 기분으로 둘러선다.
② 각자의 발 앞에 가상의 원으로 둘러싸인 문지방을 만든다. 뒤 공간도 넓게 확보한다. 이 문지방은 현재의 나와 미래의 나를 구분 짓는 경계이다.

75) David Zinder, *Body Voice Imagination: Image Work Training and The Chekhov Technique*, New York: Routledge, 2013, 29~30쪽. 이스라엘 텔아비브 대학교 연극예술학부 명예 교수로 재직하고 있는 연기 지도자이며 국제적 연출가인 데이비드 진더의 저서이다. 체홉의 연기 테크닉의 훈련과제들을 사진과 함께 상세히 설명하고 있다.

③ 한손으로 뒤 공간을 만져본다. 뒤 공간은 나의 과거이다. 태어난 순간부터 현재까지의 내 모습이다.

④ 다른 손으로 앞을 만진다. 앞 공간은 나의 미래이다. 문지방을 넘어 안으로 들어가면 이상적인 미래의 나를 만난다. 예술가로서의 영감이 넘치며, 직관이 발달되고, 상상력이 풍부해지는 나로 거듭 태어난다고 상상한다.

⑤ 이때 중요한 것은 현재 나의 일상의 것들을 다 내려놓고 이상적인 미래의 나를 만날 준비가 되었을 때 문지방을 넘는다. 그래서 현재 나의 고민, 걱정, 계획 등을 다 내려놓는 것이 절대 필요하다.

⑥ 일상의 것들을 다 내려놓았다면 문지방을 넘는다.

⑦ 이때 자신에게 받아들여지는 감각을 관찰한다.[76]

'편안한 기분으로 둘러선다.'는 것은 그 자체로 의미를 지닌다. 체홉은 배우들에게 단순히 '편하게 서라'고 하면, 배우들은 '내 모습이 지금 불편해 보이는 것인가, 내 신체가 지금 이완이 안 된 상태인가'하는 불필요한 생각들을 한다고 했다. 그래서 배우들에게 구체적인 감각으로 얘기하는 것이다. 이렇게 편안한 이완의 상태에서 감각이 열리고 창조적 발상이 생겨나기 때문이다.

그런 다음 문지방을 넘은 후의 느낌에 대해 서로 공유한다. 처음 공간에서의 공기와 문지방을 넘어 안에 들어갔을 때의 공기는 어떻게 다른지, 배우 자신에게 느껴지는 기분이나 감각들은 어떤지 살펴본다. 호흡이 변하는지, 신체가 가벼워지는지 등이다. 훈련 진행시 참가자들의 대답은 '에너지가 넘치는 기분이 든다, 몸이 뜨거워졌다, 자유로워졌다, 무엇이든 다할

---

76) 한국미하일체홉스튜디오 워크숍의 문지방(문턱, 가상의 원) 넘기 훈련을 기초로 본 저자의 설명을 추가한 것이다.

수 있는 자신감이 생겼다, 발산되는 느낌이다, 시원하다, 신기한 느낌이 들었다' 등이다. 그러나 간혹 '어색하다, 갑갑하다, 어둡다, 아무런 느낌도 받지 못했다'는 의견도 있었다. 체홉은 훈련이 잘 안될 때 머리(사고)의 활동을 내려놓고 자유로움, 편안함, 즐거움을 받아들이라고 한다.

문지방 넘기 훈련은 상상을 통해 배우의 감각을 확장시키는 것과도 관련이 깊다. 가령 주변의 소리에 집중하는 청각, 처음 온 공간이라고 상상하는 시각, 배우의 몸에 느껴지는 뜨거움에 대한 열감각, 그리고 앙상블에 대한 전체의 느낌 등이다. 감각을 확장시킬 때 중요한 것은 배우의 집중과 관찰이다. 집중과 관찰이 있을 때 배우의 감각을 정확히 알 수 있으며 나아가 감각을 확장시킬 수 있다. 그래서 인물을 구축할 때 반드시 선행되어져야 하는 것이 집중과 관찰 훈련이다.

본 저자의 견해로는 문지방 넘기를 통해 체홉이 목표로 하는 것은 배우 자신에 대한 발견, 감각의 확장, 고차적 자아로 나아가는 의식의 분리의 경험이다. 문지방이라는 가상의 경계를 넘어 현재와 미래의 배우 자신을 발견하며 사고와 감정을 정리하고, 공간의 분위기를 느끼며 감각을 확장하고, 마지막으로 배우 자신과 분리된 초감각 세계를 경험하는 것이다. 본 저자가 연극교사로 일했던 발도르프학교의 오이리트미 교육에서도 이 문지방 넘기 수업을 진행한다. 여기서는 학생들이 내딛는 한 걸음에 큰 의미를 부여한다. 그 한 걸음에 인생이 담겨지고, 학생들 개별의 기질을 발견할 수 있다고 보기 때문이다. 배우에게 있어서도 단순한 가상의 문지방을 넘는 한 걸음이 또 다른 세계를 경험하는 거대한 시작이 될 수 있다. 문지방 넘기는 배우의 살아온 인생이 담기고, 감각이 확장되며, 고차적 자아를 발견하여 인물을 구축해내는 중요한 예술적 체험인 것이다.

4. 고차적 자아

체홉은 인간본질론의 인간 자아 3중 구조의 고차적 인간(Higher I)을 '고차적 자아' 또는 '초자아'(Higher Self 또는 Higher Ego)라고 하며 연기론의 기본적인 개념으로 정립했다. 고차적 자아는 인지학에서도 인간본질론, 정신인식론, 교육예술론, 인간구원론 등에서 폭넓게 응용되는 개념이지만 체홉의 연기론에서도 배우의 연기, 배역의 본질, 인물구축 등에서 다양하게 활용되는 기본 원리이다.

인지학에 의하면 인간은 정신인식을 통해 인간 존재에 숨어있는 고차적 인간인 고차적 자아를 일깨우게 된다. 그런데 고차적 인간이 되기 위해 중요한 인간의 자세 중의 하나가 기쁨, 슬픔, 걱정 등 모든 인간의 경험과 행위를 객관적인 관점에서 바라보아야 한다는 것이다. 인간은 보통 다른 사람의 행동이나 경험을 자신과는 다른 방식으로 관찰하는 것이 일반적이다. 자신의 경험 속에는 그 자신이 들어있으므로 주관적이고, 다른 사람의 경험 속에는 자신이 포함되지 않으므로 객관적으로 볼 수 있다. 고차적인 인간이 되기 위해서는 인간 자신의 경험이나 행위조차도 다른 사람의 그것처럼 바라봐야 한다. 비평가처럼 객관적인 시선으로 자신을 바라볼 수 있어야 한다. 인간으로서의 자신에게 다가오는 모든 생각과 사고를 객관적으로 파악할 수 있는 눈을 길러야 한다. 이러한 객관적인 시선이 가능해질 때 인간은 자신의 경험이나 행위를 객관적으로 바라보는 고차적 인간이 될 수 있다.

객관적인 시선을 가진 고차적인 인간의 시점에서 보면 인간 자신이 관계된 인간의 충동, 욕망, 표상들도 자신 이외의 대상들과 똑같이 객관적이고 외부적인 형상으로 나타난다. 거울에 둘러싸인 사람이 모든 방향의 거울에 비친 자신의 모습을 바라볼 수 있듯이, 고차적 세계 속에서는 인간의 본성이 거울상으로 그 자신 앞에 객관적으로 보이는 것이다. 고차적인 인간은 충동, 욕망, 집착 등과 같은 부정적인 의미의 자신의 내면이 외적인 거울상으로 나타났을 때에도, 정면으로 응시할 수 있는 용기와 힘을 가질 수 있다. 그래서 고차적 인간은 자신의 내면에 존재하는 것을 외부의 대상을 바라보듯이 관찰하게 된다. 고차적 인간이 되면 주위의 사물과 대상에 대한 태도가 점차로 자기 자신에 대해서도 그대로 적용되기에 이른다.[77] 즉, 고차적 인간은 '내면을 확실히 통제하는 지배자'가 된다.

인지학에서는 '자신의 모습을 바라보는 거울', '자신의 내면이 외부적으로 나타난 거울상' 등 거울의 의미를 강조하고 있는데, 이것은 고차적 인간이 되기 위한 인간의 내적 성찰과 자기반성이 중요하다는 것을 보여주기 위함으로 여겨진다. 또한 이것은 체홉이 고차적 자아에서 강조하는 '외부자의 시선', '제3의 눈', '분리의식' 등과도 연결되는 개념이다.

이러한 인지학의 고차적 인간의 개념은 체홉에 이르러 고차적 자아의 개념으로 정립된다. 고차적 자아는 무대에서 연기하는 배우의 본질에 관한 문제이며, 체홉의 연기를 관통하는 핵심 주제이기도 하다. 체홉에 의하면 배우가 자신이 만들어낼 형상을 이미 상상 속에서 객관적으로 바라볼 수 있게 되면, 배우는 고차적 자아를 통해 무대 위 자신이 구현한 형상을 외부자의 시선으로 응시할 수 있다고 했다. 체홉의 고차적 자아는 '창조적 개성'을 만들며, 일상의 나와 같이 공존하는 배우의 또 다른 본질적 자아이다.

1918년 이후 체홉은 스타니슬라브스키의 개인적인 경험과 정서기억을

77) 루돌프 슈타이너, 양억관, 타카하시 이와오 옮김, 『초감각적 세계 인식에 이르는 길: 영적 계발에 대한 이해와 통찰』, 같은 책, 151쪽.

사용하는 연기에 대해 강력하게 반대하기 시작했다. 그는 그것이 배우의 창조성을 열어주는 것이 아니라 배우를 일상의 습관으로 속박하는 것이라고 주장했다. 더 나아가 체홉은 배우의 감정이 아닌 캐릭터, 즉 배역의 감정을 강조했다. 그는 '배우가 어떻게 느끼는가?'보다는 '배역이 무엇을 느끼는가?'가 중요하다고 했으며, 이를 통해 배역을 배우의 개성에 가두지 않고 배우를 배역으로 변화시킬 수 있다고 주장했다. 예를 들어 햄릿의 정신적 고통을 표현하는 장면에서 스타니슬라브스키의 배우는 자신의 경험 속의 고통을 끄집어내어 배우의 감정으로 햄릿을 연기할 것이다. 그에 반해 체홉의 배우는 배역에 집중하여 배역이 햄릿의 고통에 어떻게 반응하는지를 관찰하고 이를 토대로 배역의 감정으로 햄릿을 연기할 것이다. 체홉은 슈타이너가 말한 고차적 자아를 모든 창조적인 과정 뒤에 숨어있는 예술가라고 해석하며 자신의 연기 접근법의 핵심에 두었다. 그는 고차적 자아란 배우가 연기해야 하는 배역마다 어떻게 다르게 연기할 수 있는지를 설명해주는 해답이라고 했고, 배우가 대본을 뛰어넘도록 도와주는 '창조적 개성'의 원천이라고 했다.

체홉은 러시아에서 배우로 활동하던 젊은 시절부터 고차적 자아의 개념에 대해 고민했고, 배우는 반드시 자신 안에서 자신만의 자아를 발견해야 하고 그 자아의 목소리를 듣는 법을 배워야 한다는 견해를 기록으로 남겼다. 체홉은 일상의 나와 다른 본질적인 나가 있음을 인지했으며, 그 본질적인 나를 '고차적 자아'라고 했다. 그는 러시아를 떠나 유럽에서 공연을 시작하던 1929년경에 배우가 진정으로 창조적인 예술가가 되기 위한 궁극적인 목표는 고차적 자아와 의식적으로 연결되는 것이라는 그의 오래된 생각에 대한 확신을 갖게 되었다. 그래서 그는 배우들을 영감의 연기의 길로 이끌어주기 위해 고차적 자아와 같은 정신적인 측면의 연기 테크닉을 구성하고 체계화했다.

체홉에 의하면 극중 인물을 연기하는 배우는 일상의 나와 더불어 나란히 공존하는 고차원적으로 확장된 나인 고차적 자아, 이 2가지 존재를 모두 자각해야 한다. 무대 위 배우의 감정과 음성, 행동 등은 배우의 내면의 예술가인 고차적 자아가 공연을 위해 창조한 것이며 이것이 인물구축의 재료가 된다. 일상의 자아는 상상력을 자극하지 못하지만, 배우의 모든 창작과정 뒤에 숨어있는 예술가인 고차적 자아는 배우의 상상력을 자극할 수 있으므로, 배우가 고차적 자아의 기능을 잘 인식하면 할수록 인물구축과 창조적 연기에 큰 도움을 받게 되는 것이다. 이 고차적 자아는 연극과 역할에 대한 개인적인 해석이 가능한 '창조적 개성', 연극과 연기의 역동성을 만들어주는 '선과 악의 구분', 배우가 그가 살고 있는 시대를 이해하는 '동시대의 삶', 배우가 이기적인 자아로부터 해방되는 '유머의 객관성' 등 네 가지의 기능으로 배우에게 창조적 영감을 제공한다고 했다.

그런데 여기서 체홉은 또 다른 하나의 존재를 제시하는데, 그것은 고차적 자아의 연장이자 고차적 자아를 통제하는 '제3의 눈'인 '객석에서 바라보고 있는 나'이다. 제3의 눈은 정신의 눈, 마음의 눈이라고 인지학에서 부르는데, 체홉도 '제3의 눈' 또는 '엿보기 눈'(Spying Eye)이라는 표현을 쓴다.

다음은 객석에서 바라보고 있는 나에 대한 체홉의 경험담을 언급한 내용이다.

> 체홉은 1928년 러시아를 떠나 독일로 이주했고, 막스 라인하르트로부터 『곡예사』(*Artisten*)의 광대 역할인 '스키드'를 제안 받았다. 체홉은 아주 짧은 시간에 독일어를 배워 익혔다. 비엔나에서 개막 공연을 하던 날, 체홉은 그

때까지 어렴풋이 알고만 있던 고차적 자아를 인식하는 전율적인 경험을 했다. 그는 1944년에 쓴 두 번째 자서전 『삶과 만남들』(*Life and Encounters*)에서 이렇게 적고 있다. "나는 의식이 분리된 상태가 되었다. 나는 관객 속에도 있었고, 내가 의식적으로 만든 배역에게도 있었고, 상대 배우들에게도 있었다. 돌연 내 모든 존재와 스키드로서의 '나'가 놀랍도록 압도적인 힘으로 가득 찼다. 그 힘을 막을 수 있는 장애물은 없었다. 그 힘은 모든 것을 관통했고 무엇이든 할 수 있었다. 난 경이로움을 느꼈다."[78]

체홉은 자신의 의식이 여러 개로 분리되었고 그 중의 하나가 객석에 앉아 자신의 연기를 지켜보았다고 하며 이것을 '분리된 의식'(Divided Consciousness)이라고 불렀다. 그는 배역을 연기하면서 동시에 연기하는 자기 자신을 바라볼 수 있는 '이중의식' 속에 있었다고 한다. 이를 계기로 체홉은 고차적 자아에 순응하는 것 또는 자신의 외부로 나와 배역의 요구에 따르는 것을 새로운 신조로 삼았다.

체홉의 고차적 자아에 대한 언급을 근거로 분석해보면 체홉의 고차적 자아 개념에 등장하는 존재는 세 가지가 된다. 이것은 인간본질론의 인간의 3중 구조인 신체, 영혼, 정신과도 연결된다. 일상의 나인 배우 자신, 고차원적으로 확장된 나인 고차적 자아1과 엿보기 눈인 고차적 자아2이다.[79] 즉, 예술행위를 하는 배우의 고차적 자아도 있지만, 그것을 이중의식으로 바라보는 또 다른 고차적 자아도 존재한다. 다음은 본 저자의 주장을 뒷받침해 줄 체홉의 서술이다.

---

78) Mala Powers, 같은 책, 18쪽.

79) 고차적 자아1과 고차적 자아2라는 용어는 본 저자가 창안한 것이다.

> 배우의 진정한 창조적 상태는 의식의 3중 기능에 의해 통제된다. '고차원적 자신'은 연기에 영감을 주며 진정한 창조적 감정을 갖게 한다. '일상의 자신'은 상식의 범위 안에서 영감의 힘을 제어하는 역할을 한다. 배역의 '가상의 영혼'은 고차적 자아의 창조적 충동의 중심점이 된다.[80)]

위 인용문에 제시된 3중 기능의 용어들을 살펴보면, 일상의 자신은 'the lower self', 고차원적 자신(고차적 자아1)은 'the higher self'이며 그리고 엿보기 눈(고차적 자아2)은 'the illusory "soul" of the character'로 배역의 가상의 영혼이다. 원문의 단어들을 살펴보니 체홉이 말하는 3중 기능의 개념들과 그 기능이 더욱 명확해진다. 안정민도 본 저자와 유사한 주장을 하고 있는데, 그는 배우의 연기는 체홉이 세분화한 세 가지 자아들의 관계에 의해 탄생하고 조절되며, 계속해서 만들어지는 과정에 있다고 한다. 이들은 상위 자아(higher self), 하위 자아(lower self) 그리고 배우가 상상하는 캐릭터로서의 자아(soul of character)라고 설명한다.[81)] 또한 체홉은 일상의 나와 일상의 의식을 각각 'everyday self'와 'everyday consciousness'로 구분하여 표현하고 있는데 일상의 의식 또한 엿보기 눈(고차적 자아2)이라고 판단한다.

체홉은 엿보기 눈인 고차적 자아2에 대해 연극의 많은 순간 또는 장면을 자유롭게 연기하는 동안에도 배우는 자신을 '엿보는 눈'을 계속 유지해야 한다고 했다.[82)] 또한 엿보기 눈인 '일상의 의식'은 고차적 자아1을 상식의 범위 안에서 제어하는 조정자로서의 역할을 함으로써, 연기가 제대로

---

80) Michael Chekhov, *To The Actor*, 같은 책, 91쪽.

81) 안정민, 「지각하는 몸의 원리: 미하일 체홉의 제스처 –현상학적 관점을 통한 배우와 역할 사이의 거리와 캐릭터 창조」, 『연극교육연구』, 한국연극교육학회, 27(2015), 80쪽.

82) Michael Chekhov, *On The Technique of Acting*, 같은 책, 109쪽. 원문에서는 엿보기 눈을 'spying eye'로 표현하고 있다.

진행되게 하고, 정해진 미장센이 바뀌지 않게 유지시키고, 무대 위에서 배우들과의 소통이 깨지지 않게 한다고 했다.[83]

체홉이 객석에서 바라보고 있는 엿보기 눈인 고차적 자아2는 고차적 자아1을 제어하는 역할을 해야 한다고 했는데 그 이유는 고차적 자아1은 강력하게 확장된 의식을 가졌지만, 문제점을 안고 있기 때문이다. 영감의 순간에 배우의 고차적 자아1은 새로운 변신을 하게 되고 일상의 나가 경험하지 못했던 새로운 힘이나 영향력을 받아서, 자신도 통제할 수 없는 엄청난 의식의 변화와 마주치게 된다. 이로 인해 배우들이 연습으로 만들어 놓은 연기의 계획을 무시하거나 배우들과의 소통을 무너뜨리고 연기의 한계를 넘어서는 경우가 발생하기 때문이다. 이때 필요한 것이 고차적 자아2이다. 고차적 자아1에 정해진 총체적 연기의 설계들이 바뀌거나 깨지지 않게 통제하고 제어하는 역할을 해야 하는 것이다. 결국 이러한 고차적 자아1과 고차적 자아2는 일상의 나와 분리되어 존재하는 창조적 행위자이면서 동시에 배역의 연기를 통제하고 관리하는 보이지 않는 연출가의 역할도 하고 있는 것이다.

본 저자의 이러한 주장을 토대로, 무대 위에서 연기하는 배우의 역할을 인지학적 관점에서 그림으로 나타내면 다음 〈그림 6〉과 같다. 일상의 나는 배우의 '신체'이고, 고차적 자아1은 무대 위의 창조적 자아로 '영혼'이다. 엿보기 눈인 고차적 자아2는 객석에서 이중의식을 갖는 '정신'이다. 배우의 본질은 일상의 '나', 무대 위에서 '연기하는 나', '그것을 객석에서 바라보는 나' 이렇게 인지학의 인간본질론의 3중 구조로 설명할 수 있다. 체홉도 이 세 가지의 존재(three different beings)를 구분하여 이해해야 한다고 했다.

83) Michael Chekhov, *To The Actor*, 같은 책, 88쪽.

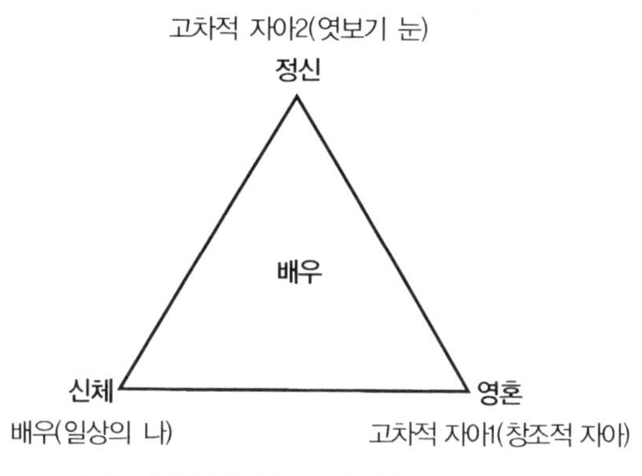

〈그림 6〉 인간의 3중 구조와 배우의 역할 분리[84)]

고차적 자아와 관련하여 체홉은 그의 연기론에서 '예술가의 창조적 개성', '창조적 자아'와 같이 '창조적'이란 단어를 강조했다. 이는 자신의 내면의 힘을 자유롭게 확장시키는 것으로 모든 창작물에 투영되는 것이다. 그리하여 창조적 자아란 배우의 무의식 속에 존재하는 고차적 자아이며 이는 배우에게 풍부한 영감을 제공한다. 예술가인 배우는 자신의 역할에 따라 때로는 과감하고 창조적인 해석이 필요하다고 체홉은 말한다. 그러기 위해서는 일상의 자신이 아닌, 자신의 의식이 강화되고 확장된 고차적 자아로의 변신이 필요하다고 한다.

'객석에서 바라보고 있는 나'에서와 같이 '자기 자신을 객관적으로 바라본다'는 의미는 인지학에서만 다루어지는 개념은 아니다. 우주와 인간의 본성에 대한 가르침을 전하는 우파니샤드나 불교 경전, 인도 철학 등에서도 자주 등장한다. 현대에서는 불교 경전을 재구성하여 '명상'(mindfulness)

84) 본 저자가 슈타이너의 인간의 3중 구조와 체홉의 고차적 자아 이론을 토대로 독자적으로 완성한 그림이다.

이라고 하며 인지치료에 이용되고 있다. 정신과에서는 자신을 실시간으로 객관화시켜 감시하는 '관찰하는 나'인 'observing ego'를 심리 치료에 활용한다.

본 저자는 체홉의 고차적 자아가 정신적인 측면과 기술적인 측면이 공존하는 연기방법이라고 본다. 체홉이 고차적 자아와 같은 정신적인 개념을 강조하며 인간에 대한 깊이 있는 관심을 가진 연출가임에도 불구하고, 오히려 체홉의 연기 테크닉이 꽃을 피운 것은 할리우드(Hollywood) 영화라는 점에 주목한다. 가장 물질적이고 상업적이라고 할 수 있는 영화 분야에서 체홉의 연기론이 성공했다는 것은 그것이 추상적이거나 모호하지 않다는 것에 대한 반증이다. 본 저자는 일상의 나와 고차적 자아를 분리하는 체홉의 고차적 자아 분리의식 개념이 영상매체를 위한 배우들에게도 필요한 연기방법이었을 것이라고 본다.

고차적 자아는 영상매체연기의 기술적 메커니즘을 익히는 방법이 될 수 도 있겠는데 이 부분은 훈련과 매체연기의 경험들이 쌓이면 얼마든지 얻을 수 있다. 현재도 왕성한 활동을 하고 있는 국내 미남 영화배우의 인터뷰를 예로 들어보겠다. 이 배우는 뛰어난 외모 때문인지 연기력은 빛을 발하지 못했고, 오히려 연기논란에 휩싸인 시기도 있었다. 그는 자신의 기존 이미지와는 전혀 상반된 캐릭터를 선택하며 새로운 배우로 거듭나기 위한 도전을 시도했다. 그는 인터뷰에서 항상 자신의 연기에 대해 고민을 한다고 하며, 촬영 현장에서 뿐만 아니라 일상생활에서도 카메라 3대가 각기 다른 각도로 자신을 찍고 있다고 의식한다 했다. 이러한 연습을 하다보면 자신이 어떠한 행동을 할 때, 어느 위치의 카메라가 어떻게 찍고 있을지 그리고 자신의 모습이 모니터에 어떻게 비춰질지 명확히 그려진다고 했다.

자신의 모습을 자꾸 찍어서 보고 관찰하는 것, 이것이 습관이 되면 카메라 앞에 선 나의 모습을 보다 객관적으로 관찰할 수 있다고 판단한다. 즉, 카메라가 제3의 눈, 고차적 자아2인 엿보기 눈이 될 수 있는 것이다. 또 다른 예로 셀프 카메라 찍기를 무척 즐기는 사람이 있다고 하자. 이 사람은 셔터를 누르기 전 이미 현재 자신의 모습이 어떻게 비쳐질지 머릿속에 선명하게 그려져 있다. 그래서 각도와 표정, 포즈들을 설정한다. 그만큼 자신의 모습을 여러 측면으로 많이 찍어 봤던 경험이 있기 때문에 가능하다. 관찰과 경험, 이것이 자신의 행위를 볼 수 있는 시작이다.

이러한 영상매체의 연기에 관한 언급은 체홉의 연기 테크닉에도 자주 등장한다. 이것은 체홉이 인생의 후반기에 할리우드에서 배우로 연기했고, 액팅 코치로서 많은 영화배우들을 지도했던 경험에 기인한다. 영상매체 연기에서도 체홉의 고차적 자아 이론은 그대로 적용된다. 배우 자신의 모습을 찍어서 보고 관찰하는 것, 이것이 습관이 되면 카메라 앞에 선 배우 자신의 모습을 보다 객관적으로 관찰할 수 있는 것이다. 본 저자의 주장과 비슷한 맥락으로, 체홉은 배우가 카메라와 친구가 될 것을 제안했다. 매일 카메라 앞에서 연기를 시작할 때에 카메라와 조용히 인사해보라고 했다. 아주 강력한 상상력으로, 카메라가 친구처럼 다정한 성격을 가지고 있어서 배우가 연기하는 역할에서 나오는 다양하고 미묘한 차이를 즐기며 인정하고 있다고 생각한다면, 이것은 카메라의 눈을 피해 숨으려고만 하는 배우들에게 매우 유용한 테크닉이 될 것이라고 했다.[85]

체홉이 카메라를 의인화하여 '자신의 연기를 바라보는 눈'으로 설명하는 것은 고차적 자아와 상통하는 개념이다. 체홉은 성공적인 연기를 위해

85) Michael Chekhov, *On The Technique of Acting*, 같은 책, 170쪽.

배우는 언제나 배역을 바라보며, 배역에 의해 움직여야 한다고 했다. 이러한 고차적 자아와 분리의식을 통해 배우는 자신이 연기하는 배역과 배우의 감정, 성격 등이 서로 다르더라도 언제나 자유롭게 인물을 구축할 수 있다.

배우가 맡은 배역과의 거리두기를 통해 자신의 연기를 관찰자 입장으로 봐야한다는 고차적 자아와 같은 견해는 체홉 전에도 이미 존재했다. 드니 디드로(Denis Diderot, 1713~1784)는 감정을 표현하기 위해 감정을 느끼지 말라는 역설을 주장했다. 감정이라는 것은 위대한 배우조차도 조절할 수 없는 '거대한 코끼리'라고 했다. 배우는 감성적인 몽상가이기 보다는 '냉정하고 침착한 관찰자'여야 하고 '모든 것을 모방할 수 있는 기술'을 소유해야 한다고 말했다. 결국 배우의 연기는 감정 내면으로부터 나오는 것이 아니라 외적인 행동의 모방으로부터 나온다고 주장했다.86)

본 저자는 체홉의 고차적 자아의 분리의식, 즉 배우가 연기하고 있는 배우 자신을 제3자의 시선으로 바라본다는 기본 개념은 배우들에게 꼭 필요한 연기방법이라고 본다. 배우가 연기의 목표에 정확히 도달하기 위해서는 배우 자신과 극중 인물을 객관적인 시선으로 바라볼 수 있어야 하기 때문이다. 특히 지나치게 감정적인 연기에만 몰두하는 배우에게 더욱 필요한 것이 바로 고차적 자아이다. 배우가 배역에 빠져 배역과 자신을 동일시하기보다는, 배역과 철저히 떨어져, 자신의 연기를 관찰하고 바라보며, 객관성을 유지하는 것이 좋은 연기의 조건인 것이다.

---

86) 이재민, 「뜨거운 배우와 차가운 배우」, 『한국연극학』, 한국연극학회, (54): 2014, 249쪽.

5. 심리제스처

체홉의 '심리제스처'(Psychological Gesture)는 인지학의 오이리트미와 교육론, 예술론을 수용하여 발전시킨, 체홉의 연기론을 대표하는 개념이다. 특히 체홉이 슈타이너 제자들의 오이리트미 공연을 관람한 후 인지학에 관심을 갖게 되었으므로, 오이리트미는 체홉이 인지학을 그의 연기론에 수용하게 된 계기이기도 하다. 배우의 동작과 밀접한 관련이 있는 슈타이너의 언어 오이리트미를 활용한 심리제스처와 자연의 모방과 양극성을 활용한 심리제스처를 살펴본다.

인간의 사상이나 감정을 표현하거나 전달하기 위한 음성이나 문자 등의 수단을 통상 언어라고 한다. 여기서 본 저자는 연극에서의 언어, 즉 배우가 무대 위에서 관객에게 전달하는 대사라는 언어의 본질은 무엇인가 하는 의문을 제기하게 된다. 이 상식적이지만 간과하고 있는 의문에 대한 해답이 바로 슈타이너의 오이리트미이고 체홉의 심리제스처이다.

슈타이너는 언어 오이리트미를 통해 고대의 언어로 돌아가서 언어 자체의 본질, 언어의 원형을 파악하고자 했다. 고대에는 신체기관과 발성기관이 하나로 연결된 것으로 이해했다. 인간 신체의 운동과정이 가슴, 목, 혀로 통제되어 나오는 것을 언어라고 했다. 이러한 고대 언어는 신체의 발산과정이라고 하는 전제가 있었고, 신체의 행동과 따로 떨어진 것으로 생각되지 않았다. 고대 언어는 신체의 신비적인 행위였고 영적인 형태였다. 그런데 어느 순간 이 고대 언어의 기능이 의미 전달의 기능으로만 축소되면서 언어의 분위기와 감정은 상실되었다. 그래서 언어를 회복한다고 하는 것은 언어가 인간 영혼의 표현이었던 언어의 본질로 회귀해야 한다는 것을 의미한다. 언어에 내포된 이미지들을 몸으로 느끼면서 생명력을 잃어버린 언어에 영혼을 불어넣는 것이다. 신체와 하나였던 고대 언어로 돌아가 언어에 몸을 끌어들이고자 하는 방법이 오이리트미이다.

체홉도 배우의 언어에 대해 연구했다. 그에 의하면 서구문명이 가지고 있는 특징 중 하나가 언어를 단지 개념의 차원에서만 이해하는 오류였다. 고대 언어는 원래 몸짓이고 행위였는데, 언어의 연극으로 내려오면서 행위를 잃어버렸다고 한다. 체홉이 스타니슬라브스키식 사실주의를 배격했던 이유 중 하나는 언어 안에 잃어버린 행위를 회복시키고자 함이었다. 인간의 행위에는 언어와 움직임이 동시에 담겨있으며 행위로 설명되지 않는 것은 의미가 없고 그것은 죽은 언어라는 것이다. 체홉은 언어 오이리트미를 통해 언어에서 거세된 행위성 또는 언어의 원형을 찾고자 했다. 체홉은 언어가 개념에 붙잡히지 않도록 의도적으로 언어를 행위의 측면으로 파악했다. 언어가 이미지 또는 구체적 표현과 연결되도록 하는 것을 훈련의 모티브로 삼았다. 슈타이너의 언어 오이리트미로부터 영감을 얻은 체홉은 모음과 자음에서 느껴지는 원형적 제스처를 찾아 잃어버린 언어의 본질을 찾으려 했으며, 이를 자신의 연기론의 핵심인 심리제스처에 적용했다.

1) 언어 오이리트미와 심리제스처

오이리트미(Eurythmy)는 슈타이너의 인지학 속에서 창안된 새로운 예술이다. 오이리트미는 인간본질론의 3중 구조인 신체, 영혼, 정신이 합쳐진 총체적 몸짓이라고 할 수 있다. 그리스어로는 '아름다운'(Eu)과 '리듬'(Rhythmus)을 의미하며 언어를 몸으로 표현하는 동작 예술이다. 몸을 통해 언어와 음악의 법칙성을 체험하고 이를 '영혼적'으로 표현하는 것이다. 오이리트미를 영적인 체조, 신성화된 무용, 정신적 무용 등으로 부르는 것은 슈타이너가 고대의 언어에 관심을 갖고 오이리트미를 예술 표현에 적합한 동작으로 고안한 것에서 기인한다.

오이리트미는 인지학이 신지학으로부터 독립하기 이전인 1911년과 1912년 사이에 슈타이너의 아이디어로 시작되었다. 신지학회 회원이었던 클라라 스미츠(Clara Smits)가 남편과의 사별 후 슈타이너를 찾아와, 자신의 딸 로리 스미츠(Lory Smits)의 진로에 관해 상담을 했다. 그녀의 딸은 독일에서 유행하는 의학 보건체조 직업교육을 받을 계획이었는데, 슈타이너는 심리적 안정을 주는 치유적 의미의 교육 체조를 제안했다. 1912년에 슈타이너가 만든 신비연극 '문지방 수호령'(Der Hüter der Schwelle)에서 로리 스미츠가 슈타이너가 제안한 춤을 추게 되었고, 이 춤이 바로 오이리트미가 탄생하게 된 계기가 되었다. 1912년 9월부터 소규모 오이리트미 수업이 시작되었고, 슈타이너의 부인 마리 지버스가 그리스어에서 기원한 오이리트미라는 이름을 즉석에서 붙였다.

본 저자의 고찰에 의하면, 슈타이너의 언어 오이리트미는 언어동작예술이라는 점에서 소리보다 움직임과 제스처를 먼저 떠올릴 수 있지만, 근본적으로는 언어의 근원적 성찰과 반성에서 출발한다고 본다. 언어의 근원인 고대 언어는 '인간의 영혼'이며, 소리와 동작이 일치하고 있는 상태였다. 오이리트미가 총체적 몸짓이고 언어 오이리트미 또한 신체, 영혼, 정신의 총체적 연결을 위한 움직임이지만 그 행동의 본질은 잃어버린 언어의 회복이다.

슈타이너는 언어란 실제로 인간 영혼의 보편적인 표현 수단이라고 정의했다. 편견 없는 눈으로 인류 태고의 시대를 볼 수 있다면 고대의 여러 언어 속에 춤, 소리, 동작 등 다양한 예술적인 요소가 담겨있다는 사실을 확인할 수 있다고 말했다. 만약 인간이 언어의 진화를 역행해 올라가 보면,

거의 노래처럼 나타나는 원언어(原言語)에까지 이르게 되고 거기에서는 팔이나 다리의 움직임이 생생하게 언어에 '복종'하고 있다는 것을 알 수 있다고 했다. 고대 언어는 보통 종교적 형식을 수반해서 무언가를 표현하려고 할 때에는 일종의 춤이 첨가되었다. 슈타이너는 태고의 모음과 자음에 대하여도 자세한 설명을 하고 있는데 그에 의하면 당시에는 말하기가 영혼의 가장 깊은 곳에서 나왔었기 때문에 그 원언어는 지구상의 모든 지역에서 유사했었다고 한다. 태고 시대의 사람들은 외부의 어떤 것을 소리로 표현하려는 경우에 영혼이 자음으로 떠밀려지면서 외부의 모든 인상들을 감지했었다고 한다. 불어대는 바람, 파도 소리, 집 안에서 안전하게 보호되는 것 등을 감지했고 그것들을 자음으로 모방했다. 반면에 고통이나 기쁨 등 내적으로 체험하는 것은 모음으로 모방했다. 이러한 고대 언어의 특징은 각각의 소리 자체가 지닌 고유 울림을 찾고 그 울림에 인간 내면의 희로애락을 담으려했다는 것에서 찾을 수 있다.

이와 같이 인간의 언어를 이루는 낱낱의 소리는 인간의 내면을 밖으로 드러내기도 하고(모음), 인간과 외부세계와 관계를 보여주기도 하는데(자음), 그 소리의 본질을 동작으로 나타내는 것이 바로 언어 오이리트미이다. 언어 오이리트미는 우주의 흐름을 이용하여 영혼을 표현하는 것이며, 인간의 몸을 생동감 넘치는 형태로 시각화하는 것이다. 몸 전체를 발성기관으로 만들어 내면을 표출시키고, 그것을 공간 속에 원형적 동작으로 옮겨 놓는 것이다.

언어 오이리트미는 모음과 자음에서 출발하여 언어의 소리 이미지들을 통해 인간 내면의 원형적 동작을 표현한다. 오이리트미 동작에서는 음성적 표현이 나타나기 마련이며 마찬가지로 언어적 음성에도 특수한 동작이 있다. 슈타이너는 학생들과 '말하기'의 속성을 발견하고 그것을 인간의 모든 육체를 사용해 동작으로 바꾸는 연구를 했다. 서로 다른 소리를 가지고 있는 문장들을 만들어서 그 문장에서 무엇을 느끼는가를 스스로에게 질문하면서 그 문장들을 원형적 동작으로 만들었다.

이러한 근거를 토대로 종합하면 인지학의 오이리트미는 고대의 언어의 영향을 받은 신체와 영혼과 정신이 일체가 된 움직임의 언어이다. 모음은 인간 내면의 감정을 표현하고 자음은 우리가 만나는 외부세계에 의미를 전달하는 기능을 갖는다.

다음에 나오는 언어 오이리트미 동작 설명을 통해 슈타이너의 언어 오이리트미와 체홉의 심리제스처와의 연관성을 살펴보고자 한다.

(1) 내면으로서의 모음

슈타이너에 의하면 모음은 항상 영혼이 체험한 인간 내면의 감정을 표현한다고 했다. 모음은 감각기관이 외부로부터 지각한 사실에 대한 인간 내면의 반응으로서 형성되는 언어형식이다. 인간본질론의 3중 구조에 의하면 인간의 신체로부터 받아들여진 감각, 특히 소리가 영혼에 전달되고 영혼이 그 소리의 특성을 모음으로 표현하는 것이다. 모음 A(아), E(에), I(이), O(오), U(우)에서 발견되는 원형적 동작을 슈타이너의 설명과 스케치를 통해 자세히 알아본다.

낮과 밤을 상징하는 'A(아)'는 무언가에 놀라움과 감탄, 존경과 찬양의 마음을 담고 있다. 양팔과 다리를 벌려 자연을 받아들이고 있는 형태의 동작이다. 이것은 인간 자신의 세계에서 외부의 세계로 나아가려는 의지의 표현이다. 따라서 자신을 열고 외부세계로 확장시켜보면 자신의 자아에서 벗어나 있는 새롭게 표출된 자신을 만나게 된다. 본 저자의 견해로는 이것이 체홉의 심리제스처의 '열다'와 똑같은 자세이다. 체홉 워크숍에서 배우들은 보통 이 제스처를 하고 난 후, '내 신체가 360도로 확장된 것 같다', '내가 갑자기 주인공이 된 것 같다', '내가 절대적인 신이 된 것 같다'라는 느낌을 말한다.

생명과 고뇌를 상징하는 'E(에)'는 밖으로 나아가려는 'A(아)'와는 달리 자신의 주변에 머물러 있음을 표현한다. 양팔을 교차시킨 형태의 동작이다. 이것은 자신의 영역에서 벗어나지 못하고 후퇴되거나 폐쇄된 감정을 표현한다. 유아적이고 개인적이며 상대를 놀리는 듯한 느낌의 모음이다.

빛과 어둠을 상징하는 'I(이)'는 직선적이고 공격적이어서, 다른 모음에 비해 가장 주관성을 지니고 있으며 강한 자의식을 느낄 수 있는 모음이다. 양팔을 위 · 아래(하늘 · 땅) 사선 방향으로 뻗는 형태의 동작이다. 수직적으로 위로 상승하거나 수평적으로 옆으로 길게 늘어진다.

태양과 달을 상징하는 'O(오)'는 소리가 나가려다 자신에게 돌아오는 느낌을 갖는 모음으로, 무언가 제한성을 지니고는 있지만 부드럽고 편안한 감정을 표현한다. 양팔은 항아리를 안은 형태의 동작을 취한다. 'A(아)'와 같이 감탄이나 기쁨, 탄식 등 감정을 나타내지만 적극적으로 밖으로 나가지 않는 혼자 지니고 있는 소리이다. 본 저자의 견해로는 체홉의 심리제스처의 '안다'와 똑같은 제스처이다. 체홉 워크숍에서 배우들은 이 제스처를 하고 난 후, '자연을 다 포옹하는 것 같다', '엄마가 아이를 안는 것 같다', '용서를 하는 감정이 든다'와 같은 느낌을 말한다.

환희와 공포를 상징하는 'U(우)'는 무겁고 침울한 감정을 표현하는 모음이다. 양팔은 땅 아래를 향하게 좁게 오므라뜨린 형태의 동작이다. 하늘을 향하기보다는 땅 아래로 스며드는 느낌의 소리여서, 'O(오)'처럼 자신의 주변에 환희나 감탄을 주기보다는 우울하고 습한 느낌을 전달한다. 그래서 오히려 잔인함이 도사리고 있는 듯한 무서운 기운이 숨어 있는 모음이다.

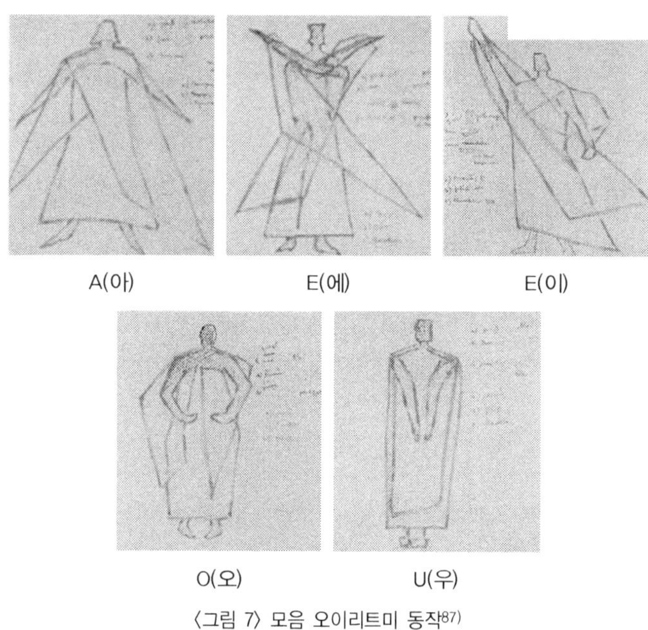

〈그림 7〉 모음 오이리트미 동작[87]

(2) 외부와의 관계로서의 자음

슈타이너에 의하면 자음은 자연의 조형(造形)적인 활동이 모방된 언어 형식이다. 인간본질론의 3중 구조에 의하면 인간의 영혼은 물질육체인 신체를 통해 외부세계와 연결되는데, 자음은 언어와 오이리트미 동작으로 외부세계를 모방하거나 외부세계와의 관계를 표현한다고 했다. 다음은 자음

87) 루돌프 슈타이너, 김성숙 옮김, 같은 책, 180~181쪽. 원본 스케치가 너무 흐려서 본 저자가 미술가에게 의뢰하여 리터칭 복원했다.

오이리트미의 기본적인 원형적 동작 이미지에 대한 슈타이너의 설명이다. 자음의 나열 순서는 인간본질론의 3중 구조 또는 9중 구조에 의한 인간의 발달과정이다.

① 외부세계를 지각하는 '탄생'의 세 가지 자음

'B, M, D'는 신체를 통해 세상과 처음 만나는 단계이다. B는 양팔로 아기를 안은 듯한 동작으로, 주변 환경의 따스함을 경험하게 되고 인간이 자연 또는 영혼으로부터 보호받는 느낌을 표현한다. B는 모음 'O(오)'에서 봤던 항아리를 안고 있는 모습과 유사한 동작으로 심리제스처의 '안다'와 똑같은 제스처이다. M은 인간이 외부세계와 부드럽게 연결되어 호흡하고 스스로가 강해짐을 느끼게 하는 동작이다. D는 인간이 자연 앞에 당당히 서서 인간 주변의 자연을 인식하게 하는 동작이다. 본 저자의 견해로는 체홉의 심리제스처의 '주장하다'와 똑같은 제스처이다. 체홉 워크숍에서 배우들은 이 제스처를 하고 난 후, '내가 슈퍼맨이 된 것 같다', '분명해지고 자신감이 넘친다', '스스로 당당해진다'라는 등의 느낌을 말한다. 'B, M, D'는 인간이 자연 또는 외부세계를 감각하거나 인식하는 것과 관련 있는 탄생의 자음들이다.

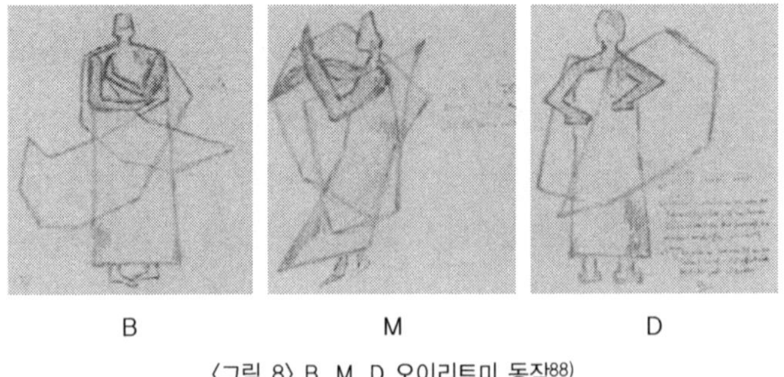

B M D

〈그림 8〉 B, M, D 오이리트미 동작[88]

② 영혼의 자극으로 세계와 만나는 '성장'의 세 가지 자음

'N, R, L'은 신체로부터 받아들여진 감각에 의한 영혼의 반응과 자극으로 세계와 만나는 단계이다. 영혼의 작용인 사고, 감정, 의지 등과 같은 내적 동기에 의해 외부세계와 상호 반응하는 단계인 것이다. N은 외부세계를 이해하며 그 속에 인간 자신을 반영하는 동작이다. R은 둥글게 돌고 있는 원의 형상을 나타내는 동작으로, '포기와 자기주장' 등과 같은 인간의 감정을 표현하는 동작이다. L은 무거움과 밝음이 섞여 있는 동작으로, '헌신과 숙고'와 같은 인간의 감정을 표현하는 동작이다. 'B, M, D'가 외부세계에 대한 단순한 지각 또는 인식과 관련이 있다면, 'N, R, L'은 인간의 사고, 감정, 의지 등이 반영되어 외부세계와 만나는 성장의 자음들이다.

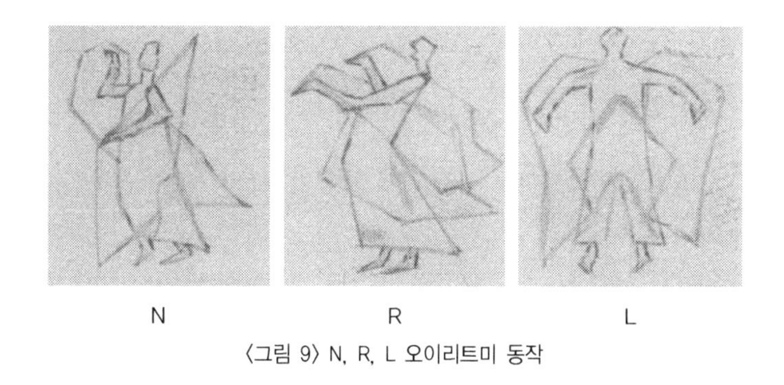

N R L

〈그림 9〉 N, R, L 오이리트미 동작

③ 영혼이 외부세계와 소통하는 '성숙'의 세 가지 자음

'G, CH, F'는 인간 자신을 보다 적극적으로 열고 외부세계와 소통하여 정신세계로 발전하려는 단계이다. G는 외부세계와 소통하려는 내면의 굳

---

88) 루돌프 슈타이너, 김성숙 옮김, 같은 책, 182~191쪽. 오이리트미 동작 스케치를 〈그림 8〉에서 〈그림 11〉까지 해당 자음에 인용했고 원본 스케치가 너무 흐려서 본 저자가 미술가에게 의뢰하여 리터칭 복원했다.

건한 결단이 보이는 동작이다. CH는 인간의 영혼을 정신세계로 확장하려는 적극적인 자세가 나타나는 동작이다. F는 양팔을 구부려 좁게 나란히 한 형태의 동작으로, 숨을 불어넣은 호흡 또는 불꽃같은 화염을 모방한 동작이다. 'G, CH, F'는 신체와 영혼을 통해 성장한 인간이 정신의 단계에 이를 수 있도록 인간의 의식과 능력을 일깨우는 성숙의 자음들이다.

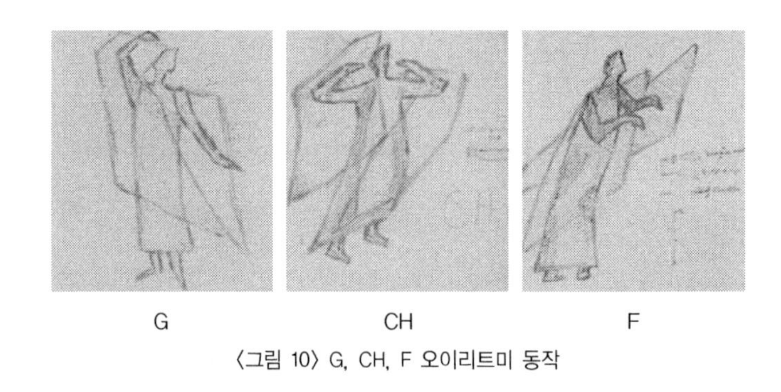

G CH F

〈그림 10〉 G, CH, F 오이리트미 동작

④ 정신세계에 도달한 '죽음' 또는 '부활'의 세 가지 자음

'S, H, T'는 마침내 정신의 단계에 이르러 인간의 감정과 외부세계의 자극을 자유롭게 다스릴 수 있는 단계이다. 슈타이너는 이것을 윤회론에 의거하여 죽음이자 동시에 새로운 탄생이라고 했다. S는 양팔을 끌어당겨 긴장 관계를 유지하는 형태이며 정신의 강한 열기가 느껴지는 동작이다. H는 성장하는 인간의 정신과 외부세계에 대한 헌신이 담겨진 동작이다. T는 머리 위로 두 손을 둥글게 올리고 손끝은 머리 위에 두는 형태의 동작으로, 어떤 대상을 가리키는 한 줄기 광선을 표현한다. 이때 머리는 우주와 연결되고 우주 전체가 T에 집중되는 것을 느끼게 되는데, 이것은 우주와 소통하는 인간을 의미한다. 'S, H, T'는 정신세계에 도달한 인간의 창조적 정신, 우주와의 소통을 의미하는 죽음 또는 부활의 자음들이다.

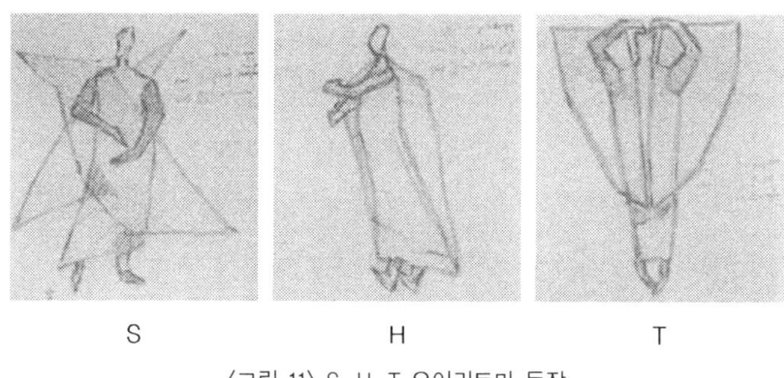

〈그림 11〉 S, H, T 오이리트미 동작

이와 같이 자음 오이리트미는 탄생, 성장, 성숙, 죽음 또는 부활이라는 인간의 발달과정을 표현하고 있다. 인간의 영혼과 정신이 신체를 통해 세계를 경험하고, 적극적인 내적 의지를 통해 세계와 만남으로써 마침내 물질세계를 자유롭게 다스릴 수 있는 정신세계에 도달한다는 인간본질론을 담고 있다.

또한 슈타이너는 말하기와 연극 훈련을 위해 언어 오이리트미를 응용한 원형적 동작을 사용하기도 했다. 슈타이너는 인간이 자신과 자신을 둘러싼 세계와 맺는 다양한 관계를 보여줄 때 어떻게 말하고, 어떤 동작을 취하는지를 기본적 특성에 따라 여섯 가지로 정리했다.[89] 슬론은 슈타이너의 원형적 동작을 자세히 설명했는데, 본 저자는 〈표 5〉와 같이 체홉의 심리제스처와 연관 지어 비교했다.

89) 데이비드 슬론, 이은서 옮김, 같은 책, 171~176쪽.

슈타이너의 원형적 동작			체홉의 심리제스처
동작	특성	목소리	
지시하는 동작	가리키고 지시하며 지적하는 것	날카롭고 카랑카랑한 목소리	주장하다(INSIST)
자기 자신을 잡고 있거나 자신을 만지는 동작	심사숙고하고 외부의 것을 반영하며 깊이 생각에 잠기는 것	말이 길어지고 조금 지루하기도 한 목소리	닫다(CLOSE)
손과 팔을 앞으로 하여 무엇을 더듬어 찾는 동작	질문이 생겨나고 불확실하게 무언가를 찾고 있는 것	떨리면서 우물거리고 망설이는 목소리	당기다(PULL)[90]
손과 팔을 몸 바깥으로 뻗는 동작	반감이나 무시를 나타내며 날카로움을 가진 것	딱딱하고 차가우며 자음의 특징을 가진 목소리	거부하다(REJECT)
만지려는 듯 손을 뻗는 동작	공감, 확인, 안도를 표현하며, 손바닥은 대상을 향해 따뜻함을 발산하는 것	상냥하고 달래는 듯한 목소리	밀다(PUSH)
손을 몸 밖으로 내뻗는 동작	자신 속으로 한 발 물러나는 것	짧고 퉁명스럽지만, 적대적이지 않은 목소리	양보하다(YIELD)

〈표 5〉 슈타이너의 원형적 동작과 체홉의 심리제스처[91]

이러한 슈타이너의 말하기와 연극 훈련의 원형적 동작도 심리제스처와 연결시켜 살펴볼 수 있다. 슬론은 이러한 특성을 가진 대사, 목소리, 동작들은 배우의 연기가 더욱 생동감 있게 전달되도록 구체적인 경험으로 도움을 준다고 했다. 그는 연극수업에서 배우들이 자신이 맡은 인물의 동작과

---

90) 슬론이 예로 든 〈맥베스〉 2막 1장의 대사를 보면 원형적 동작과 체홉의 심리제스처의 연관성을 파악할 수 있다. 맥베스가 왕을 죽이기로 결심한 후 양심이 동요하는 장면이다. "내 앞에 보이는 이것이 단검인가? 칼자루가 내 쪽을 향한 이것이? 이리 와, 너를 잡아 보아라! 안 잡히네. 하지만 여전히 눈에 보인다."

91) 본 저자가 슈타이너의 언어 오이리트미와 원형적 동작 설명을 토대로 체홉의 심리제스처를 유추하여 독자적으로 완성한 표이다.

의도들을 알아갈 수 있도록 이 여섯 가지 과정을 준비 활동에 포함시켰다.

이밖에도 슈타이너는 7가지의 영혼의 특성에 따라 인간을 '적극적 발언가, 꿈꾸는 양육자, 정신 연구자, 모방형 보존자, 사고형 조직가, 사교적 개혁가, 빛나는 균형자' 등의 영혼적 인간으로 구분하거나[92] 인간을 12가지 원형으로 세분하여 '순수한 자, 고아, 전사, 돌보는 자, 탐색자, 파괴자, 사랑하는 자, 창조자, 지배자, 치유자, 현자, 바보'로 설명했다.[93] 이러한 7가지의 영혼적 인간, 12가지 원형적 인간 등도 체홉의 심리제스처, 인물제스처에 영향을 미쳤다고 본다.

이상의 근거를 토대로 정리하면, 언어 오이리트미는 모음과 자음의 소리를 원형적 동작과 그 동작의 생명력으로 변화시켜 인간의 사고, 감정, 의지를 표현하는 창조적 기능을 한다. 인지학적 표현에 의하면 이러한 오이리트미 훈련으로 인간의 육체는 마치 음악을 표현하는 악기가 되어 인간이 머무르는 시간과 공간 속에서 나타나는 다양한 인간의 희로애락을 표현할 수 있는 완전히 새로운 매개체가 되는 것이다. 연극학적인 관점에서도 오이리트미의 언어적 기능은 수많은 감정들이 압축되어있는 텍스트의 분석을 도와 텍스트에서 파생되어지는 다양한 '분위기'들을 구체적으로 형상화할 수 있게 한다.

슈타이너의 언어 오이리트미에 대해 체홉은 언어 오이리트미가 배우의 창조적 개성을 찾는데 도움을 줄 수 있다고 했다. 언어 오이리트미 훈련을 통해 자음과 모음에 관련된 여러 제스처에 익숙하게 되면, 대사를 통해 아주 섬세하고 다양한 인간의 심리를 구현해낼 수 있다고 했다. 체홉에 의하

92) 베티 스텔리, 하주현 옮김, 같은 책, 187~190쪽.

93) 위의 책, 208쪽.

면 언어 오이리트미는 배우를 인간의 언어의 소리와 그 소리의 결합으로 이끌고, 그 소리들의 상호 연결과 관계를 깨닫게 한다. 배우는 각각의 소리들의 다양하고 무한한 변화를 인식하여, 언어로 된 대사를 인간 심리의 섬세하고 다양한 변화를 표현할 수 있는 효과적인 수단으로 만들 수 있게 된다. 언어 오리이트미를 이용하여 대사를 연습하고 소리를 활기차게 만든 배우에게는 몇 가지 혜택이 뒤따른다. 첫째, 조화와 자연미가 배우로서의 존재 전체와 그의 대사에 스며들어 배우를 예술의 영역으로, 아름다움이 충만한 세계로 끌어올려준다. 둘째, 소리는 배우의 창조적인 의도를 전달해주는 훌륭한 매개체가 된다. 셋째, 배우의 영혼에 섬세한 감정이 깨어나고 배우의 의지에 따라 그것을 이용할 수 있게 된다. 넷째, 대사를 인물구축의 수단으로 이용하는 것을 배울 수 있다. 인간 언어에 담긴 각각의 소리의 가장 좋은 뉘앙스를 대사로 능숙하게 표현할 수 있다면, 배우는 연기하는 각각의 배역에 따라 서로 다른 대사 전달방식이나 화법을 만들어낼 수 있다. 발음상의 아주 미묘한 차이가 배우가 연기하는 인물들을 구별할 수 있게 한다.[94)]

체홉에 의하면 대사는 '소리로 변형된 제스처'이며, 언어 오이리트미는 배우가 심리제스처를 만들어내는데 중요한 초석이 된다. 체홉은 슈타이너의 언어 오이리트미를 심리제스처를 위한 연기방법으로 사용했다. 그는 언어 자체에 내재되어있는 내면의 충동과 감정 그리고 언어와 제스처 사이의 연관성에 깊게 몰두했다. 언어가 인간 본성 그 자체에서 태어났다는 슈타이너의 주장에 동의하며 배우가 오이리트미를 통해 언어에 내재된 의미들을 구별해낼 수 있어야 한다고 주장했다. 인간의 감정과 밀접하게 연관된

94) Michael Chekhov, *On The Technique of Acting*, 같은 책, 76~77쪽.

언어인 모음과 외부세계의 모방에서 비롯된 자음을 구분한 슈타이너의 이론을 근거로 제시하면서 언어에 내재된 본능적 정서에 대한 신체적 표현을 강조했다. 이러한 대사와 제스처, 움직임과 소리 사이의 긴밀한 상관관계는 심리제스처의 토대가 되고 있으며 이를 훈련하는 가장 기본적이고 근본적인 연습방법이 오이리트미 훈련이다.

체홉에 따르면 모음은 인간의 감정과 더 밀접하게 연결되어 있고 자음보다 훨씬 더 친밀하다. 그래서 모음은 자연스럽게 서정적이고 영혼적인 주제들이나 친밀한 경험을 표현하는데 더 적합한 수단이 된다. 반면에 자음은 보다 극적이며 무겁고 세속적이다. 자음은 외부세계를 모방하고 모음은 인간의 감정을 표현한다. 체홉은 모음이 음악이고 언어의 회화라면, 자음은 조형적인 힘이라고 정의했다.

체홉은 모음이 인간의 내적 감정을 표현하는 언어이고 이러한 감정이 심리적 요소와 공간적 개념과 연관되어 신체적 제스처로 외부에 표출된다고 보았다. 예를 들어 모음 'A(아)'는 놀라움, 감탄, 의문, 경외, 찬양과 같은 인간의 내적인 감정과 연결이 되고 동시에 개방, 연장, 확장과 같은 공간적인 개념과도 연결이 되어 자신의 세계에서 외부의 세계로 나아가려는 의지를 지닌다. 따라서 모음 'A'의 내적인 의미에서 연관되어 나오는 본능적 신체 동작은 양팔과 다리를 양쪽으로 활짝 벌리는 개방된 제스처와 연결이 된다. 체홉은 모음 'A'에 대한 설명에서 하품을 하면서 내는 소리와 신체 동작을 통해 스스로 잠의 영역에 가까이 가는 것이라고 부연설명하며, '아' 하고 소리를 내는 것은 단순히 성대와 입을 열게 하는 것뿐만 아니라 배우 자신까지도 열게 한다고 했다.

체홉에 의하면 자음은 외부세계를 모방하고 이를 신체 동작으로 연결함으로써 각각의 자음이 갖는 속성을 경험할 수 있다고 주장했다. 예를 들어 인간의 척추 형상을 닮은 자음 'S'는 균형과 차분함을 표현하는 동시에 용수철처럼 언제든지 튀어나갈 수 있는 상태를 나타낸다. 팔과 손을 파도치듯이 상하로 휘저음으로써 자음 'S'가 갖는 속성을 심리적, 신체적으로 체험할 수 있다고 했다.

언어 오이리트미가 갖는 중요한 특성은 각각의 모음과 자음이 내포하고 있는 의미들을 신체적 동작으로 담아내는 기능이다. 체홉도 언어 오이리트미에서 배우의 감정을 대체할 수 있는 단서를 발견했고 언어가 내포하는 의미를 구체적으로 형상화할 수 있는 제스처는 항상 객관적으로 존재한다고 보았다. 오이리트미는 작가에 의해 글로 쓰인 '침묵의 문장'을 회화적으로, 음악적으로, 율동적으로 재탄생시키는 신체적 작업이다. 체홉은 언어 오이리트미를 배우의 인물구축에 응용하여, 배역에 따라 항상 새롭고 반복 가능하게 구현할 수 있는 심리제스처로 발전시켰다.

(3) 언어 오이리트미를 활용한 심리제스처

슈타이너의 언어 오이리트미, 원형적 동작, 원형적 인물 등의 영향을 받은 체홉의 심리제스처는 배우 내면의 심리에 의해 만들어지는 것으로 무대 위에서 실연되지 않는 제스처이다. 관객에게 보여주는 동작이 아니라 극중 인물의 행위를 불러일으키기 위해 배우 개인마다 지니는 '마음속의 제스처'이다.

체홉은 심리제스처를 원형적 이미지(archetypal image)로서, '캐릭터의 의지력의 결정체'(crystallization of the will forces of the character)라고 했다.[95] 허

95) Lenard Petit, 같은 책, 69쪽.

친슨은 심리제스처에 관하여 체홉의 대표적인 연기방법이며, 배우가 표현하고자 하는 캐릭터의 목표인 배역의 본질을 신체적 은유(physical metaphor)를 통해 내면에 형상화하는 것이라고 했다.[96] 심리제스처가 배우가 표현하고자 하는 사물이나 대상의 행동, 개념, 의미 등의 특성을 간접적, 암시적으로 내면에 형상화하는 것이라는 점에서 허친슨의 정의는 적절한 표현이라고 여겨진다. 진더는 '심리제스처는 강력하고 완벽한 동작이다. 그것은 연극 전반에 흐르는 배역의 지배적 욕구를 의미하는 캐릭터의 초목적을 부수다, 포옹하다, 관통하다와 같이 단순하지만 능동적인 동사를 통해 신체적 언어로 변환하는 것'이라고 정의했다. 멀린은 체홉의 심리제스처를 '원형적 형태로 캐릭터의 목표를 구체화하는 것'이라고 설명했다.[97] 페티는 모든 유형의 동작으로부터 도출되는 표준적 형태인 전형(prototype)을 원형으로 보았고 심리제스처는 그 원형을 찾아 배우 내면에 형상화하는 작업이라고 했다.[98]

이러한 심리제스처에 대한 다양한 정의를 근거로 하여 정리하자면, 심리제스처는 사물이나 대상에 존재하는 행위, 개념, 의미, 이미지 등의 원형을 찾아 배우의 내면에 형상화하고 그것을 배역의 심리와 목적을 내포하는 보이지 않는 동작을 통해 배우의 연기로 표현해내는 연기방법이라고 정의할 수 있다.

---

96) Anjalee Deshpande Hutchinson, *Acting Exercises For Non-Traditional Staging: Michael Chekhov Reimagined*, New York: Routledge, 2017, 170쪽. 미국 벅넬대학교의 교수이자 연출가이며 말라 파워스의 제자인 안잘리 데시판디 허친슨의 저서이다. 체홉의 연기론을 비전통적 연극의 관점에서 응용 및 재해석하여 집필한 연기훈련서로 리사 달톤(Lisa Dalton), 윌 킬로이(Wil Kilroy) 등 체홉의 제자들의 소논문이 다수 포함된 저서이다.

97) David Zinder, 같은 책, 268~269쪽.

98) Lenard Petit, 같은 책, 66쪽.

그런데 이러한 체홉의 심리제스처에 대한 다양한 정의 속에는 공통적으로 '원형'이라는 개념이 등장한다. 괴테는 형태학 연구를 위해, 슈타이너는 오이리트미 연구를 위해, 체홉과 학자들은 심리제스처 연구를 위해 원형을 강조하고 있다. 페티는 체홉의 심리제스처의 원형에 대해 고양이의 예를 들어 설명하고 있다. 사자, 호랑이, 표범, 스라소니, 살쾡이는 서로 다른 동물이다. 그러나 이 동물은 모두 고양잇과 동물들이다. 이 동물들이 개별적으로는 개체적 특성을 가지고 있지만, 집합적으로는 고양이의 원형을 가지고 있다고 할 수 있다. 따라서 사자, 호랑이, 표범, 스라소니, 살쾡이의 개체적 특성을 알지 못해도 먼저 집합적 특성인 고양이의 원형으로 접근하면 이 동물들에 대해 훨씬 더 이해하기 쉬워진다. 연극 작품에 무수히 많이 등장하는 영웅, 왕, 어머니, 괴물 등의 배역들도 각각 영웅(Hero)의 원형, 왕(King)의 원형, 어머니(Mother)의 원형, 괴물(Monster)의 원형처럼 집합적 특성을 먼저 이해하고 여기에 개별적 특성을 추가한다면 인물구축이 훨씬 더 용이해질 수 있다.

페티는 심리제스처를 원형적 이미지에 뿌리를 두고 있으며, 원형과 소통하는 제스처라고 정의했다, 이러한 원형적 이미지들을 칼 융(Carl Gustav Jung, 1875~1961)은 집단적 무의식(Collective Unconscious)이라고 불렀고 인간 내면에 존재한다고 했다. 문화 또는 역사가 집단적 무의식에 영향을 미쳤고 집단적 무의식은 인간 정신의 일부분이다. 체홉에 의해 개발된 연기 개념들은 이러한 집단적 무의식의 에너지에 아주 깊이 의존한다. 심리제스처는 원형과 결합되어 인물구축의 중요한 재료가 되고 배우의 연기적 한계를 뛰어넘게 만든다. 원형은 무의식이 의식과 소통하는 방법이고 그 소통의 매개체는 신체이다. 그 반대의 과정도 가능하다. 원형과 일치하는 심리제스처를 만듦으로써 배우는 의식의 자극으로서 생겨나는 무의식의 결과를 통해 예술적 감동을 만나게 된다. 이것이 체홉의 심리제스처의 기본적인 테크닉이다.

이러한 심리제스처에 대한 정의에 근거하여, 본 저자는 배우가 심리제스처를 배우 내면에 가짐으로써 실제 외부에 표현되는 배우의 대사는 더욱 강한 이미지를 만들어낼 수 있게 된다고 본다. 대사는 이미지를 그리는 제스처가 되어 강한 생명력을 지니게 되는 것이다. 특히 언어 오이리트미를 통해 발견된 언어와 원형적 동작 사이의 긴밀한 상관관계는 심리제스처의 토대가 되었다.

체홉은 인물의 감정은 반드시 배우의 내면이 아니라 배우의 외부에서부터 시작되어야 한다고 강조했다. 그는 외적인 움직임이나 제스처를 통해 내면의 감정을 불러일으킬 수 있다고 했으며 모든 극중 인물은 하나의 심리제스처를 갖고 있고 이것은 인물의 내적 동기와 인물 특성을 드러내준다고 지적했다. 그래서 배우는 역할창조를 위해 다른 작업보다 우선하여 인물의 심리제스처를 찾는 데에 집중해야 한다고 강조했다. 체홉은 순수한 신체 이미지만을 이용해 인물을 창조하고자 했다.

체홉은 작가가 모든 등장인물을 동일한 어법으로 말하게 하는 것도 문제이지만 배우가 연기를 할 때마다 동일한 대사 전달방식이나 화법으로 연기하는 것은 더 큰 문제라고 했다. 배우는 글로 쓴 작가의 언어를 배우 자신의 연기 언어로 바꾸어야 한다. 체홉은 배우가 자신의 언어를 찾는 것이 배우의 사명이며, 이것은 자신의 창조적 개성과 만나는 것이고 심리제스처가 이러한 배우의 작업에 도움을 줄 수 있다고 했다. 그는 배우가 자신이 맡은 극중 인물에 대한 심리제스처를 판단하는 특별한 기준은 없으며 그것을 결정하는 것은 오직 배우 자신이라고 지적했다.

체홉은 언어 오이리트미를 활용하여 심리제스처의 대표적인 7가지 예를 다음과 같이 원형적 인물의 특성으로 제시했다.

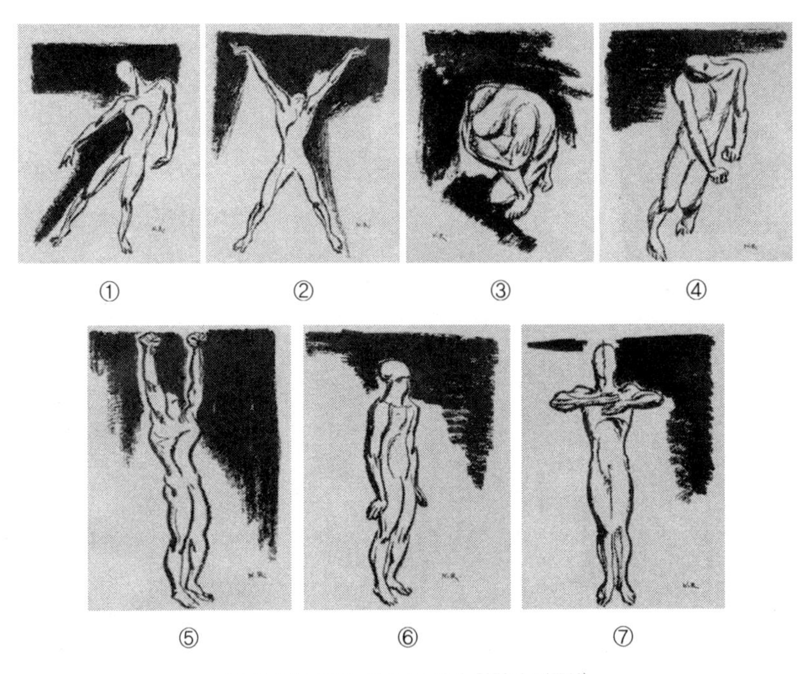

①　②　③　④

⑤　⑥　⑦

〈그림 12〉 7가지 심리제스처의 원형적 인물[99]

①은 강력하고 확고한 의지를 가진 욕망과 증오에 가득 찬 인물이다. 두 팔과 다리의 방향, 기울어진 머리, 신체 전체의 최종적인 자세는 위압적이고 포악한 행동을 위한 무한한 욕망을 불러일으키고 있다.

---

99) Michael Chekhov, *To The Actor*, 같은 책, 72~73쪽. 화가이자 무대 디자이너인 니콜라이 레미소프(Nicolai Remisoff, 1884~1975)가 그렸다. 번호는 본 저자가 구분을 위해 임의로 부여한 것이고, 유형적 인물의 특성(①~⑦)은 체홉의 저서들에 나오는 공통적인 설명을 본 저자의 개인적인 견해를 추가하여 정리한 것이다.

②는 공격적이고 불같은 의지를 지닌, 광신적인 인물이다. 하늘(위)로부터의 영향력에 완전히 노출되어 영감을 받으며 땅에 굳건히 서서 지상으로부터도 똑같이 강한 영향력을 받고 있다. 위와 아래로부터의 영향력을 조화롭게 받아들일 능력을 가진 인물이다.

③은 하늘과 지상 세계의 영향을 받으려는 욕망이 전혀 없는 완전히 내성적인 인물이다. 반드시 약하기만 한 인물은 아니어서 고립되고 싶은 욕구는 매우 강할 수도 있다. 음울한 기운이 존재 전체에 스며있으며, 아마도 고독을 즐길 것이다.

④는 지상의 삶에 완전히 밀착된 이기적이고 저속한 인물이다. 열정적인 기대와 욕망들은 모두 저급하고 단순한 성질의 것이며, 사람이나 사물에 대한 동정심도 없다. 불신, 의혹, 비판이 편협한 내면의 삶 전체를 채우고 있다. 항상 비뚤어진 길을 선택하는 자기중심적이고 공격적인 성향의 인물이다.

⑤는 저항과 부정의 의지가 강하게 느껴지는 인물이다. 이 인물의 성질은 분노와 격분의 뉘앙스로 인해 고통 받는 것이다. 나약함이 인물 전체에 스며있다.

⑥은 평생 저항하거나 싸우지 못하는 약한 인물이다. 불평을 하고 싶은 강한 욕망을 가지고 있어 고통과 자기연민에 빠지기 쉬운 아주 예민한 인물이다.

⑦은 조용히 자신을 닫고 있는 유형의 인물이다. 이 제스처에 맞는 대사는 '난 혼자 있고 싶다.'일 것이다. 제스처와 대사를 함께 연습해보면 절제된 의지와 고요함이 배우의 심리와 음성에 스며들 것이다.

〈그림 12〉의 7가지 심리제스처 원형적 동작을 슈타이너의 모음, 자음 언어 오이리트미 동작과 비교해보면 체홉의 심리제스처의 시각적 형상화의 유사함을 발견할 수 있다. 이러한 심리제스처 동작에는 각 동작이 갖는 형태가 있는데, 체홉은 실제 훈련에서 각 제스처를 할 때 배우가 몸으로 내

고 싶은 소리를 내게 한다. 예를 들어 ②처럼 '열다'라는 동작을 빠르게 할 때 짧고 강한 '하' 또는 '아'와 같은 소리가 나며 부드럽게 천천히 하는 동작에서는 '어', '오'와 같은 소리가 난다. ③의 '닫다'라는 동작을 빠르고 강하게 할 때는 '흡', '허'와 같은 소리가 나며 부드럽게 천천히 행동할 때에는 '음', '오'와 같은 조심스럽고 신중한 소리가 난다.[100]

이렇게 모든 심리제스처에는 각각의 소리가 있으며 이 소리는 단어와 문장을 만나면 당연히 바뀌게 된다. 배우는 배역에 따라 다양한 심리제스처를 만들 수 있고 이를 통해 대사를 명확하게 전달할 수 있다. 본 저자의 워크숍 진행 경험에 의하면 심리제스처를 통해 배우가 단순한 대사의 이면의 이미지들까지 포함하는 보다 입체적인 대사를 표현하게 되고 나아가 자신의 대사에 확신이 생긴다는 것을 발견했다. 이것은 관객이 배우를 통해 보다 살아있는 연극적 언어를 체험할 수 있게 된다는 의미로서 중요하다.

체홉은 심리제스처를 위한 7개의 동작을 제시했는데 학자들과 액팅 코치들은 여러 동작을 추가하여 통상 10~20개의 원형 제스처를 제시한다. 이 동작들은 단순하고 능동적인 동사로 정의되는데, 수동적인 동사나 형용사는 명확한 표현이 불가하기 때문이다. 본 저자는 5개의 원형 제스처－주다, 가져오다, 거부하다, 양보하다, 주장하다－와 11개의 심리제스처－열다, 닫다, 밀다, 당기다, 올리다, 내려치다, 안다, 찢다, 비틀다, 찌르다, 던지다－로 강의하지만, 학자들과 액팅 코치들마다 강조하는 제스처가 다를 수 있다. 공통적으로 사용되는 대표적인 10개의 원형 제스처는 다음과 같다.

100) 몸으로 내는 소리여서 정확하게 글자로 옮겨 적지 못하는 한계가 있다.

원형 제스처(동사)	연관 제스처(동사)
열다(OPEN)	깨어나다(awaken), 확장하다(expand), 노출하다(expose), 치료하다(heal), 비추다(illuminate), 제공하다(offer), 드러내다(reveal)
닫다(CLOSE)	매장하다(bury), 수축하다(contract), 끝나다(end), 탈출하다(escape), 숨다(hide), 가면을 쓰다(mask), 보호하다(protect), 폐쇄하다(shut), 포위하다(surround)
당기다(PULL)	소비하다(consume), 잡아먹다(devour), 채우다(fill), 쥐다(grasp), 소유하다(possess), 유혹하다(seduce), 잡다(seize)
밀다(PUSH)	지배하다(dominate), 모욕하다(humiliate), 협박하다(intimidate), 자극하다(provoke), 뚫다(punch), 멈추다(stop)
올리다(LIFT)	들어 올리다(elevate), 높이다(exalt), 영감을 주다(inspire), 석방하다(release), 오르다(soar), 강화하다(strengthen), 초월하다(transcend)
던지다(THROW)	깨우다(arouse), 내던지다(cast), 선동하다(incite), 발사하다(launch), 추방하다(purge), 보내다(send)
안다(EMBRACE)	감싸다(enfold), 껴안다(hug), 합병하다(merge), 양육하다(nurture), 지키다(protect), 키우다(suckle), 통합하다(unite)
내려치다(SMASH)	평탄해지다(flatten), 꿰뚫다(penetrate), 부수다(break), 자르다(hack), 흔들다(jolt), 관통하다(pierce), 때리다(hit)
비틀다(WRING)	구부리다(bend), 매혹하다(fascinate), 춤추다(foot), 조작하다(manipulate), 주조하다(mold), 풀다(unravel), 속이다(trick), 꼬다(twist), 잡다(trap)
찢다(TEAR)	깨지다(break), 자르다(cut), 꺼내다(eviscerate), 혼내주다(punish), 찢어지다(rip), 충격을 주다(shock), 쪼개다(split), 벗기다(strip)

〈표 6〉 원형 제스처(동사)[101)]

이러한 원형적 동사들은 깊게(deeply), 얕게(shallowly), 부드럽게(tenderly), 폭발적으로(explosively), 느리게(slowly), 빠르게(quickly), 가볍게(lightly), 무겁

101) 본 저자가 진더, 허친슨, 페티의 저서에서 공통부분을 발췌하여 번역, 정리한 표이다.

게(heavily), 조용하게(quietly), 주의 깊게(carefully), 경솔하게(carelessly), 교활하게(slyly), 게으르게(sluggishly)와 같은 부사들을 통해 그 동작의 성질(quality of movement)을 표현할 수 있다. 성질을 표현하는 부사는 단순하고 감정적이지 않아 쉽게 상상할 수 있는 10~20여개의 원형적인 부사 단어들로 표현된다.

체홉 연구자 또는 액팅 코치들에 따라 다르기는 하지만 실제적인 심리제스처 구현 방법은 다음과 같다. 심리제스처를 위해서는 사전에 원형적 제스처(동사)와 부사의 성질을 정의해야 한다.

① 먼저 원형적 제스처(동사)를 정의한다. 예를 들어 열다(OPEN)라는 동사는 '두 팔을 위로 뻗어 좌우로 벌리는 동작'으로, 안다(EMBRACE)는 '두 팔을 앞으로 뻗어 원으로 감싸는 동작'으로 표현할 수 있다. 배우들은 이들 동작을 가능한 많은 다양한 변형된 동작으로 시도한다. 동사의 느낌, 모양, 템포 등을 온몸을 이용하여 풍부한 동작으로 연습한다. 배우는 각각의 원형적 제스처에 대해 가장 좋은 표현이라고 느껴지는 동작을 한 가지 선택한다. 그 선택한 동작을 여러 번 연습하되 1번은 내면의 보이지 않는 제스처로 연습한다. 이때 제스처는 실제 동작과 유사한 것이 좋다. 물론 배우 자신이 창의적인 동작을 만들 수도 있지만, 그 동작들은 단순하고 표현하기 쉬운 원형적 동작이어야 한다.

② 빠르게(quickly), 무겁게(heavily), 조용하게(quietly)와 같은 부사의 성질을 정의하고 원형적 동사와 부사의 원형적 제스처 조합을 연습한다. 예를 들어 '폭발적으로(explosively) 열다(OPEN)'의 경우 '힘을 주어 강하게 두 팔을 위로 뻗어 좌우로 벌리는 동작'을 상상할 수 있다. 이러한 성질을 부여한 동

사와 부사의 조합을 찾아 연습하는 것을 멀린은 '제스처의 여행'(the journey of gesture)이라고 했다.

이와 같이 원형적 동사와 부사의 정의가 끝났다면 실제로 심리제스처를 구현해본다.

① 배역의 초목적을 발견하여 원형적 제스처의 동사로 정의한다. 연극 전반에 걸쳐 나타나는 캐릭터의 생명력 즉 캐릭터의 목적을 하나의 능동적인 동사로 단순화해야 한다. 배역의 초목적을 발견하기 위해서는 배역이 원하는 것이 무엇인지 먼저 파악해야 한다. 레이디 맥베스를 예로 들어보자. 배우는 '그녀가 원하는 것이 무엇인가?'(What does she want?) 먼저 질문한다. 그에 대한 대답은 '권력' 또는 '부'일 것이다, 그러나 이것은 행위가 아니고 단순한 사실의 언급이다. 그렇다면 '그녀가 그것을 얻기 위해 어떻게(How) 했는가?'라는 질문이 이어질 수 있다. 이에 대하여 '맥베스를 강요하거나 협박하여'라는 답을 얻을 수 있고 여기서 캐릭터의 초목적에 해당하는 '강요하다, 협박하다'라는 의미의 원형 제스처 동사 밀다(PUSH)를 정의할 수 있다. 이렇게 배역의 초목적을 강력하고 원형적인 제스처로 변환하여 보다 효과적이고 쉽게 접근할 수 있는 캐릭터에 대한 직관적인 심리 신체적인 열쇠를 얻을 수 있다. 작가의 의도, 연출의 의도를 파악하여 배역의 초목적을 찾아야 한다. 배역을 주어로 하여 명확한 동사로 초목적을 정의해야 한다.

② 심리제스처를 동작으로 구현한다. 배역의 초목적을 원형적 제스처인 동사에 성질을 부여하여 동작으로 표현한다. 처음에는 실제 동작으로 연습하고 이후에는 동작 없이 내면의 언어로 표현한다.

③ 심리제스처를 독백으로 연습한다.

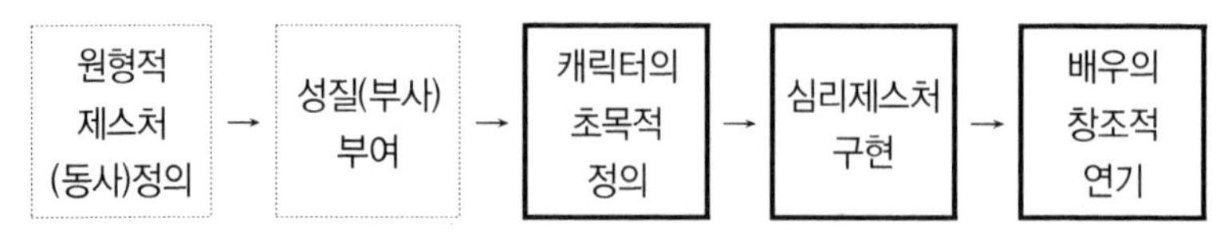

〈그림 13〉 배우의 심리제스처 과정[102]

심리제스처는 배우의 창조적 개성에 의한 독창적, 내적 제스처이기에 모방할 수 없는 개인적인 방식이며 그만큼 자유로운 작업이다. 이 심리제스처는 극중 인물을 파악하는 최초의 수단이며 동시에 배역에 대한 깊이 있고 정확한 표현과 해석력을 길러내는 수단이다.

언어오이리트미, 원형적 제스처, 원형적 인물 등을 활용한 체홉의 심리제스처는 배우의 대사와 동작에 강력하고 완벽한 힘을 제공할 것이다. 가령 햄릿을 연기할 때, 증오에 찬 햄릿을 요구 받았을 때 숙부의 목을 밧줄로 '당기다'(PULL)라는 심리제스처를 할 수도 있다. 용서하는 햄릿의 표현을 주문받았을 때는 털이 북슬북슬한 큰 강아지를 안는 상상으로 '안다'(EMBRACE)의 심리제스처를 할 수 있다. 이와 같이 배우 자신만의 독창적인 심리제스처를 연습한다면 인물구축에 큰 도움이 될 것이다. 위 심리제스처는 예제일 뿐이며 배우 자신이 창의적으로 얼마든지 구현할 수 있다. 본 저자는 인지학의 언어 오이리트미의 영향을 받은 체홉의 심리제스처는 언어의 개념성에서 탈피하여 언어의 행위성을 회복했다는 점과, 연기론적인 측면에서 배우에게 완벽한 역할 창조의 가능성을 제시했다는 점에서 큰 의미가 있다고 본다.

102) 본 저자가 심리제스처의 과정을 정리하여 완성한 그림이다. 원형적 제스처 정의와 성질 부여는 사전에 연습을 통해 준비되는 것이므로, 실제 배우의 심리제스처는 초목적을 찾는 것부터 시작된다.

2) 자연의 모방을 활용한 심리제스처

슈타이너는 외부세계인 자연을 인간의 근원이라고 여기며 오이리트미를 통해 자연의 법칙과 의미를 찾아내려고 노력했다. 그는 인간과 다양하게 관계를 맺고 있는 자연을 인식하는 것을 아주 중요하게 생각했다.

> 자연은 다른 감각에도 자신을 드러낸다. 자연은 거기서 더욱 깊은 곳으로 내려가 다른 감각에도, 즉 이미 알려져 있으나 인정받지 못하는 미지의 감각에까지 말을 걸어온다. 그리고 수많은 현상을 통해 자기 자신과 대화하고, 우리와 대화한다. 주의 깊은 사람에게 자연은 어떤 경우에도 살아 숨쉬고 있고, 침묵하지 않는다.[103)]

슈타이너는 인간과 자연이 하나라는 일원론을 강조하며 인간 내부에 존재하는 자연을 찾아야 한다고 했다.

> 우리는 자연을 향한 길을 다시 찾아야만 한다. 간단한 사례가 우리에게 이 길을 보여준다. 우리가 스스로 자연으로부터 떨어져 나온 것이 사실이다. 그러나 우리 자신의 존재 안에 어떤 것을 함께 가지고 왔음에 틀림없다. 우리 내부에 존재하는 이 자연 존재를 다시 찾아내어야 하며, 그렇게 함으로써, 우리는 다시금 연관성을 발견할 수 있을 것이다. 바로 이것을 이원론은 놓치고 있다. 이원론은 인간의 내면을 자연으로부터 완전히 소원(疎遠)한 정신 존재로 간주하며, 이 정신 존재를 자연에 연결해보려고 노력한다. 이원론이 연결고리를 발견하지 못하는 것은 전혀 놀라운 일이 아니다. 먼저 우리 내부의 자연을 알아야만, 우리의 외부에서 자연을 발견할 수 있다. 우리 자신의 내부에 존재하는 자연의 동일형이 우리의 인도자가 될 것이다.[104)]

---

103) 루돌프 슈타이너, 양억관, 타카하시 이와오 옮김, 『신지학: 초감각적 세계의 인식과 인간 본질에 대한 고찰』, 같은 책, 81쪽.

슈타이너에 의하면 과거에 인간은 자연의 일부로서 자연과 하나였지만 지금은 자연으로부터 떨어져 나온 존재라고 한다. 그래서 인간 내면에는 자연의 본성이 존재하는데, 그 자연의 본성을 다시 찾아내야 한다고 했다. 자연과 우주는 정신의 다른 형태이므로 인간 내부의 자연을 아는 것은 정신과 연결하는 지름길이라고 한다. 그래서 인간은 인간 내부의 자연과 현존하는 자연을 제대로 알아야 하고 그 방법으로 이미 존재하고 있는 그 자연의 현존재의 조건을 모방해야만 한다는 것이다.

슈타이너는 자연의 모방을 위한 방법으로 '씨앗' 개념을 도입하여 자연물에 대한 집중과 관찰 그리고 그것을 통해 얻어지는 상상력을 얘기했다.

> 식물의 씨앗 하나를 눈앞에 둔다. 이 작은 씨앗을 바라보면서 의식을 집중하여 육안에 비치는 그 씨앗의 형상이나 색깔, 그리고 특징들을 숙지한 후, 다음과 같이 생각해 본다. 이 씨앗이 땅에 뿌려지면 거기에서 복잡한 형태를 띤 식물이 자라날 것이다. 수행자는 땅 위에 나타난 식물의 모습을 생생하게 의식 위에 떠올린다. 상상력으로 그 식물의 모습을 떠올리는 것이다. 그리고 다음과 같이 생각한다. 지금 내가 상상력으로 창조한 이 식물의 모습을, 미래에 대지와 태양의 힘이 이 씨앗에서 이끌어내어, 나타나게 할 것이다.[105)]

이러한 자연에 대한 인식과 씨앗을 통한 자연의 모방 개념을 체홉이 그의 연기론에 도입하여 발전시켰다. 체홉은 자연 또는 자연물의 모방을 통해 인물의 심리제스처를 찾으려고 했다. 그는 인물 안에는 씨앗이 있고 거

104) 최혜경 옮김, 『자유의 철학: 현대 세계관의 근본 특징』, 서울: 밝은누리, 2007, 37쪽.
105) 루돌프 슈타이너, 양억관, 타카하시 이와오 옮김, 『초감각적 세계 인식에 이르는 길: 영적 계발에 대한 이해와 통찰』, 같은 책, 61쪽.

기에 한 식물의 미래의 삶 전체가 있다는 슈타이너와 유사한 비유로 심리제스처를 강조했다.

> 체홉은 자연에서 심리제스처의 특징을 나타내는 적합한 비유를 찾아냈다. 극중 인물인 배역은 한 식물의 미래의 삶 전체가 담겨있는 씨앗과 같다고 믿었다. 따라서 배역의 대사 하나, 제스처 하나라도 제대로 이해한다면 인물의 나머지 전체에 접근할 수 있게 된다. 모든 것이 조화롭게 제자리를 찾아갈 것이다. 여기에 그 유명한 '심리제스처'의 기원이 있다. 심리제스처는 배역에 내재된 본질이자, 배역을 완전한 삶으로 일깨우는 존재에 대한 변형과 해방의 원리이며, 자연스럽고 조화롭게 진화되어 수천 가지 디테일로 확장된다.[106]

다음은 자연을 모방한 심리제스처 훈련 '닫다, 열다'의 예이다.

> 천천히 나의 몸을 최대한 작게 응축시킨다. 마치 개구리가 멀리뛰기 위해 웅크리고 있는 것처럼, 하지만 배우의 신체 전체에서 발산된 에너지가 공간을 가득 채운다. 배우의 몸이 마치 작은 씨앗처럼 아주 작아진다는 상상을 한다. 이것이 심리제스처 '닫다'이다. 이번에는 배우의 몸을 최대한 확장시켜본다. 팔과 다리를 벌려서 배우의 몸을 연다. 할 수 있는 한 가장 크게 확장시킨다. 마찬가지로 가슴으로부터 시작된 태양의 빛이 공간에 가득 채워질 수 있도록 발산한다. 나의 몸이 360도로 더욱 확장되어 큰 나무처럼 아주 커졌다고 상상한다. 이것이 심리제스처 '열다'이다. 이제 자신이 원하는 템포대로 몸을 열었다, 닫았다를 반복해본다. 빨리 열었다가 빨리 닫아도 되고, 천천히 닫아도 된다. 그 반대도 무방하다. 나의 충동에 맞

106) Michael Chekhov, *To The Actor*, 같은 책, xix~xx쪽.

게 하되 제스처를 할 때에는 호흡하면서 편하고 가벼워야 한다.

체홉이 인지학의 자연의 모방을 수용하여 심리제스처를 창안했다는 것은 씨앗의 개념으로 명백히 확인할 수 있다. 그러나 자연의 모방이 슈타이너의 인지학에만 존재하는 특징적인 개념은 아니다. 이미 많은 연기서에서는 연극과 연기의 근원적이고도 본질적인 모방 대상이 바로 자연이라고 말하고 있다.

아리스토텔레스(Aristoteles, BC 384~322)는 예술이 자연을 모방하는 인간의 본성에서 시작되었으며 인간의 창조적 생각과 예술의 근원은 바로 자연이고 자연은 마르지 않은 창조의 샘이라고 말했다. 아리스토텔레스가 말하는 미메시스(Mimesis)[107]는 바로 자연이 건넨 소리를 듣고 재현해내는 것을 말한다. 그는 자연을 모방하는 것이 최초의 배우 기술이며, 모방은 결국 창조로 이어지고 예술로 가게 된다고 했다. 자연은 예술의 근원이니 자연을 모방한다는 것은 결국 모방이 아니라 창조행위라는 견해이다. 스타니슬라브스키도 자연의 법칙이 곧 예술창조의 법칙이라고 했고, 니체 역시 인간은 자연 상태에 이르고자하는 모방가라고 했다. 그로토프스키(Jerzy Grotowski, 1933~1999)는 배우 자신의 상상력의 근원을 자연현상을 모방하는 데서 찾았다. 앙리 베르그송(Henri-Louis Bergson, 1859~1941)은 우리 모두의 영혼이 자연과 일치하여 감동하는 예술가가 되는 길은 사물과 직접적으로 소통하는 길뿐이라고 했다.[108] 디드로는 인간은 분명 자연으로부터 예술을 창조해내는 능력을 받았거나 배웠다고 했다. 그는 일상적인 자연을 그

107) 예술 창작의 기본이 되는 이론적 원리이다. 그리스어로 모방(복제라기보다는 재현의 뜻)을 의미한다. 플라톤과 아리스토텔레스는 미메시스를 자연의 재현이라고 말했다.

108) 오순한, 『시학 & 배우에 관한 역설』, 유아트, 2013, 26쪽.

대로 모방하는 것이 아니라 관찰과 사색, 명상을 통해 자연 속의 모델을 개선해야 한다고 주장했다.

자연의 모방은 배우가 자연의 모양, 방식, 형태 등을 그대로 모방하여 연기에 반영하는 것을 의미하지는 않는다. 그것은 단순한 체험이나 경험에 지나지 않아서 우연적이고, 불완전하기 때문에 진실할 수가 없다. 배우가 자신의 연기로 관객을 감동시키고자 한다면, 있는 그대로의 자연의 외형만을 복사하는 것이 아니라 그 외형의 뒤에 숨어 있는 변하지 않는 본질을 찾아서 드러내 보여야 한다. 자연의 모방을 활용한 심리제스처는 자연으로부터 예술의 영감을 얻어 연극과 연기의 본질을 발견하는 것이다.

3) Four Brothers

체홉은 자연의 모방을 통한 심리제스처를 연기에 적용하는 방법으로 'four brothers'를 제안했다. four brothers는 인지학의 자연의 4원소와 인간의 4가지 기질론과도 연결된다.

슈타이너는 대우주를 이루는 자연의 4원소인 흙, 물, 바람, 불[109]을 예술교육 방법의 중요한 재료로 사용했다. 슈타이너는 기질론을 통해 자연의 4원소인 흙, 물, 바람, 불에 해당하는 4가지 유형의 원형적 인간을 우울질(melancholic temperament), 점액질(phlegmatic temperament), 다혈질(sanguine temperament), 담즙질(choleric temperament)로 정의하고 있다. 우울질(흙)은 매우 감성적인 영혼을 갖고 있는 경향이 있으며, 때로는 그 우아한 감수성이 예술적인 영역으로 발휘될 만큼 과민한 기질이다. 우울질은 내적인 욕망과 외적인 요구 사이, 숭고한 이상과 가혹한 현실 사이에서 긴장감을 항상 지

109) 자연의 4원소 중 흙을 '땅'으로, 바람을 '공기'로 번역하기도 한다.

니고 있다. 점액질(물)인 사람은 활기가 없거나 꿈꾸는 것처럼 보이는 성향의 기질이다. 점액질의 물 같은 성질과 차분하고 얌전한 태도는 수동성과 내적인 무기력 상태만 극복해낸다면 삶에 많은 도움이 된다. 다혈질(바람)인 사람은 명랑하고, 사교적이며, 종종 억누를 수 없을 만큼 기운이 넘친다. 그래서 다혈질은 언제나 다양한 분야에 흥미가 있으며, 동시에 그 모든 분야를 다 하려고 하는 본능적인 욕구가 있다. 담즙질(불)인 사람은 에너지가 넘치고, 야심이 있으며, 늘 주도적이고, 의지가 넘치며 열정적인 인간이다. 담즙질이 자기 안에서 타오르는 불을 조절할 수 있다면, 그 사람은 열의가 있는 리더로 성장할 것이고 역동적인 활동을 처음 시작하는 개척자가 될 수 있다. 슬론도 발도르프학교의 연극수업에서 등장인물을 생생히 만들어내기 위해 이러한 원형적인 기질의 특성을 활용한다고 했다. 이러한 슈타이너의 자연의 4원소와 인간의 원형적 기질도 체홉의 심리제스처의 형성과 적용에 있어 많은 영향을 미쳤다.

체홉은 자연의 4원소와 인간의 4가지 기질에 기인한 조형, 흐름, 비행, 발산의 동작에 4가지 느낌을 덧붙여 four brothers라는 신체훈련 및 연기방법으로 발전시켰다. four brothers는 슈타이너의 흙, 물, 바람, 불의 4요소에 기인하는 것이며 배우의 연기에 있어 반드시 지키고 가져야 할 4가지 요소이다.

체홉이 슈타이너의 자연의 4원소를 자신의 연기방법에 적용한 관계를 보면, (흙)-조형-형태의 느낌, (물)-흐름-아름다움의 느낌, (바람)-비행-편안함의 느낌, (불)-발산-전체의 느낌이다.

인지학		체홉의 응용	
자연의 4원소	인간의 4가지 기질	동작	four brothers
흙(땅)	우울질	조형	형태의 느낌 Feeling of Form
물	점액질	흐름	아름다움의 느낌 Feeling of Beauty
바람(공기)	다혈질	비행	편안함(가벼움)의 느낌 Feeling of Ease
불	담즙질	발산	전체의 느낌 Feeling of The Whole

〈표 7〉 자연의 4원소와 four brothers의 관계[110)]

형태의 느낌은 흙의 조형성에서 착안한 것으로 배우의 신체가 만드는 형태에 대한 세심한 느낌을 의미한다. 연기에 대한 이해는 형태의 느낌을 통해 이루어진다. 인간의 신체는 하나의 형태이기 때문에 형태의 느낌은 인간의 물리적 신체를 통해, 신체에 대한 느낌을 통해 시작된다. 배우는 신체의 형태를 조형할 줄 알아야 한다. 이를 통해 배우는 연기의 형태를 느끼는 법을 배우고, 그 형태의 세부 사항과 통일성을 알게 된다. 연기의 형태는 다른 형태를 움직이고, 이 움직임들은 시작, 중간, 끝을 가진다. 또한 배우는 자신의 신체의 형태뿐만 아니라 공간 속의 동작의 형태에도 민감해야 한다. 배우가 신체의 형태와 조형적 동작에 대한 느낌을 일깨울 때, 그것은 배우가 가장 효과적으로 배역을 표현할 수 있는 능력이 된다. 형태의 느낌은 배우가 자신의 연기, 연기의 적절함, 연기의 구조, 다른 연기 요소들과의 관계를 인식하게 한다. 대본, 장면, 독백, 무대, 배경, 소품, 음향, 동료 배우 등이 배우가 고려해야 형태들이다.

110) 본 저자가 인지학과 체홉의 four brothers 이론을 참고하여 완성한 표이다.

아름다움의 느낌은 물의 유동성에서 착안해낸 것으로, 배우의 신체 동작과 제스처에서 스며 나오는 내적인 아름다움을 의미한다. 예술가들의 깊은 내면에는 살아있는 아름다움과 창조의 원천이 있다. 이러한 내면의 아름다움을 인식하는 것은 배우가 자신의 표현, 동작, 배역에 이 아름다움을 스며들 수 있게 하는 것이다. 아름다움은 위대한 예술작품을 구별하는 뛰어난 특징 중 하나이다. 만일 배우가 죽음을 연기하더라도 그 안에는 미적인 아름다움이 있어야 한다. 아름다움의 느낌은 너무나 많은 가치를 지니고 있어서 쉽게 느낄 수는 없지만, 이것이야말로 진정한 의미의 느낌이다. 특히 자연은 항상 인간에게 진실하게 여겨지기 때문에, 자연의 아름다움은 진정한 아름다움이며 항상 관객을 매료시킨다고 할 수 있다. 아름다움의 느낌은 일부러 노력해서 얻으려고 하면 반대의 효과만 불러일으킬 수 있고 편안함의 느낌, 형태의 느낌과 어울리며 함께 할 때 자연스럽게 발견된다. 아름다움의 느낌은 배우가 연기에서 깊은 만족감과 성취감을 느끼게 하는 내적 감정이며 연기의 목표이기도 하다.

편안함의 느낌은 바람의 비행성에 착안한 것으로, 연극의 장면이나 주제가 아무리 무겁거나 심각하더라도 배우는 모든 동작을 가볍고 편안한 감정으로 수행해야 함을 의미한다. 편안함의 느낌이 없다면 연극을 보는 관객들은 배우에 의해, 배역에 의해 좋지 않은 영향을 받을 수 있다. 관객이 연극을 통해 원하는 것은 감동이지, 배우에 대한 걱정과 불안은 아니다. 배우가 편안함으로 연기나 동작을 수행한다면 관객들도 편안함의 느낌을 통해 연극을 즐기고 이해할 수 있게 된다.

전체의 느낌은 불의 발산성에서 착안한 것으로 모든 장면마다 관통하는 핵심적 연기 재료(식물의 씨앗)를 전체적으로 이해하여 배우가 어떠한 연기의 목표(식물의 미래의 삶)를 향해 가고 있는지 잊지 않고 상기하는 것을 의미한다. 배우는 결코 혼자가 아니며 더 큰 어떤 것의 일부로서 하나이다. 배우가 하는 연기 전체도 하나이고, 배우가 하는 연기의 일부도 또한 하나이다. 모든 것이 하나로서 연극 전체 구성의 통일을 향하고 있다. 끝은 시작에 의해 만들어지고 시작은 끝을 만들어간다. 각각의 하나들은 전체를 반영하는 것이다. 결국 하나는 전체이고 전체도 하나이기 때문이다. 배우의 단순하고 사소한 동작 하나도 전체를 구성하는 하나로, 전체의 감정으로 이해해야 하는 것이다. 여기에는 배우 자신의 연기뿐만 아니라 같은 목표를 향해 가는 배우 전체의 앙상블도 포함되어 있다. 예술적 창작물은 시작, 중간, 끝이라는 완성된 형태를 가져야 한다. 무대 위의 모든 것은 미학적 완결성, 전체적인 아름다움을 전달해야 한다. 전체의 느낌은 특히 관객에 의해 강하게 느껴지는 것으로 배우의 중요한 자질이 될 수 있다.

이러한 four brothers를 심리제스처에 적용하려면 연기의 시작, 중간, 끝이 형태적으로 명확해야 하고, 연기의 느낌은 가볍고 편안해야 하며, 연기의 목표는 아름다움의 구현이어야 하고, 연기를 연극 전체로서 파악해야 한다.

본 저자는 four brothers가 자연의 모방으로부터 시작하는 감각훈련이라고 본다. 자연이 지니고 있는 성질, 속성을 모방하는 것이다. 배우의 신체를 더욱 섬세하게 열어 내적 충동을 일으키고, 그것을 감각으로 받아들여 예술적 표현으로 전달하려는 목적이다. 이때 배우의 신체와 심리에서 어떤 변화가 일어나는지를 관찰하여 연기에 적용시키는 것이 아주 중요하다. 배우의 호흡 상태, 목소리, 신체 상태의 변화가 생기면 그에 따른 연기의 변화가 일어날 수 있기 때문이다. 페티도 모든 위대한 예술 작품은 예술에 대한 이해와 인식을 높이기 위해 four brothers와 같은 4개의 공통적인 특징을 필수 요소로 가지고 있다고 보았다. four brothers의 4가지 요소는 각각 서로를 보완하고 계발하는 상호작용을 하므로, 배우의 창조적인 연기 작업을 위해 보다 효과적인 수단이 될 수 있다.

4) 양극성을 활용한 심리제스처

자연의 모방을 위해서는 필연적으로 그 자연에 대한 관찰이 필요하다. 자연에 대해 자세히 알아야 그것을 토대로 모방할 수 있기 때문이다. 여기서의 관찰은 외적인 관찰뿐만 아니라 내적인 '속성을 뽑아내는 관찰'이어야 한다. 예를 들어 '불을 따라한다'는 것은 불을 모방하는 것이다. 단순히 외형적으로 보이는 불의 색상, 불의 형태뿐만 아니라 불이 가진 뜨거움, 발산, 열정, 죽음 등과 같은 속성도 찾아낼 수 있어야 한다. 그러한 자연의 속성의 모방, 특히 그 속성이 가진 양극성을 발견하여 인물구축과 연기에 접목하는 것이 바로 체홉의 자연의 양극성(polarity)을 활용한 심리제스처이다.

체홉은 연극은 양극성의 법칙을 따라야 한다고 하며 양극성을 심리제스처에 활용했다. 배우가 연기해야 할 모든 배역은 양극성을 지니고 있다. 그것이 아주 착한 배역이거나 또는 반대로 아주 악한 배역이라 해도 양극성은 존재한다. 악한 배역이라고 해서 악함만을 연기하는 것이 아니라, 그 악함 속에서 선과 악의 대조, 양극성을 찾아 연기한다면, 악한 배역의 인물이 더욱더 입체적으로 구축될 수 있는 것이다. 따라서 배우가 배역의 구축에서 또는 연극의 시작과 결말에서 밝음과 어둠, 삶과 죽음, 진실과 거짓, 선과 악, 정신과 물질, 행복과 불행, 아름다움과 추함과 같은 양극성을 잘 활용한다면, 대조 효과로 인해 연극이 단조로움에서 벗어나게 되고, 훨씬 풍부한 표현력이 가능해지며, 양극의 의미가 더욱 깊어져 본질에 쉽게 접근할 수 있게 된다.

체홉은 양극성의 법칙이 지닌 대조의 힘은 배우의 연기를 보완하고 공연의 실마리를 던져주며, 관객으로 하여금 결말 부분에서 공연의 시작 장면을 다시 떠오르게 만드는 것이라고 했다. 양극성은 연극을 더 높은 차원으로 승화시키고, 연극에서 양극성이 강조될수록 그 연극이 추구하는 심오한 주제가 더욱 드러나게 된다고 했다. 페티도 양극성에 대해 체홉과 비슷한 견해를 제시하고 있다. 그는 양극성을 활용하면 두 양극 사이의 대조를 통해 서로가 돋보이거나 서로가 비교되는 것이 가능해지고 관객의 흥미를 유발할 수 있다고 했다. 대조가 없는 연기 작업은 지루하고 경계가 명확하지 않아 모든 것이 동등한 가치를 가진 것으로 보이게 된다. 따라서 체홉의 연기 테크닉에서는 항상 양극성을 활용하는 방법을 찾아야 하고, 시작과 결말에는 반드시 양극성이 나타나야 한다고 했다. 양극성을 더 많이 발견하면 할수록 배우의 연기 작업은 더 흥미로워질 것이라고 말했다.[111]

슈타이너에 의하면 인간은 자연의 일부이고 자연의 모방은 인간 내면에 있는 자연의 본성을 찾아내기 위해 현존하는 자연을 모방하는 것이다. 체홉의 자연의 모방과 양극성을 활용한 심리제스처는 자연의 일부인 인간의 속성과 그 양극성을 찾아내어 인물구축과 연기에 접목하는 것이다.

이상에서 살펴본 언어 오이리트미, 자연의 모방, four brothers, 양극성을 활용한 체홉의 심리제스처는 연극 리허설 및 실연 단계에서 극중 인물구축을 위한 연기방법으로 많이 응용되고 있다.

---

111) Lenard Petit, 같은 책, 23쪽.

체홉의 심리제스처가 어떻게 적용되고 있는지 실제 사례로 살펴보고자 한다. 다음은 공연 〈맥베스 2017〉에서 인물의 심리제스처를 만들기 위해 배우들이 극중 인물별로 찾아낸 자연의 모방과 그 자연물의 양극성에 관한 서술이다.

> 맥베스는 '흙'이라는 자연물로 표현할 수 있다. 그 자리에 있었다면 세상의 기반이 되었을 것이고 그 위에서 만물이 피어났을 것이다. 그러나 우유부단한 성격 탓에 바람을 만나 먼지가 되었고 물을 만나 흙탕물이 되었다. 레이디 맥베스는 '나뭇잎'으로 표현할 수 있다. 욕망이라는 나무에서 잎으로 자라나 앞면과 뒷면이 다른 이중성을 지니며 나무에서 떨어지면 생명력을 잃는다. 던컨은 '뿌리'로 표현할 수 있다. 뿌리는 근원이다. 흔들림 없는 견고한 나무의 근원이 되기도 하고, 썩은 나무라면 뿌리째 뽑아야 하는 근원이 되기도 한다. 맬컴은 '부서진 벽돌'로 표현할 수 있다. 벽돌이 부서짐으로써 제 기능을 상실했다. 부서진 부분의 나약함과 상실된 감각을 가지고 있지만 결국엔 그래도 단단한 벽돌로써 존재한다. 헤커티는 '얼음'으로 표현할 수 있다. 얼음이 녹아 물이 되어 세상 만물에 생기를 부어 넣을 수 있지만, 그 차가움이 생명력을 없앨 수도 있다. 마녀는 '마른 목화'로 표현할 수 있다. 몽실몽실하게 피어났지만 빛을 보지 못하고 그 아름다움을 간직한 채 시들어 말라비틀어졌다.

〈그림 14〉는 제1막 2장 '갈등하는 맥베스를 몰아세우는 레이디 맥베스' 장면에서 맥베스의 독백을 체홉의 공연분석으로 적용한 'Artistic Frame'이다. 첫 번째 맨 위의 네모는 프레임이다. 두 번째 선은 그 장의 리듬이다. 세 번째 네모는 타이틀인데 본질 또는 세례명이라 부른다. 이 대사를 통해 무엇을 말하고자 하는가이다. 독백 전체 타이틀은 처음과 끝의 양극성이 적용된다. 네 번째는 심리제스처이다. 다섯 번째는 심리제스처에 부여된 성질이다.

1) "가만, 눈앞에 보이는 저것은 단검이 아닌가."

프레임① 발견 – (날카롭게) '던지다' – 대사

2) "오, 불길한 환영아, 눈에는 보이고 손에는 잡히지 않는구나?"

프레임② 원망 – (부드럽게) '안다' – 대사

3) "피비린내 나는 흉계가 내 가슴 속에 도사리고 있어 내 눈에 저렇게 어른거리는 건가?"

프레임③ 자책 – (천천히) '찌르다' – 대사

4) "선한 것은 악하고 악한 것은 선하다. 내 안에 욕망에 솔직할 것이냐, 욕망과 싸워 시간 속에 살 것이냐."

프레임④ 저울질 – (빠르게) '비틀다' – 대사

5) "이것이 문제로다."

프레임⑤ 후퇴 – (힘이 풀리듯이) '양보하다' – 대사

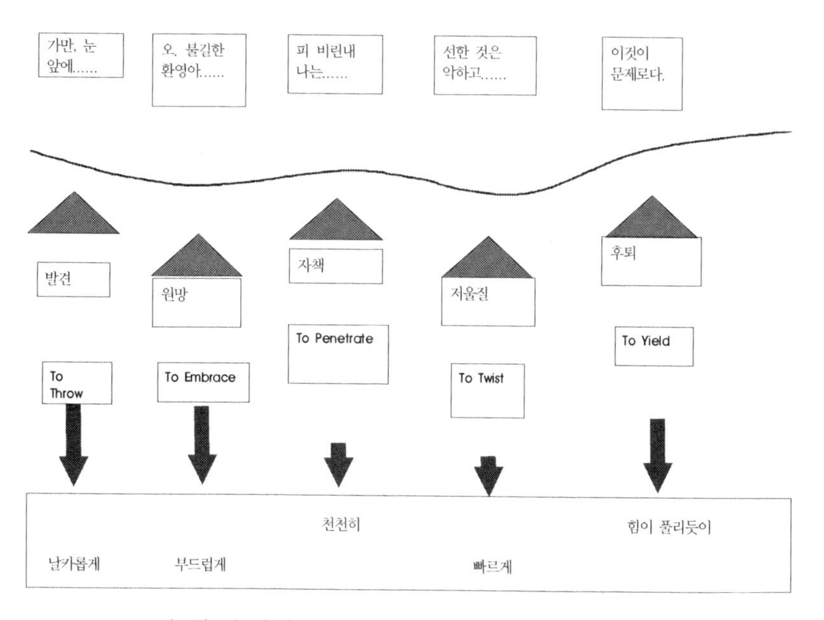

〈그림 14〉 제1막 2장 맥베스의 독백에 적용한 Artistic Frame

본 저자는 심리제스처가 연극 예술에 대한 체홉의 위대한 공헌이며 체홉의 연기론의 가장 중요한 요소라고 본다. 심리제스처의 단순성, 유연성, 효용성으로 인해 배우가 정확한 동작을 만들어 다양하고 정교하게 연기에 응용할 수 있기 때문이다. 또한 체홉이 내적 제스처라고 말한 동작을 훈련할 수 있게 하여 배우의 연기를 풍부하게 만들어준다. 배우의 행위가 완벽한 형태의 비언어적 신체 제스처로 변환되었을 때, 심리제스처는 배역을 표현하는 단순하지만 다중적인 감정을 내포하는 신체적-심리적 열쇠가 되어 배우의 연기에 영향을 미치고 배우가 연극 전반에 걸쳐 지향하는 배역의 생명력인 초목적에 대한 새로운 인식을 제공할 것이다. 따라서 심리제스처를 연기에 적용한다면, 대본을 기계적으로 암기하는 배우에서 벗어나 창조적인 동작과 연기가 가능한 배우로 거듭날 수 있을 것이다.

연기를 테크닉이라는 측면에서 봤을 때, 심리제스처는 연기와 따로 떨어져있는 개념처럼 보일 수 있으나, 심리제스처는 심리까지도 제스처로 설명하려한 것이다. 체홉이 영혼, 정신 등 형이상학적인 개념을 중요시했지만, 액팅 코치로서 강조한 것은 역시 '제스처'(행동)이다. 모든 인간의 내면의 마음, 심리 혹은 감정은 실체가 있으며 그 실체는 분명한 행동으로 나타난다. 보통 인간은 '좋다' 또는 '싫다'와 같이 심리 혹은 감정들이 생겨나고 이것을 실제 행동으로 표현한다. 인간의 실제 행동은 여러 가지 환경에 따라 절제 또는 생략되지만, 내면의 심리는 감추어져 있기에 솔직하고 명확하며 피상적이지 않다. 심리제스처를 위해서는 그 솔직함과 능동의 행동을 포착해야 한다. 예를 들어 어떤 사람이 화가 나서 물건을 던졌다고 하면 그 사람의 내면에 분노, 증오 같은 감정들이 생겨나고 이를 물건을 던지는 실제 행동으로 표현한 것이다. 배우들이 연기할 때 이러한 분노, 증오 같은 심리나 감정 등을 포착하여 그것을 실제 행동 이전에 배우의 내면에 행동으로 표현하는 것이 심리제스처이다. 그러므로 심리제스처의 영역은 내면의 상상에 의해 무한대로 표현이 가능하다. 개념으로만 이해하면 다소 난해해보이지만, 심리제스처는 인간의 본질을 구성하는 내면의 심리에 제스처라고 하는 구체성을 부여하는 것이다. 체홉도 심리제스처는 배우의 예술적 충동과 취향에 따라 신체적 행동에 생생하고 다양한 색채를 부여할 수 있고 이를 통해 배우의 창조적 욕구도 만족시킬 수 있다고 했다.

체홉의 심리제스처는 인간의 속성, 즉 인간의 본질에 대한 이해를 수반하는 연기방법이다. 체홉도 배우는 다른 작업 이전에 극중 인물의 심리제스처를 찾아야 한다고 했다. 체홉은 심리제스처를 통해 배우의 신체와 배역의 영혼이 결합될 수 있다는 신념을 갖고 있었다. 심리제스처는 배역의 본질을 포함해 배역에 대한 모든 것을 찾아 연기하는 것이고, 이러한 연기 테크닉은 작가에 의해 글로 쓰인 평범한 대본을 배우의 특별한 연기를 통해 연극이라는 예술작품으로 승화시키는 연기방법이다.

6. 가상의 신체

'가상의 신체'(Imaginary Body)는 체홉의 창조적 인물구축을 위한 연기방법의 하나이다. 체홉에 의하면 가상의 신체는 인물구축에 있어 가치가 있고, 인물을 보다 깊게 간파하여 배우의 연기를 더 풍부하게 만든다고 한다.[112] 가상의 신체는 인지학의 '가상의 신체 옷 입기'에 영향을 받아 동일한 용어를 사용하는 연기 테크닉이다. 다음은 인지학자 데부스의 강연 중

112) Mala Powers, 같은 책, 8쪽.

가상의 신체 옷 입기에 대한 부분이다.

> 자아는 눈에 보이지 않는 인간의 본성이다. 육체는 볼 수 있는데 자아는 보이지 않는다. 인간 고유의 진정한 본성인 자아는 보이지 않게 계속 머물며, 인간이 신체와 영혼으로 체험하는 모든 것을 통합한다. 자아는 모든 것을 통합하므로 자아 스스로는 존재하지 않는다고 할 수 있다. 그래서 자아는 이 세상 모든 존재 중에서도 가장 이타적인 존재이며, '무자아'인 것이다. 자아는 인간의 중심인데 중심으로 존재하지 않고, 보이지 않으며, 항상 연결하는 것을 통해 존재한다. 예를 들어 황제가 마부 옷을 입고 있으면, 마부 옷을 입고 있는 존재로 황제를 볼 수 있다. 귀족 옷을 입고 있으면 귀족 옷을 입고 있는 존재로 황제를 볼 수 있다. 옷을 입고 있는 존재로 볼 수는 있지만, 황제의 존재는 보이지 않는다.[113]

데부스의 언급을 토대로 살펴보자면 자아는 인간의 본성이지만 다양한 인간 본성의 통합이기에 존재하지 않고 보이지 않는다고 한다. 황제는 자아이고 마부 옷, 귀족 옷은 가상의 신체 옷이다. 자아는 다양한 가상의 신체 옷을 통해 나타나지만 스스로 존재하지 않는다는 것이다.

슈타이너는 가상의 신체에 관하여 다음과 같이 언급한다.

> '나' 속에는 정신이 살고 있다. 정신은 '나'를 밝히며, '나'라는 옷을 입고 살고 있다. '나'가 신체와 영혼을 옷 삼아 그 속에 살듯이, 정신은 안에서 바깥으로, 광물계는 밖에서 안으로 '나'를 떠받치고 있다. '나' 속에서 살아가는 정신은 '나', 자아, 또는 자기 자신으로 나타나므로 '정신자아'라 할 수 있다.[114]

---

113) 미하엘 데부스 강연, 2017. 7. 25, 청계자유발도르프학교 강당.

슈타이너는 가상의 신체를 인간의 3중 구조에 의해 설명하고 있다. 슈타이너가 설명하는 옷은 데부스의 설명과 같이 가상의 신체 옷으로 내용물에 따라서 바뀌는 옷이다. 자아인 '나'는 신체와 영혼을 옷 삼아 그 안에 살고 있고, 정신은 자아인 '나'를 옷 삼아 그 안에 살고 있다고 한다. 즉 자아인 '나'는 신체와 영혼이라는 외피 속에 숨겨진 인간의 본질이지만, 정신과의 관계에서는 정신이라는 고차적 본질을 숨겨둔 외피인 것이다. 이러한 데부스와 슈타이너의 비유를 근거로 정리하면, 자아 또는 고차적 자아는 스스로 드러내지 않고 가상의 신체 옷을 통해 나타난다. 자아 또는 고차적 자아는 인간의 다양한 본질에 관여하므로 하나의 모습으로 존재할 수는 없기 때문이다. 그래서 인간의 본질인 자아 또는 고차적 자아는 다양한 가상의 신체 옷으로 드러나 보이지만 그것 자체로는 나타나지 않으니 '존재하지 않는 것'이고 결국 '무자아'의 개념으로 연결된다는 논리이다.

인지학의 가상의 신체 옷 입기는 육체와 자아, 정신과 자아의 관계를 나타내는 표현이다. 체홉이 인지학에서 차용한 가상의 신체도 배우와 배역의 본질에 관한 연기방법이다. 인지학의 가상의 신체 옷 입기의 개념을 받아들여 설명하자면, 배우는 연극의 본질을 추구하기 위해 혹은 배역의 본질이라는 보이지 않는 '자아'를 무대에서 표현하기 위해 '가상의 신체'라는 다양한 옷을 입고 연기하는 것이다. 가상의 신체는 무대 위의 배역을 완벽히 구현하기 위해 배우가 배역의 신체를 '입는' 것이다. 배우가 인물구축을 위해 배역의 신체를 입는다는 것은 단순히 무대 위에서 배역의 신발을 신고, 배역의 분장을 하고, 배역의 옷을 입는 것만을 의미하는 것은 아니다.

114) 루돌프 슈타이너, 양억관, 타카하시 이와오 옮김, 『신지학: 초감각적 세계의 인식과 인간 본질에 대한 고찰』, 같은 책, 44쪽.

그것을 뛰어넘어 마치 다른 신체로 완벽히 살아가는 것처럼 느끼는 것을 의미한다. 클릭 한번으로 훨씬 더 큰 또는 아주 작은 캐릭터가 될 수 있는 게임 속의 '아바타'(Avatar)[115] 처럼 가상의 신체를 입은 배우는 실제로 가상의 신체의 무게와 높이 같은 차이점까지 느껴야만 한다.

가상의 신체는 배우의 신체가 캐릭터의 신체로 변화하는 것이다. 이미 배우들은 살아있는 신체로 아주 많은 배역들을 구현해왔고 배우가 변형을 필요로 할 때 또다시 그러한 작업을 할 수 있다. 배우 자신이 가상의 신체를 상상으로 만들어야 한다. 배우가 자신의 목이 실제로 2배 길어졌다고 상상해보자. 배우가 목을 물리적으로 늘여 연장할 수는 없다. 배우에게 필요한 것은 상상으로 신체의 목을 조종하는 것이고 정상적인 목의 길이보다 2배가 늘어났다고 상상하는 것이다. 그것은 배우가 자신에 대해 느끼는 방법을 변화시키고 배우의 심리를 변화시킨다. 가상의 신체는 한순간에 배우의 세계관 또는 세계와의 관계를 변화시킬 수 있다.

체홉은 가상의 신체를 말할 때 놀이나 게임[116]이라는 단어를 자주 사용한다. 예를 들어 '가상의 신체를 가지고 역할에 맞는 특색을 찾으며 놀이를 시작한다.'라거나 '인물을 창조하고 추측해보는 것이 짧고 간단한 일종의 게임이라고 생각하고 가상의 신체를 갖고 놀아보는 거다.'처럼 말한다. 이것은 그가 작업할 때 항상 강조한 유머와 즐거움 때문이기도 하고, 그가 자서전에 밝혔던 다음의 인용문에서 발견되는 그의 유년시절의 추억 때문

115) 아바타는 화신(化身), 분신(分身)을 의미하는 단어로, 게임이나 채팅에서 사용자의 역할을 대신하는 캐릭터이다. 원래 아바타는 '내려오다, 통과하다'라는 뜻의 산스크리트어 Ava와 '아래, 땅'이란 뜻인 Terr의 합성어이다. 문지방 수호령, 윤회, 카르마, 아바타, 12감각 등의 용어나 개념들은 게임의 소재, 배경 스토리, 캐릭터 구축 등에 자주 원용되고 있다.

116) 체홉의 다른 연기방법에서도 '놀이'나 '게임'이라는 단어는 자주 등장한다.

이라고 본다.

> 미샤는 아주 어렸을 때에도 자신의 집 안 담벼락을 무대삼아 자신의 상상을 몸을 이용해 표현했다. 엄마와 유모를 관객으로 두고 그는 모자와 목도리 등 쓸 수 있는 온갖 잡다한 천 조각을 두르고 즉흥적으로 연기했다. 미샤는 유모가 눈물이 볼을 타고 흐를 때까지 앞뒤로 몸을 젖히면서 웃을 정도로 때로는 비극적이고 때로는 너무나 웃긴 그렇게 다른 아이, 새로운 인물이 되었다.[117]

체홉의 가상의 신체는 말 그대로 가상의 신체를 통해 인물을 구축하는 방법이다. 체홉이 제시한 훈련 과정을 살펴보면, 먼저 등장과 퇴장, 배우에게 하찮게 보일 수 있는 모든 순간을 포함하여 대본에 제시된 배역의 모든 행동을 적는다. 그런 다음에 가상의 신체가 배우에게 어떤 영감을 주든지 간에 그것을 따르려고 노력하며 하나씩 크고 작은 연기와 동작을 수행한다. 과장하거나 일부러 가상의 신체를 드러내면 배우의 연기가 인위적으로 변할 수 있다. 가상의 신체는 어떠한 강요나 도움 없이도 충분히 심리를 변화시키는 힘을 지니고 있다. 그렇기 때문에 가상의 신체를 가지고 하는 이 즐거운 놀이를 자신의 탁월한 성질과 진실함이 이끌도록 한다. 그런 후에 행동에 맞는 대사를 추가하여 점점 늘려나간다. 그러면 자신의 배역이 어떤 방식으로 말을 하려는지 알게 된다. 가령 느린, 빠른, 충동적인, 사려 깊은, 가벼운, 무거운, 따뜻한, 차가운, 열정적인, 냉소적인, 무시하는, 친근한, 공격적인, 온화한 방식들이 있다. 이런 뉘앙스는 가상의 신체를 통해서 얻어진다. 성급하게 스스로 강요하지 말고 그 놀이를 즐기면 된다.

---

117) Michael Chekhov, *To The Actor*, 같은 책, xxx쪽. 미샤는 체홉의 유년기 이름이다. 〈Master Classes in the Michael Chekhov〉 CD에는 인용문과 유사한 훈련영상이 담겨 있다.

또한 체홉은 가상의 신체 훈련이라는 단순한 역할 접근 방법을 통해 배우의 연기와 화술이 점점 특징을 나타나게 되고 배역의 성격이나 기질도 선명하게 시각화될 것이라고 했다. 아주 짧은 시간 내에 인물의 전체 느낌이 배우 눈앞에 파노라마처럼 펼쳐질 것이다. 더 이상 가상의 신체를 의식할 필요가 없어질 만큼 인물이 배우에게 완전히 흡수될 때까지 그 '놀이'를 멈추지 말아야 한다고 했다.[118] 체홉은 가상의 신체가 완전히 자유롭고 진실하며 자연스럽다고 느끼기 시작할 때에 비로소 대사와 행동을 가지고 집에서든 무대에서든 인물 연습을 시작해야 한다고 했다.

놀이를 하듯 행해지는 가상의 신체에 관한 연기훈련은 여러 가지가 있다. 체홉은 '창조자 - 창조물'이라는 훈련을 창안했는데 이것은 학자와 연출가들을 거치며 다양하게 변용되었다. 본 저자가 현실에 맞게 새롭게 정리했다. 이 훈련은 배우가 자신 또는 자신의 신체를 버리고 새로운 신체, 새로운 인물을 만나는 방법에 관한 연습이다.

① 배우 2명이 1조로 짝을 이뤄, 1명은 창조자가 되고 다른 1명은 창조물이 된다.
② 창조물은 빈 공간을 찾아 눈을 감고 편안한 상태로 바닥에 눕는다. 창조물은 원초적인 무의 상태로, 말을 할 수 없으며 영혼도 없다. 신체뿐만 아니라 생각, 습관, 과거도 모두 사라진 미완의 재료이다.
③ 창조자는 창조물 옆에 서서, 본인이 생각한 창조물의 모습과 형태를 조형하여 가상의 신체를 만든다. 애니메이션의 캐릭터 또는 영화 속의 주인공이 될 수도 있다. 말과 제스처를 통해 가상의 신체를 형상화 한다. 흙을 모아 몸을 구성하는 뼈대와 뼈를 만든다. 근육과 살로 키와 골격

118) Michael Chekhov, *To The Actor*, 같은 책, 139쪽.

에 맞는 어깨, 손과 발, 머리를 만든다. 이어서 얼굴(눈, 코, 입), 피부색, 의상 등 크기와 모양, 색상까지 섬세하게 만들어 간다. 창조물을 완성했다면 창조자는 창조물의 머리 쪽으로 가서 앉는다.

④ 이제 창조물의 정수리에 바람을 불어 넣어, 창조물이 눈을 뜨게 한다. 창조물은 아직 움직이지 못하고 말도 못한다.

⑤ 창조자는 창조물에게 움직이는 법, 일어서는 법, 걷는 법, 이동하는 법을 가르쳐준다. 창조자가 실제 행동으로 보여주는 것이 제일 좋은 방법이다. 창조물은 말을 알아듣지만 자신이 누군지 아직 모른다. 창조자는 창조물이 누구인지 알려준다.

⑥ 창조물은 창조자가 가르쳐준 대로만 움직여본다. 창조자가 알려주지 않은 동작은 할 수 없다. 세상에 처음 태어난 모습으로 신선한 공기를 들이마시며 해변을 걷거나 등산을 하거나 거리를 활보한다. 창조자가 가르쳐준 대로 하지 않으면 동작을 수정해서 알려주고 다시 행동하도록 한다.

⑦ 이제 창조물을 다시 원래 무의 상태로 돌려놓아야 한다. 창조물을 재우고 창조자도 그 옆에 눕는다. 창조물은 창조자가 만들어준 신체에서 벗어나 원래 미완의 편안한 상태로 돌아간다.

창조자는 창조물을 만들며 스스로 새로운 인물을 만들어내는 방법을 배우고 창조물은 자신의 신체를 버리고 가상의 신체를 경험하게 된다. 창조자가 창조물의 옆에서 직접 말과 행동으로 보여주는 것은 역할의 객관성을 유지하기 위한 훈련이다. 창조자가 만든 캐릭터를 스스로 관찰하고 바라볼 수 있게 하는 것이다.

가상의 신체에 관한 또 다른 훈련은 페티나 허친슨 같은 체홉의 후학들이 만든 '신체 늘이고 줄이기' 훈련이다. 배우가 가상의 신체가 되어 그 시선과 입장에서 사람과 사물에 대한 감정을 느끼게 하려는 의도이다. 이 훈련 역시 본 저자가 보다 용이한 훈련을 위해 다음과 같이 새롭게 구성했다.

① 배우는 편안한 마음으로 무대나 연습 공간 위에 선다.
② 허리를 구부려 발끝을 잡고 앉아 몇 초 동안 웅크린 상태를 유지한다. 편안하게 숨 쉬며 근육을 이완시킨다.
③ 천천히 원래 상태로 몸을 일으키며 자신의 키가 5m로 커졌다고 말한다. 자신이 5m의 키에 완벽하게 균형 잡힌 몸매를 가졌다고 상상한다.
④ 5m의 가상의 신체로 무대를 걷거나 의자에 앉아 본다. 5m의 신체로 경험할 수 있다고 여겨지는 다양한 행동들을 시도한다.
⑤ 배우가 자신의 물리적 신체를 5m로 늘일 수는 없지만, 상상과 에너지를 통해 5m의 가상의 신체로 변형시킬 수는 있다.
⑥ 배우는 다시 처음처럼 몸을 웅크리고 이완시킨다.
⑦ 천천히 원래 상태로 몸을 일으키며 이번에는 자신의 키가 1m로 줄어들었다고 말한다. 1m의 신체를 가진 사람처럼 다양한 행동들을 한다.
⑧ 5m와 1m의 신체였을 때 느끼는 감정, 심리 등이 어떻게 다른지 비교한다.

배우의 신체를 늘이고 줄이는 가상의 신체 훈련을 통해 배우는 자신의 신체의 크기나 모양을 변화시켜 새로운 인물의 감정, 행동, 심리 등을 경험할 수 있다. 배우의 신체를 거인의 몸으로 혹은 배우의 신체의 일부분인 손을 아기의 손으로 변화시키는 훈련을 통해 배우는 자신이 소유하지 않은 다른 이미지를 경험하고 다른 심리와 만날 수 있는 것이다. 가상의 신체 훈련을 통해 배우가 자신이 연기하는 배역의 손을 볼 수 있고, 배역의 목으로 소리를 낼 수 있고, 배역의 입술로 말할 수 있게 된다면 배우는 창조적으로 인물을 구축할 수 있는 기회를 얻게 될 것이다.

이러한 가상의 신체에 관한 이론과 훈련방법을 토대로 살펴보자면, 가상의 신체에서는 배우 자신과 극중 인물의 차이를 만들어내는 성격적인 특징들을 발견해내는 것이 중요하다. 예를 들어, 게으르고 어리석은 특징을 갖고 있는 극중 인물을 연기한다고 할 때는 그러한 사람이 어떤 종류의 신체를 가졌을지 상상하는 방식이다. 이 상상 속의 신체는 당연히 배우 자신과는 상당히 차이가 날 수 있다. 실제 배우는 말랐지만 상상 속의 인물은 뚱뚱할 수도 있기 때문이다. 그러나 비록 배우와 상상 속의 극중 인물이 차이가 난다해도, 그 상상 속의 인물처럼 보여야 하며 그 사람이 행동하는 것처럼 행동해야 하는 것이 가상의 신체의 연기방법이다. 배우 자신과 가상의 신체가 진짜로 닮아 보이는 효과를 만들어내려면 한 공간에 자신의 진짜 신체가 공간을 차지하고 있고, 또 다른 신체 즉 방금 자신이 마음속으로 창조해낸 가상의 신체가 존재한다고 상상해야 한다. 배우는 마치 처음부터 그래왔던 것처럼 편하게 이 가상의 신체를 실제 옷처럼 자신의 몸에 입는 것이다. 가상의 신체를 통한 변장의 결과로 배우가 자신을 다른 사람으로 느끼고 생각하게 해야 한다. 이것이 가상의 신체를 통한 연기방법이고, 체홉도 배우가 햄릿이 되는 것이 아니라 배우가 햄릿이라는 옷을 입는 것이라고 비유했다. 이때 중요한 것은 배우가 가상의 신체를 진정한 자신으로 느끼고 생각해야 한다는 점이다.

체홉은 가상의 신체를 입는 것은 그 어떤 무대 의상을 입는 것보다 효과가 높다고 했다. 배역의 가상의 신체의 실제 형태를 상상해보는 것이 그 어떤 무대 의상보다 10배 이상 배우의 심리에 강한 영향을 준다는 것이다. 가상의 신체는 배우 자신의 실제 몸과 심리 사이에서 양쪽에 동등한 영향으로 작용한다. 점차적으로 배우는 가상의 신체와 조화를 이루면서 움직이고, 말하고, 느끼게 된다. 이것은 가상의 신체를 입은 배역이 배우 안에서 살게 되는 것을 의미한다.[119] 그렇게 되면 배우 자신이 심리적으로, 신체적으로 가상의 인물에 의해 변신하게 되는 것이다. 연극에 있어서 배우의 역할은 무대 위에서 자신의 신체를 이용해 극중 인물을 살아있는 인간으로 구축하여 관객들에게 보여주는 것이다.

가상의 신체에서는 배우가 어떠한 가상의 신체를 구축했느냐 하는 것도 중요한 문제가 된다. 배우에게 있어 가상의 신체는 극중 인물에게 큰 영향을 미치는 중요한 요소이기 때문이다. 배우가 만들어낸 가상의 신체에 따라 연극과 배역의 완성도가 달라질 수 있다. 배우는 자신의 심리, 상상력, 감각 등에 따라 다양한 가상의 신체를 만들어내고 또 그 가상의 신체를 독창적으로 특성화시킬 수 있어야 한다. 가상의 신체를 통해 배우 자신의 이미지를 항상 새롭게 확장시키는 방법을 배우고 익혀야 한다. 가상의 신체는 다양한 인물을 구축해내야 하는 배우에게 있어 유용한 연기 테크닉이다. 틀에 박힌 배우, 자신의 연기를 고수하려는 태도에서 벗어나 배역에 대한 새로운 해석을 발견할 수 있는 창조적 연기 도구이다.

7. 중심

체홉의 '중심'(Center)은 인지학의 정신수행론에 나오는 '차크라'(Chakra)를 받아들인 개념이다. 또한 인간본질론의 3중 구조의 영혼 단계에 속하는 사고, 감정, 의지와도 관련이 깊다. 체홉은 이 세 가지에 대응하는 신체의 머리(head), 가슴(chest), 복부(pelvis)를 'three centers'라고 하며 그의 연기훈련에 적용했다.

---

119) Michael Chekhov, *To The Actor*, 같은 책, 79쪽.

인지학에 의하면 인간은 균형감각을 통해 자신의 위치에서 스스로 중심을 잡는 자립적인 존재이다. 균형을 유지한다는 것은, 몸 안에 하나의 중심점을 찾음과 동시에 인간의 자아가 공간을 채우며 함께 중심을 잡는 것이다. 여기서 인간의 중심점이 바로 슈타이너가 '영혼의 눈'이라고 언급하는 차크라이다. 슈타이너는 정신인식을 위한 수행방법으로 차크라를 강조했다.

차크라는 산스크리트어로 '바퀴' 또는 '원형'이라는 뜻으로, 인간 신체의 여러 부분에 있는 정신적 힘의 중심점이다. 차크라는 인간의 신체, 영혼, 정신의 기능을 지배하고 있는 에너지 중심(센터)이다. 차크라의 역할은 인간이 지니고 있는 우주의 원천적 생명력과 정신 에너지의 각성이다. 에너지를 받아 전달하고 진행시키는 차크라의 체계는 정신적인 힘과 신체적 기능의 조절을 담당하고 신체와 영혼, 정신을 통합시켜준다. 차크라를 연꽃이라고도 하는데 그것은 차크라를 상징하는 바퀴가 연꽃을 닮았기 때문이다. 연꽃은 영혼의 감각기관이고, 인간이 수행을 시작하면 이 연꽃이 회전하며 빛난다고 한다.

인간의 신체에는 약 8만 8천개의 차크라가 있다고 하는데 슈타이너는 이 중 7가지 차크라를 중요한 것으로 여겼다. 이 주요 차크라는 인간의 신체와 영혼, 정신에 긴밀한 작용을 한다고 했다. 차크라는 인간의 신경계와 밀접한 관련이 있어 차크라가 막히면 신체적, 심리적 기능이 저하되어 여러 가지 질병을 유발한다고 설명한다. 깊은 명상과 꾸준한 요가의 경험으로 차크라는 깨어나며, 차크라가 깨어나면 자연치유력이 극대화되고 물질의 속박으로부터 자유로운 인간이 된다.

순서	차크라 이름	영어 이름	위치 이름	성질	역할, 기능
7	사하스라라 차크라	Crown	정수리 센터	지식	정신, 우주
6	아즈나 차크라	Third Eye	이마 센터	빛	직관, 지혜
5	비슈다 차크라	Throat	목 센터	에테르	의지
4	아나하타 차크라	Heart	가슴 센터	바람	사랑, 용서
3	마니푸라 차크라	Solar Plexus	배꼽 센터	불	자아, 자존심
2	스바디스타나 차크라	Sacral	천골 센터	물	일, 욕망
1	물라다하라 차크라	Root	미골 센터	흙	물질세계

〈표 8〉 차크라의 이름과 성질[120)]

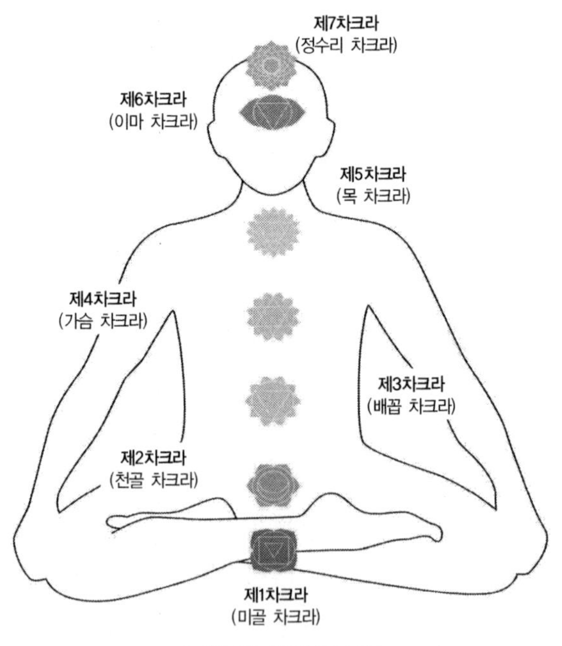

〈그림 15〉 차크라의 위치

120) 차크라의 이름, 발음, 기능은 번역자에 따라 상당히 차이가 난다. 본 저자가 여러 논문과 저서를 참고하여 차크라의 이름, 성질, 역할, 기능 등에 대한 공통점을 찾아 정리했다.

이 주요 차크라는 미골에서 대뇌 정수리까지 올라가는 인간의 의식이 자리하는 곳에 있다. 6개의 중요한 차크라가 척수를 따라 위치해 있고 1개의 차크라가 두개골 최상부에 위치해 있다. 그 위치와 특징에 따라 각각 다른 감각, 감정, 신체의 기능을 주관한다. 이러한 차크라는 인간본질론의 3중 구조인 신체, 영혼, 정신을 나타내는 각각의 중심의 역할을 한다. 특히 인지학에서는 차크라가 인간의 호흡이 들어오고 나가는 인간 신체의 각각의 위치 중심이며 외부와 연결되는 통로라고 한다. 호흡을 강조하는 이유는 숨을 쉰다는 것이 매우 큰 의미이기 때문이다. 그것은 인간과 관계된 외부세계 즉 자연, 우주 등의 영혼이 들어오는 것이며, 대자연인 우주와 인간을 연결시키는 중요한 작용이다.

체홉은 인간 신체 안에 존재하는 차크라의 개념을 이용해 중심이라는 자신의 연기방법의 개념을 확장했다. 체홉의 중심은 배우가 신체의 어느 한 곳에 3중 구조의 신체, 영혼, 정신을 통합하여 인물을 창조해내는 것이기 때문이다. 차크라를 수용한 체홉의 중심은 배우의 연기훈련에도 응용되고 있다.

체홉에 의하면 모든 배역은 '중심'을 가지고 있다. 이것은 극중 인물의 모든 동작의 충동이 시작되는 곳으로 신체의 내부 또는 외부에 있는 가상의 영역이다. 중심은 신체 안에 위치할 수도 있고, 신체의 특정 부분이 될 수도 있다. 배우는 중심이 될 수 있는 신체의 어느 부분을 선택할 수 있다. 이 중심으로부터 파생되어 나오는 충동은 모든 제스처를 시작하게 하고 몸을 앞으로 뒤로 이끌거나 앉거나 걷고 서게 한다. 따라서 중심은 신체 위에 동작이 시작되는 구역 또는 점을 위치시키는 것이고 이 특정한 에너지의 중심을 가지고 움직이게 된다. 이 중심이라는 것은 실제로 배우의 상상 속에서 만들어지며 특정한 신체적인 영역에 대해 깊이 인식하는 데에서 생겨난다. 예를 들어 거만한 인물은 턱이나 목에, 호기심이 강한 인물은 코끝에 그 중심을 둘 수 있다. 또한 중심은 어떤 모양이나 크기, 색, 단단함 같은 것이 될 수도 있다. 한 인물이 여러 중심을 가질 수도 있다. 인물의 중심을 찾는 것은 그 인물의 전체적인 성격, 신체 구조를 이해하는 수단이다.

체홉은 중심의 훈련방법에 대해서도 설명하고 있다. 먼저 자신의 가슴 속에 중심이 있다고 상상한다. 그리고 모든 움직임을 만들어내는 자극이 그 중심에서부터 흐른다고 상상한다. 이 가상의 중심을 내면의 힘과 활동의 원천이라고 생각하고 이곳에서부터 시작한다고 상상하며 일상의 동작들을 실행한다. 어떠한 움직임을 하겠다는 충동을 먼저 보내고 나서 그 후 그 동작을 하는 것이다. 체홉은 배우가 중심을 특별히 의식하거나 거기에 신경을 쓰지 않아도 될 만큼 자연스럽게 자신의 일부가 될 때까지 중심 훈련을 계속 해보라고 말했다.

체홉은 예술적 관찰로 극에 등장하는 인물들의 중심이 어디에－눈썹, 코, 입, 엉덩이, 볼, 배, 머리 등－있는지 찾아보라고 한다. 그리고 그 중심의 성질－가만히 있는지, 움직이는지, 큰지, 작은지, 부드러운지, 딱딱한지, 밝은지, 검은지 등－을 상상해보라고 한다. 그리고 작고 차가운 쇠바늘이 코끝에 있다고 상상해보는 것처럼, 중심과 중심의 성질을 함께 경험해 볼 수 있다고도 한다. 이러한 방식으로 인물구축을 위해 중심을 계속해서 경험해야 한다고 강조했다. 체홉은 중심을 경험하면서 움직이며 대사를 해보고, 다른 중심을 경험하면서 차이점을 발견하라고 했다. 배우에게 편한 중심을 찾을 때까지, 배우에게 유용한 능력이 될 때까지 계속 중심을 경험하며 즐기라고 했다.[121]

또한 체홉은 중심의 위치와는 상관없이, 중심의 성질을 바꾸는 것만으로도 완전히 다른 효과가 발생한다고 했다. 중심을 머리에 두는 것만으로 충분하지 않다면 그것은 거기에 남겨 놓고, 중심의 다양한 성질을 연구하여 중심을 훨씬 더 자극해야 한다. 예를 들어 현명한 사람의 경우에는 머리에서 크게 빛나며 발산하는 중심을 상상할 수 있고, 반면에 어리석고 광적이거나 편협한 사람은 작고 팽팽하고 단단한 중심을 상상할 수 있다. 체홉은 움직이는 중심을 상상해볼 수도 있다고 했다. 이마 앞에서 천천히 흔들리거나 가끔씩 머리 주위를 도는 중심을 상상한다면, 당황한 사람의 심리를 이해할 수 있을 것이라고 한다. 체홉은 이러한 방식으로 자유롭게 놀이 하듯이 중심을 경험하다 보면 배우에게 무한한 가능성이 열릴 것이라고 강조했다.[122] 체홉은 중심이 배역의 캐릭터를 더욱 극명하게 보여줄 수 있으며 더불어 특정 신체를 강조할 때도 사용할 수 있다고 했다.

이와 같이 체홉은 중심의 위치, 중심의 위치 변화, 중심의 성질, 움직이는 중심, 중심을 통한 특정 신체 부분의 강조 등을 통해 다양한 인물을 창조해낼 수 있다고 설명했다. 체홉은 중심을 통해 감정이 겉으로 드러나는 동작을 이끌어 낼 수 있는 것처럼(예를 들면 화가 난 감정이 외적으로는 주먹을 쥐는 것으로 표현이 되는 것처럼), 반대로 겉으로 드러나는 동작이 내적인 반응을 불러일으킬 수도 있다고 생각했다.

본 저자도 배우가 자신의 신체와 중심의 관계 설정을 통해 다양한 극중 인물을 표현해낼 수 있는 효과적인 연기방법이 중심이라고 본다. 예를 들어 〈억척어멈과 그 자식들〉의 억척어멈은 돈을 이로 깨무는 버릇 때문에

---

121) Mala Powers, 같은 책, 26쪽.

122) Michael Chekhov, *To The Actor*, 같은 책, 81~82쪽.

중심이 '앞니'에, 〈노트르담 드 파리〉에 등장하는 꼽추는 '굽은 등'에, 〈유리 동물원〉의 심약한 성격의 로라는 '불편한 다리'에 중심이 있을 수 있다. 신분사회의 배경에서 독선적인 귀족들은 '코끝'에, 하인들은 숙이고 있는 '등'에 중심을 둘 수 있다. 생각이 많은 인물은 '머리'에, 장수들은 칼을 든 '손'에, 야비한 캐릭터에는 '눈썹'에, 자만심이 가득한 캐릭터는 '턱'에, 상대를 기만하는 캐릭터는 팔짱낀 '팔'에 중심을 두고 배역을 연기할 수 있다. 따라서 배우는 인물을 구축할 때 이러한 중심의 설정에 대해 고민해야 하고 이를 통해 인물의 캐릭터를 보다 생생하게 만들 수 있어야 한다. 특히 이미 살펴본 가상의 신체와 중심을 접목한다면 가상의 신체와 중심의 효과는 훨씬 강화되어, 더욱 효과적으로 극중 인물을 구축해낼 수 있다. 슬론도 체홉의 중심을 활용한 연극은 상상을 통해 배역의 특징을 연상하게 되고, 이를 통해 연기에 생명력을 불어넣는 아주 효과적인 방법이라고 말했다.

본 저자는 신체의 특성을 강조하는 중심이 인지학의 12감각과도 깊은 관련이 있다고 본다. 인간의 감각의 특성에 대해서 잘 이해한다면 효과적으로 인물을 구축해낼 수 있기 때문이다. 실제로 미국의 미하일 체홉 스튜디오에서는 '눈을 날카로운 면도날이라고 상상하고 주변을 베는 훈련'[123]을 한다. 이것은 눈과 눈의 감각적 특성(날카로운 시선)에 중심을 둔 훈련이다. 그런데 인지학에서도 비슷한 개념이 있다. 12감각 중 영혼감각인 시각에 대해 인지학에서는 몸의 모든 감각기관을 포괄하여 기능을 수행하는 총체적인 감각기관이라고 설명하며, '극단적으로 사람은 눈빛으로 누군가를 죽일 수도 있다.'[124]고 표현한다.

---

123) "razor blades"(your eyes) Michael Chekhov, 〈Master Classes in the Michael Chekhov Technique〉, Produced by MICHA, the Michael Chekhov Association, New York: Routledge, 2007, 17쪽.

인지학에서는 모든 인간에게는 하나 또는 수만 개의 중심이 있다고 한다. 이러한 중심은 인간을 움직이게 하고 인간의 본질을 형성하는 중요한 요소이다. 체홉은 배우가 중심을 찾아내거나 배우의 신체에 중심을 설정함으로써 극중 인물의 성격, 특성을 발견하여 보다 효과적으로 인물을 창조해낼 수 있다고 강조했다. 이것은 체홉의 연기론의 토대가 인간에 대한 깊이 있는 이해를 기반으로 한다는 것을 보여주는 것이다. 중심을 통해 인간의 성격, 특성을 자세히 바라보고 그것을 극중 인물로 연결시키는 것이 체홉의 연기라고 할 수 있다. 그래서 배우가 체홉의 연기방법을 훈련한다고 한다면 그 근저에는 배역을 온전히 이해하고 그 배역의 중심까지 파악해내려고 하는 자세와 노력이 필요하다.

8. Three Sisters

체홉의 'three sisters'는 인지학의 12감각을 수용한 개념이다. 인지학에서는 12감각을 깨우는 것을 '자고 있는 신체 깨우기'라고 한다. 체홉은 three sisters를 통해 감각기억을 강조하고 있다.

기억은 인간의 경험을 기록, 저장하는 비가시적 지식체계이다. 기억능력이 없는 인간은 상상할 수도 없다. 만약 기억이 없다면 인간에게 있어 과거는 없고 단지 현재만이 존재할 것이며, 인간의 진보와 창조, 문명과 문화, 예술도 불가능할 것이다. 기억은 시간경과에 따라 감각기억, 단기기억, 장기기억으로 구분한다. 감각기억은 인간의 오감에 의해 인지한 정보를 그대로의 모양으로 짧은 시간 간직하는 것이어서 시간이 지나면 급속히 쇠퇴

124) 알베르트 수스만, 서유경 옮김, 같은 책, 198쪽.

하여 망각되게 된다. 특히 감각기억에 저장되는 정보는 간단하고 알기 쉬운 부호 형태의 기억체계인 약호화 방식으로 저장되지 않는다. 그래서 정보가 사라지기 전에 그 정보를 읽어내기 위해서는 자극의 위치, 크기, 색, 모양과 같은 물리적 단서에 의존할 수밖에 없다.

연극학에 있어서의 감각기억은 일상생활에서 경험한 또는 관찰한 감각들을 불러내어 배우의 감정 연기에 활용하는 방법이다. 이러한 감각기억은 하나의 감각기억을 이용해 유사한 감정 표현에 다양하게 응용할 수 있다. 본 저서에서는 three sisters를 이해하기 위해 먼저 감각기억에 대해 살펴본다. 물론 체홉이 감각기억이라고 정확히 지칭하지는 않았지만 배우의 연기에 있어 감각기억을 중요시 여겼다. three sisters, four brothers가 그 대표적인 예이며 본문에서는 three sisters를 중심으로 다룬다.

감각기억(Sensory Memory)은 스타니슬라브스키의 정서기억 또는 감정기억과 대비되는 개념이며 스타니슬라브스키와 체홉의 연기론을 구분 짓는 중요한 이론이다. 또한 정서기억과 감각기억은 연극계에서 많은 논쟁을 불러일으키는 주제이다.

스타니슬라브스키는 체홉의 연기를 '과열된 상상력'이라고 하며 자신의 수업에서 퇴출시켰다. 다음에 나오는 '연극적이며 사적인 갈등'(theatrical and personal conflict)으로 인해 체홉은 자신만의 연기방법을 고민하게 되었다.

> 스타니슬라브스키는 정서기억에 관한 연기연습을 위해 자신이 실제 생활에서 경험한 극적 상황을 연기해보라고 했다. 체홉은 아버지 장례식에 참석한 자신의 서글픈 모습을 재현했다. 세밀한 묘사와 진실감 넘치는 연기에 감동받은 스타니슬라브스키는 이것이야말로 배우를 위한 진정한 정서기억의 힘을 입증하는 증거라고 생각하며 체홉을 안아줬다. 그러나 유감

스럽게도 나중에 체홉의 병약한 아버지가 아직 살아있다는 것을 알게 되었다. 체홉의 연기는 경험의 '재현'(recapturing)이 아니라 사건에 대한 과도한 '예상'(anticipation)을 토대로 한 것이었다. 체홉은 심한 질책을 받았고 그의 '과열된 상상력'(overheated imagination)으로 인해 해당 과목에서 낙제했다.[125]

스타니슬라브스키와 체홉의 공동된 목표는 인간에 대한 깊은 이해를 바탕으로 인간 본연의 모습을 연극으로 재현해내는 것이다. 그 목표는 같았지만 접근방식은 달랐다.

스타니슬라브스키는 배우의 경험을 바탕으로 배우의 주관적 시선을 통해서 인물을 표현하려 했다. 정서기억(Affective Memory) 이론에 의하면 배우는 진실한 감정을 불러일으키기 위해 배우의 사적인 감정과 경험을 사용해서 역할의 진실을 찾아야 하고 사실적인 연기를 해야 한다. 반면 체홉은 객관적 관점에서 배우와 캐릭터를 분리하여 배역의 시선에서 접근했다. 체홉은 배우의 경험에 국한되는 연기를 가장 문제 있다고 봤다. 경험이라고 하는 것은 기본적으로 주관적이고 개별적인 체험이어서 보편성을 갖기 어렵고 배우의 자아에 갇혀버리는 연기가 되기 쉽다는 것이다. 그래서 체홉은 배우의 경험은 연기에 있어 아무런 의미도 없고 오히려 방해가 된다고 주장했다. 체홉은 배우가 정서기억을 통해 실제 느꼈던 감정을 반복하여 상기하는 것은 지극히 개인적인 감정만을 보여주도록 유도한다고 비판했다. 그것은 관객에게 좋은 영향을 끼치지 못하며 배우들을 히스테리, 자기본위적인 연기, 정신적 위기로 이끈다고 주장했다.[126] 체홉은 체험과 정서

125) Michael Chekhov, *On The Technique of Acting*, 같은 책, xiii쪽.

126) Mala Powers, 같은 책, 9~10쪽.

기억으로 출발하는 스타니슬라브스키의 배우 연기술의 한계를 느꼈다. 그래서 배우가 경험한 감정을 환기하는 것이 아니라 기억된 감각을 소환하는 방법을 제시했다. 외적 자극의 연쇄반응으로 만들어진 감각자극에 움직임이 더해져 감정이 표현되는 감각기억을 주장한 것이다.

이러한 스타니슬라브스키와 체홉의 논쟁에 대해 다른 연출가들은 각자의 의견을 제시하고 있다.

리코보니(Francesco Riccoboni, 1707~1772)는 무대 위에 선 배우는 감정의 늪 속에 빠지면 전체 극의 흐름을 놓치게 되므로 배우는 언제나 배우 자신의 감정과 거리를 유지해야 한다고 했다.[127] 무대에서 배우가 자신의 감정을 통제하지 못하면 자연스럽지 못한 연기의 원인이 될 수 있다. 관객들은 배우의 감정만 보게 되고, 배우가 표현하는 인물의 감정은 보지 못하게 되기 때문이다.

디드로는 뜨거운 배우는 감정의 지속성이나 균일성에서 문제가 있다고 비판했다. 그는 배우가 감정만 앞세우면 계속되는 공연에서 기진맥진해지고 대리석처럼 차가워질 것이라고 했다. 디드로는 위대한 배우란 무엇보다 배우의 개인감정에서 벗어나 '감각의 지속적인 관찰자'가 되어야 한다고 했다.[128] 배우가 무대 위에서 감정을 재현하기 위해서는 배우는 관찰을 통해 감정의 외부적 기호들을 잘 알고 있어야 한다고 했다. 예를 들어, 기쁨에 빠진 사람들이 어떻게 자신의 몸을 움직이는지, 말은 빨라지는지 느려지는지 등을 관찰과 기록을 통해 연구해야 한다는 것이다. 그래야만 배우는 분노나 슬픔 등의 감정을 신체 동작과 함께 정확하게 재현할 수 있다고 했다.

127) 이재민, 같은 논문, 249쪽.

128) 드니 디드로, 주미사 옮김, 『배우에 관한 역설』, 서울: 문학과 지성, 2010, 8쪽.

배우가 무대 위에서 보여주는 몸짓은 결국 기억의 산물이고, 거울 앞에서 준비된 것이라고 한다. 따라서 정확한 감정의 외부적 기호들을 찾고 이를 이상적 모델로 변환시키는 과정이 끝나면 배우는 첫 번째 공연에서부터 마지막 공연까지 언제나 동일한 크기와 균일함을 가진 감정을 표현할 수 있다고 했다.[129] 디드로는 "보잘 것 없는 배우를 만드는 것은 지나친 감정이다. 형편없는 배우들 대부분을 만드는 것은 보잘 것 없는 감정이다."[130]라고 강조했다.

메이어홀드(Vsevolod Meyerhold, 1874~1940)는 공포를 표현하고자 하는 배우가 공포를 경험할 필요는 없고, 단지 반응을 통해 행위로부터 공포감을 표현하면 된다고 했다.[131] 메이어홀드는 특정 양식과 신체의 움직임이 사실적인 억양과 감정을 만들어낸다고 보았으며, 그가 말하는 경험이란 신체의 다양한 표현 영역을 경험함으로써 얻어지는 인식을 의미했다.

자크 코포(Jacques Copeau, 1879~1949)는 자기 자신에게서 벗어나지 못하는 배우들은 모든 배역을 자기감정의 폭으로 축소시키며 모방만을 되풀이하게 된다고 했다.

리 스트라스버그(Lee Strasberg, 1901~1982)는 배우의 개인적이고 내밀한 감정을 중요시하며 스타니슬라브스키의 정서기억에 동조했다. 그의 연기 방법은 배우가 실생활에서 진짜 대상물을 다룰 수 있는 것처럼, 무대 위에서도 대상물을 생생하게 다룰 수 있도록 하는 감정을 훈련하는 것과 그 감정의 지속성을 훈련하는 것으로 구성되어 있었다.

129) 이재민, 같은 논문, 252~253쪽.

130) 드니 디드로, 같은 책, 31쪽; 이 책에서는 감성과 감정의 개념을 구분하지 않고 사용했다.

131) "an actor representing fear must not experience fear first." Toby Cole, *Actors on Acting*, New York: Crown Publisher, 1970, 504쪽.

스텔라 애들러는 배우의 감정에 기대지 않는 순수한 상상력의 연기를 강조했다. 그녀는 정서기억을 배역창조의 열쇠라고 믿는 연기훈련 방법을 수용하기 힘들어했다. 배우로 쌓은 풍부한 기량은 굳이 자신의 과거의 정서기억을 무대에까지 불러오지 않더라도 인물의 내적 진실과 만나도록 해주었기 때문이다. 배우들이 정서기억을 찾는데 몰두해 다른 배우들과 앙상블이 이루어지지 못하고 소통이 지연되는 것에 불만을 가졌다. 그녀는 "정서기억에 대한 강조는 내게 너무나 역겨운 작업이었다. 배우는 자신의 개인적인 삶을 생각하며 무대에 설 수 없다. 그것은 정신분열증세로 다가온다."[132]고 말할 정도로 민감하게 반응했다.

샌포드 마이즈너(Sanford Meisner, 1905~1997)는 정서기억을 중요시했지만, 과거의 감정과 내면화에 치중한 리 스트라스버그와 상상을 통한 외면화 방법을 주장한 애들러의 중간 정도의 입장을 취했다.[133] 마이즈너는 반복 훈련과 행위의 사실성을 강조했다. 그는 극중 인물을 배우 자신과 거의 동일시했다. 그는 극중 인물은 배우가 주어진 상상의 환경을 자신의 것으로 취하여 행동하는 배우 그 자신이라고 말했다. 극중 인물을 연기하려고 하지 말고 극중 인물의 주어진 환경 속에서 배우 자신으로 충실히 존재하라고 강조했다.

우타 하겐(Uta Hagen, 1919~2004)은 연기에 있어서 감각기억을 중요시했다.

> 감각기억, 즉 육체감각의 환기는 배우에게 정서기억보다 쉬울 경우가 많다. 만일 우리 배우들에게 직업적인 위험이 있다면 우울증이 그 중의 하나

---

132) 정인숙, 『아메리칸 액팅 메소드의 이해』, 서울: 연극과인간, 2014, 95~96쪽.

133) 정인숙, 『아메리칸 액팅 메소드 II』, 서울: 연극과인간, 2008, 155쪽.

일 것이다. 감각들이 유익하게 표현될 수 있다는 점만 기억한다면 아무 문제가 없다. 우리들 대부분은 무대 위에서 필요하면 언제든지 감각들을 동원, 구사할 수 있도록 그것들을 생산해내는 정확한 기술을 연마해야 한다.[134]

우타 하겐은 배우가 감각을 지배해야 하며 감각이 배우를 지배하게 해서는 안 된다고 말했다. 오감은 배우에게 있어 아주 중요하기에 배우는 오감을 고양시키고 예리하게 만드는 작업을 계속해야 하며 오감을 새로 깨우칠 때마다 배우는 그만큼 성장한다고 했다.

이러한 정서기억과 감각기억에 대한 논쟁은 배우의 감정 표현의 방법에 관한 것이라고 볼 수 있다. 연극에 있어서 정서란 감정의 원인과 결과를 모두 아우르는 개념이다.[135]

무대 위의 배우들은 종종 연출가로부터 감정을 강요받게 된다. 그래서 배우들은 감정을 느끼는 척하거나 억지로 고통스럽게 감정을 짜내려하다가 실패하기도 한다. 배우는 감정이 잘 느껴지면 자신감 있게 연기에 날개를 달게 되지만, 감정이 잘 느껴지지 않으면 죄인처럼 당당하지 못하게 된다. 보통 연출가들은 '이 부분은 초조해 보였으면 좋겠어.', '여기서는 슬프게 보였으면 좋겠어.'와 같이 감정을 요구한다. 연출가가 요구하는 이러한 감정들이 '감정의 결과'를 주문하는 것으로 판단한다. 즉, 배우의 감정 상태를 묻지 않고 완결된 감정을 요구하는 것이다. 그러나 이러한 결과적 감정은 배우에게 불필요한 긴장이나 역효과를 낼 수 있다. 또 다른 예를 들어보자. 연출가들이 '엄숙하게 걸어주세요'라고 했을 때 배우는 엄숙했던 경

134) 우타 하겐, 김윤철 옮김, 『산 연기: Respect for Acting』, 서울: HS MEDIA, 2008, 65쪽.
135) 이재숙, 『나띠야 샤스뜨라 (상)』, 서울: 소명출판, 2005, 176쪽.

험 혹은 감정이 들었던 장례식장이나 성당의 미사를 끄집어낸다. 하지만 엄숙했던 경험이나 감정을 가지지 않은 배우는 그 장면에서 자신이 없거나 막연하게 연기를 하게 된다. 그러나 감각기억을 이해한 배우는 위 상황에서 무거운 바위의 성질을 이용하여 연기할 수 있다. 무거운 바위를 배우의 다리에 묶어 끌고 가는 상상을 하는 것이다. 결과는 훨씬 더 자연스럽다. 배우에게 있어 장례식장이나 성당의 경험이나 감정을 떠올리는 것보다는 무거운 바위를 다리에 묶어 끌고 가는 감각을 상상하는 것이 더 쉽기 때문이다.

이와 같이 배우의 연기 상황에 효과적으로 활용할 수 있는 연기방법 중의 하나가 체홉의 '감각기억'이다. 감각기억은 배우가 연기해야할 배역의 본질을 여러 가지 감각을 통해 체험하고 경험하고 발견하면서 감각으로 기억하는 것이다.

체홉은 '감각이란 배우의 진실한 예술적 감정이 저절로 담겨지는 그릇이다.'[136]라고 말했다. 예를 들어 팔을 들어 올리는 단순한 동작에도 어떠한 성질이 존재한다는 것이다. 신중함이라는 성질로 팔을 들어 올리면 제스처가 조심스럽게 변한다. 이때 팔에 입혀진 것은 신중함이라는 심리적인 감각이라고 할 수 있다. 마찬가지로 온몸에 신중함이라는 성질을 입는다면, 온몸이 조심스럽게 움직이며 신중함이라는 감각이 일어나게 된다. 이러한 감각의 움직임을 반복하면 감정과 내적 자극이 점점 강해진다. 자신의 감각을 활용한다면, 배우는 슬픔을 연기하기 위해서 억지로 슬픈 상태로 빠져 들어가지 않아도 된다. 또한 체홉은 배우 예술은 재생 혹은 모방이 아닌 창조에 있다고 강조했다. 배우의 감정은 배우의 과거 경험에서 축

136) Michael Chekhov, *To The Actor*, 같은 책, 59쪽.

발하는 것이 아니라 상상력에 의한 이미지와 특징 또는 외적 표현들의 창조에 의해 만들어진 감각자극에서 비롯되며 이 감각자극에 움직임이 더해질 때 배우의 감정은 더욱 발전될 수 있다고 했다.

우타 하겐은 과거에 자신이 겪었던 사건에 대한 심리적 정서적 반응을 환기해서 그것이 나로부터 흐느낌이나 웃음 또는 비명 등을 유도해낼 때 그것을 '정서기억'이라 하고, '감각기억'이란 용어는 생리적 감각들—더위, 추위, 배고픔, 통증 등—을 다룰 때 사용한다고 했다.[137]

우타 하겐에 의하면 정서기억은 체험에 대한 심리적 정서적 반응으로 인해 나타나는 감정이고 감각기억은 더위, 추위, 배고픔, 통증 등과 같은 인간의 생리적 감각에 의한 감정이라고 정의했다. 추위를 표현하기 위해 직접 추위를 체험하거나, 통증을 표현하기 위해 직접 상처를 만들거나, 술 취한 인물을 표현하기 위해 무대 위에서 직접 술을 마실 필요가 없다는 것이다.

체홉은 인지학에서 강조하는 three sisters인 'Thinking(정신-사고), Feeling(영혼-감정), Willing(신체-의지)'을 통해 감각기억에 기반한 연기훈련 방법을 창안했고 다양하게 응용했다.[138] 체홉의 대표적인 three sisters 훈련방법은 '균형 잡기(Balancing), 떠오르기(Rising), 떨어지기(Falling)'이다. three sisters는 인간의 '자고 있는 신체 깨우기'이고 인간의 12감각을 깨우

137) 우타 하겐, 김윤철 옮김, 같은 책, 58~59쪽.

138) 체홉은 three sisters 연기훈련 방법을 다양하게 설명했는데, 미하일 체홉 마스터 클래스 훈련 동영상 DVD에도 three sisters 훈련방법이 제시되고 있다. "THINKING: Wake up your head with the quality of clarity and sharpness. FEELING: Open your arms, moving them freely. WILLING: Move your lower body with the quality of power and strength." Michael Chekhov, 〈Master Classes in the Michael Chekhov Technique〉, Produced by MICHA, the Michael Chekhov Association, New York: Routledge, 2007, 9쪽.

는 것이다. 체홉은 three sisters를 '인간 신체의 3중 구조'라고 하며, 배우의 연기를 위해 슈타이너의 오이리트미 예술에서 받아들인 것이라고 말했다. 허친슨도 three sisters를 '심리의 3중 구조'라고 새롭게 정의하며, 이 연기방법은 인간의 신체를 사고의 힘, 감정의 힘, 의지의 힘과 같이 서로 다른 3개의 에너지를 가진 영역으로 구분하는 것이라고 했다. 파워스는 신체의 에너지를 사용하는 체홉의 three sisters가 모든 인물구축의 시발점이라고 했다. 체홉은 배우가 연기할 때 그 배역이 주로 사고 캐릭터인지, 감정 캐릭터인지, 의지 캐릭터인지 생각하라고 했다.[139]

체홉은 다음과 같은 동작을 통해 three sisters를 느낄 수 있다고 말했다.

> 머리와 어깨를 공중에서 움직이며 사고의 힘을 느낀다. 팔과 가슴을 공중에서 움직이며 감정의 힘을 느낀다. 발과 다리를 공중에서 움직이며 의지의 힘을 느낀다.[140]

three sisters의 훈련은 다양한 감각을 응용하지만 대표적으로는 12감각의 신체감각 중에서 균형감각을 활용한다. 균형을 잡고 똑바로 서는 것은 직립 보행이라는 인간 자신의 고유한 표현이고, 이것은 인간의 자아가 공간에서 바로 서는 것과 같다고 한다. 이것을 인지학에서는 '자아가 공간을 채운다.'고 말한다. 인간은 균형감각을 통해 자신의 위치에서 중심을 잡는 자립적인 존재이면서 동시에 공간을 지각하는 균형감각을 통해 주변 환경의 다른 존재를 구별하고 의식할 수 있다. 그래서 인지학에서는 균형감각을 자아에 대한 인식과 함께 타인에 대한 인식을 동반하는 감각이라고 하

139) Anjalee Deshpande Hutchinson, 같은 책, 73~74쪽.

140) Lenard Petit, 같은 책, 19쪽.

는 것이다. 결과적으로 인간이 자신의 존재, 자아를 느낀다는 것은 곧 타인의 존재, 타인의 자아를 동시에 인식하는 것을 의미한다는 결론이 된다.

인지학의 발도르프교육에는 '구리막대 원 오이리트미'라는 수업이 있는데 원으로 둘러서서 구리막대를 서로 던지며 주고받기도 하며, 구리막대를 이용해 다양한 오이리트미를 만들어낸다. 상대에게 어떻게 던져야 잘 받을 수 있는지에 대한 감각이 필요하다. 이때 자신의 완벽한 동작에만 집중해서는 안 되고, 다른 사람의 동작에 민감하게 반응하고 조화를 이루는 것에 주력해야 한다. 그룹으로 오이리트미 동작을 훈련하는 이유는 개개인의 동작의 완벽함보다는 다른 사람의 목소리와 동작에 대한 경청과 관심을 키우기 위함이다. 한 명 또는 여러 명의 사람들과 조화를 이루면서 타인과의 협동과 공감을 발달시키는 구체적인 연습이 된다. 본 저자는 이 훈련이 신체적 감각을 통해 영혼을 깨워 정신과 연결하고, 자신과 자신이 속해 있는 외부세계와의 예술적 조화를 이루게 하려는 인지학적 의도라고 사료된다. 그래서 이 훈련은 균형감각의 자아 및 타인의 자아인식과 관련이 깊다고 하는 것이다.

체홉의 감각기억을 위한 연기방법인 three sisters는 구리막대 원 오이리트미와 개념이나 방법적인 면에서 유사하다. 체홉의 three sisters 훈련에 의하면 배우는 신체 또는 목봉을 사용하여 균형 잡기(Balancing), 떠오르기(Rising), 떨어지기(Falling)에서 불러일으켜지는 감각들을 사용하여 연기한다. four brothers와 마찬가지로 three sisters 또한 정서의 경험이나 감정을 대신할 수 있는 재료들이다. three sisters의 대사(연기) 적용방법은 다음과 같다.

> '균형 잡기'는 두 사람이 한 조가 되어 각자 한발씩을 들고 균형을 느낄 수 있는 자세로 대사를 해본다. '떠오르기'는 헹가래 하듯이 구성원 모두가 한

사람을 들어 위로 던졌다가 받는다. 위로 떠오를 때 대사를 한다. '떨어지기'는 한 사람이 뒤에 있는 사람을 믿고 자신의 몸을 맡기고, 뒤에 있는 사람은 쓰러지는 앞 사람을 받아준다. 뒤로 쓰러지며 대사를 한다. 이때 힘을 빼야 한다.

이것은 목봉을 이용해서 할 수도 있다. 목봉을 손 위에 올려놓고 균형잡기를 하며 대사를 한다. 예를 들어 다급한 상황의 대사를 한다고 할 때, 목봉을 손에 올려놓고 대사를 하면, 목봉을 떨어트리지 않기 위해 균형을 맞추는 움직임의 호흡이 그대로 대사에 실려 나온다. 배우는 그때의 감각을 기억해서 실전에 사용하는 것이다. 억지로 다급한 감정을 짜내지 않아도 된다.

배우는 연기를 통해 극중 인물의 다양한 감정을 표현한다. 본 저자는 이 감정을 어떠한 재료로 표현하느냐가 정서기억과 감각기억을 구분하는 이유라고 본다. 정서기억은 배우가 개인적인 체험에 의해 감정을 표현하는 것이고, 감각기억은 배우가 외부적 감각을 응용하여 감정의 결과를 만들어내는 것이다. 배우가 스스로 체험한 감정을 환기하는 것이 아니라 기억된 감각을 소환하는 것이다. 외부적 자극에 의해 만들어진 감각기억과 그것의 연쇄반응으로 만들어진 새로운 감각기억들에 의해 감정이 표현되는 것이라고 할 수 있다. 무대 위에 선 배우가 개인적이고 주관적인 감정의 늪에 빠지면 전체 극의 흐름을 놓치기 쉬우므로, 배우는 극중 인물의 감정을 표현함에 있어 언제나 배우 자신의 감정과 거리를 유지해야 한다. 그러한 의미에서 감각기억은 인간의 감각을 토대로 한 보다 객관적인 감정의 표현이고, 개인적인 경험의 개별성을 뛰어넘는, 보편성을 추구하는 연기방법이다.

9. 분위기

'분위기'(Atmosphere)는 항상 무대를 가득 채우고 있는 것으로, 무대 환경으로부터 발산되어 나오는 형언할 수 없는 무드(mood)의 원천이며 감정의 파도이다. 분위기는 연극 내용이나 배우의 재능과는 상관없이 그 자체만으로도 관객을 연극으로 끌어들이는 요소가 된다. 체홉도 분위기에 대해 배우의 연기를 빛내주는 설득력 있는 표현방법이며, 배우와 관객이 상호 교감하고 소통하게 하는 연결수단이고, 이를 통해 배우의 감정을 자극하고 일깨워 연기에 필요한 영감을 얻게 한다고 했다. 허친슨에 의하면 분위기는 연극의 세계, 즉 무대 위의 환경을 창조하기 위한 유용한 연기방법이며 배우가 분위기를 창조하면 연극을 관람하고 있는 관객에게 놀라운 변화가 생겨난다고 했다. 그녀는 분위기가 배우의 연기에 대한 관객의 인식과 이해를 높여준다고 했다.[141] 이러한 분위기에 대한 정의를 종합해보면, 분위기는 무대 환경을 둘러싸고 있는 감정과 무드이며, 관객에게 전달되어 놀라운 변화를 일으키는 원천이다. 분위기가 갖는 다양한 역할 중에서 '배우와 관객 간의 매개'가 가장 중요한 역할이자 핵심이다.

체홉의 '분위기'는 인지학의 인간의 3중 구조, 인간본질론의 9중 구조의 아스트랄체, 12감각 등 여러 가지 인지학 이론을 받아들인 연기방법이라고 판단된다.

인지학에서의 '아스트랄체'는 영혼에 가까운 인간의 동물적 속성이며, 인간이 활동하기 위한 내적인 원동력을 의미한다. 그래서 인지학에서는 아스트랄체를 영혼체라고도 하고 아스트랄적 분위기를 영혼적 분위기, 꿈꾸

141) Anjalee Deshpande Hutchinson, 같은 책, 180쪽.

는 영혼의 자극이라고도 한다. 예를 들어 저속한 탐욕을 가진 사람들이 생활하는 장소와 고귀한 이상을 가진 사람들이 생활하는 장소의 공기는 엄청나게 다르다. 도박장과 대학교는 완전히 다른 분위기를 풍긴다. 상업도시와 교육도시는 상이한 아스트랄을 가지고 있다. 이렇게 공간의 분위기인 아스트랄체는 장소에 따라 차이가 나고, 더욱이 이러한 공간의 영혼적, 정신적 분위기도 서로 다르다. 체홉은 무대 위에서 눈으로 보는 모든 것들, 즉 배우, 세트, 소품, 조명, 대사 등은 연극의 신체이고, 분위기는 연극의 영혼이라 했다. 그렇기 때문에 분위기가 없는 연극은 영혼이 없는 연극이라는 것이다. 이것이 인지학의 아스트랄적 분위기와도 일치하는 개념이다.

체홉의 분위기는 12감각의 영혼감각기관에 속하는 열감각과도 연결된다. 인지학에 의하면 인간은 열감각에 의해 주변 환경을 인지할 수 있다. 열감각의 역할은 인간이 주변 환경에 관심을 갖도록 끊임없이 자극하는 것이다. 열기는 참여와 소속감을, 냉기는 소외와 단절을 의미한다. 특정한 공간이 따뜻한 인상을 주는가 아니면 차가운 인상을 주는가 하는 것도 이 열감각에 의해 상상되어진 것이다. 열감각은 인간이 주변 환경을 인지하거나 환경에 영향을 주는 감각이고 무대 위 배우의 열기와 냉기를 통해 체홉의 분위기와도 연결된다.

이러한 아스트랄체, 열감각, 인간의 3중 구조이론을 근거로 하여 설명하면, 분위기는 무대에 풍기는 공간적 속성인 아스트랄체가 열감각으로 극장 환경에 영향을 주어 관객에게 연극의 정신을 전달하게 하는 매개체이다. 공연에 흐르는 아스트랄적 분위기를 잘 파악하고 이해한 배우들은 자신의 연기로 품어내는 열기와 냉기를 통해 관객과의 강한 연대가 형성되어 상호작용을 발생시킨다. 관객은 공연에 빠져 신뢰와 호감으로 화답하고 관객 자신도 공연의 분위기에 휩싸여 배우와 함께 연기한다. 체홉은 관객에게 호감을 얻는 흥미로운 공연은 배우와 관객 사이의 강한 상호작용에 의해 발생하며, 이러한 공연의 분위기는 배우들과 공연에 큰 영감을 불러일으키고 관객에게도 깊은 통찰력을 선사할 것이라고 했다.

체홉에 의하면 분위기는 눈에 보이지는 않지만 연출자, 배우, 관객 모두에게 무의식적으로 영향을 주는 연극의 기본수단이다. 연출자는 배우에게 장면의 분위기를 제시하고 함께 이를 창조하고 유지하여 관객에게 전달해야 한다. 배우도 무대 위에서 스스로 분위기를 인식하고 또 창조해야 한다. 분위기를 인식하지 못하는 배우들에게 무대는 그저 소품, 세트들로 채워진 무의미하게 비어있는 죽은 공간일 뿐이다. 반면에 분위기를 인식하는 배우들에게는 무대 위의 작은 소품, 세트마저도 연극의 분위기로 가득 채워진 의미 있는 공간이 되며, 공연이 끝난 후에도 그 여운이 남아 살아있는 공간이 된다.

무대 위에서 연기를 한다고 하는 것은 일차적으로는 상대 배우를 설득해서 같은 세계를 구현해내는 것이다. 그 다음에는 그 구현된 세계를 통해서 관객들을 설득해내는 것이다. 상대 배우와 관객들을 배우와 같은 분위기의 세계에 끌어들이는 것이다. 분위기는 연극의 공간에서 만들어 내는 완벽한 또 다른 세계라고 할 수 있고 그런 의미에서 분위기를 연극의 영혼이라고 한 체홉의 말을 이해할 수 있다.

체홉은 수술실의 분위기를 예로 들며, 분위기인 영혼이 없는 연극은 죽은 연극이라고 했다.

> 나는 의사들을 좋아하는데 특히 외과 의사를 좋아한다. 나의 간청으로 유명한 외과 의사가 나를 수술실에 갈 수 있게 해주었다. 수술실 안의 분위

기는 나를 전율로 가득 차게 했다. 환자가 이송되자 테이블에 눕혀 마취를 했다. 나는 아주 특별한 창조적 충동을 느꼈다. 나는 다른 국면의 예술을 포착했다. 나는 문득 외과의사의 표정이 변한 것을 알아챘다. 나는 긴장했다. 그들은 침묵 속에서 움직였는데, 그들의 얼굴에는 특별한 집중력이 나타나 있었다. 나는 흥분해 있었고, 영감에 사로잡혔고, 매혹되었다! 이 얼마나 대단한 예술인가! 이 예술의 힘은 무엇이란 말인가? 그의 창조적 작업 안에서 환자의 삶과 죽음에 대한 문제가 결정되는 것은 아닌가? 그가 지닌 창조적 순간에 자신의 영혼을 제어하는 놀라운 능력은 대체 어디서부터 왔단 말인가? 어디서? 그의 손, 그의 권력 안에 있는 삶의 느낌으로부터, 삶! 다른 이의 삶, 바로 이것이 그의 창조력의 근원이다. 어째서 우리는, 배우이자 창조자인 우리는 몇 해를 정확함, 기민함, 움직임을 훈련하는데도 얻지 못하는가? 왜냐하면 우리에게, 우리 배우들에게는 우리 예술 안의 모든 것이 죽어 있으며, 차가운 돌덩이만이 우리를 둘러싸고 있기 때문이다. 무대장치, 의상, 분장, 다리막, 조명, 박스석을 갖춘 객석 모두! 누가 우리 주변의 이 모든 것을 죽였는가? 우리, 우리 자신들이다! 우리는 우리를 둘러싸고 있는 우리의 연극 세계가 죽거나 사는 것이 오직 우리 손에 달렸다는 것을 이해하려 하지 않는다.[142)]

예를 들어 설명해보면, 줄리엣의 거짓 죽음을 모르고 독약을 먹고 진짜로 자살한 로미오를 발견한 줄리엣의 장면을 상상해보자. 이 슬픈 사랑의 두 주인공을 둘러싼 분위기가 없다고 하면 연극은 따분하고 무대는 공허하고 관객은 차가울 것이다. 분위기는 무대에 흐르는 영혼이고 배우와 관객을 연결하는 심리적 관계이자 소통이기 때문이다.

체홉은 분위기를 위한 훈련 방법도 제시하고 있다.

142) 미하일 체호프, 이진아 옮김, 같은 책, 113~115쪽 발췌.

> 주변의 공기가 자신이 선택한 어떤 분위기로 가득 차있다고 상상해보자. 이것은 빛으로 가득 찬 방, 먼지나 향기, 연기, 안개 등이 가득 찬 공간을 상상하는 것과 같다. "어떻게 공포와 환희, 부드러움으로 가득 찬 공간이 있을 수 있을까?"라고 묻지 말고, 실제로 그냥 그렇게 상상해보자. 얼마나 간단한지 즉시 알 수 있다. 우리가 습득해야 할 것은 자신을 둘러싸고 있는 분위기를 어떻게 유지시킬 수 있는가 하는 것이다. 집중력을 발전시키는 것이 매우 중요하다. 연습 중 분위기 유지를 위해 특별한 상황이나 사건을 상상할 필요는 없다. 그것은 주의를 혼란시켜 연습을 복잡하게만 할 것이다. 단순하게 위에 서술한대로만 해보자.[143)]

체홉은 특히 분위기를 위해 삶을 관찰하는 것이 중요하다고 강조했다. 주위의 삶을 관찰하는 것으로 시작하여 마주치는 여러 가지 분위기들을 체계적으로 살펴보는 것이다. 분위기들은 보통 희미하거나 미묘하거나 잘 보이지 않으니 간과하거나 놓치지 않도록 주의해야 한다. 사람들과 사건들을 감싸고, 공간을 채우며, 삶 속에 스며들어 있는 분위기들이 공기 중에 퍼져 있다는 것에 집중하라고 했다.[144)]

체홉에 의하면 작가가 구체적으로 대본에 명시하지 않았다 해도 분위기들을 만들어내는 순수한 연극적 도구들은 많다고 한다. 무대 배경의 모양과 구성 형태, 조명에 의한 그림자와 색, 음악과 음향효과, 배우의 조합, 배우들의 음성과 음색, 움직임, 멈춤, 템포의 변화 등 무대 위에서 만들어내는 모든 연극적 효과와 연기 방식이 그것들이다. 이러한 분위기를 만드는 도구들은 연극과 관객의 분위기를 고조시킬 수 있고 나아가 새로운 분위기까지도 창조해낼 수 있다고 한다. 체홉은 예술은 창의적 상상에 기초

143) Michael Chekhov, "Atmosphere," *The Drama Review: TDR*, 27.3 (1983): 60.

144) Michael Chekhov, *To The Actor*, 같은 책, 54쪽.

하지 않고서는 완성될 수 없다고 했다. 영혼 없이 분위기를 빨리 연기하려고 배우 자신을 속이는 행동이나, 분위기를 억지로 느끼기 위해 스스로를 쥐어짜는 강요는 피해야 한다고 했다. 충분한 시간을 가지고 분위기의 힘을 믿으며 상상하고 집중하면, 내면으로부터 분위기를 느낄 수 있다고 했다. 체홉은 무대 위에서 분위기를 창조해내기 위해서는 앙상블이 필요하다고 했다. 배우들이 특정한 느낌으로 채워진 공기나 장소를 상상하며 분위기를 만들어내려는 공동의 노력을 한다면 관객들에게 훨씬 강한 영향력을 주게 되고 성공적인 공연이 될 것이라고 했다.

인지학적 관점에서 분위기를 정의해보면, 체홉의 언급처럼 공연에서의 분위기는 영혼이다. 배우는 무대 위의 세트, 소품, 조명, 대사 등 다양한 요소들인 신체를 이용하여 영혼인 분위기를 만들고 관객에게 연극의 정신을 전달한다. 배우와 배우 사이뿐만 아니라 관객에게도 영향을 미쳐 연극을 창조하는 구성원이 되게 한다. 본 저자는 체홉의 분위기가 대상, 인물, 공간에서 느껴지는 공기라고 본다. 눈에 보이지는 않지만 반드시 존재하고 있는 것이다. 만일 공기가 없다면 생명체가 더 이상의 생명력을 가질 수 없듯이, 연극에서 분위기가 확산을 멈춘다면 체홉의 말처럼 연극이 서서히 죽음을 맞는 것과 같다. 배우의 중요한 임무는 연극의 영혼과 정신, 즉 연극의 본질을 관객에게 전달하는 것이기 때문이다.

10. 즉흥

체홉의 '즉흥'(Improvisation)은 인간본질론의 9중 구조의 정신단계인 '직관'의 개념을 수용한 연기방법이다. 즉흥이란 미리 계획되지 않은 것을 즉석에서 만들거나 행하는 활동을 말한다. 공연예술에서의 즉흥은 미리 정해진 대본이나 연출자의 지시, 배우 사이의 정확한 약속 없이 간단한 장면의 설정만을 가지고 영감과 직관, 감각을 바탕으로 배우들의 창의성에 기반을 두어 연기하는 것을 의미한다.

체홉은 즉흥을 '보석'이라고 표현했다. 그만큼 배우의 연기에 있어서 중요한 연기방법이라는 의미이다. 보통 즉흥은 연극 만들기의 처음 단계에서만 이용되지만 체홉은 인물구축이 완성되고 대사와 감정구축이 어느 정도 완성된 후 다시 한 번 즉흥을 활용한다. 연습과정의 대사나 행동은 잠시 내려놓고 장면이 진행되는 과정에서 극중 인물이 인식하고, 보고 듣는 것에 다시 집중한다. 즉흥을 통해 극중 인물에 대한 새로운 서브 텍스트, 행위, 의미를 발견하게 된다. 이것은 배우의 연기에 보석이 되고, 이 보석은 배우와 관객 모두에게 기억되고 기쁨을 주는 뉘앙스와 독창성이 있는 빛나는 순간을 만들어준다.

체홉의 즉흥은 인지학의 직관과 관련이 있다. 일반적으로 직관은 대상이나 현상을 보고 즉각적으로 느끼는 깨달음을 말하며 지식, 감각, 인식 등 의식적인 추론에 의지하지 않고 사물이나 대상에 대해 본능적으로 이해하는 능력을 말한다. 인지학에서의 직관은 정신인식의 최후이자 최고 단계로 모든 개념에서 자유롭다는 정신인간 또는 직관의 단계이다. 직관은 가장 높고 가장 밝은 절대적 정신인식이어서, 인간에게 직관이 있다는 것은 인식의 최고 단계에 완전하게 도달했음을 의미한다. 인간은 직관을 통해 사물의 본질을 파악해낼 수 있는 경지에 이르게 된다. 직관은 인간 내부의 최상의 것이지만, 수행과 명상 등의 노력 없이는 아주 미약한 성향으로만 존재한다.

물질세계의 지각이 감각이라면, 정신세계의 인식은 직관이다. 어떤 대상을 봤을 때 물질적으로 받아들여지는 것을 감각이라고 하고, 정신적으로 느껴지는 것을 직관이라고 한다. 인간은 사고 내용을 손으로 만지거나 눈으로 볼 수 없다. 인간은 그 사고 내용을 정신을 통해 파악한다. 눈이 없으면 색깔을 볼 수 없듯이, 정신자아의 고차적 사고 없이는 직관은 일어나지 않는다. 사고는 감각에서 초감각으로 만드는 정신인식을 키운다. 그렇기 때문에 사고는 직관을 불러일으킨다.

직관은 인간 내면에 온전히 가지고 있는 것이지만 아주 미약한 성향으로만 존재한다. 그것은 인간의 의지 속에서 잠자고 있다. 그렇기 때문에 인간은 직관을 일상적인 삶으로 이끌어 올릴 수가 없는 것이다. 문제는 그것을 인간이 어떻게 일깨우느냐이다. 그래서 직관에 도달하기 위해서는 끊임없는 수행과 명상이 필요하다.

12감각의 영혼감각기관에 속하는 '후각' 또한 즉흥과 많은 연관이 있다. 냄새를 맡는다는 것은 코로 숨을 들이마시고 외부세계의 무엇인가를 몸 안으로 받아들인다는 것을 의미한다. 후각은 이와 같이 자극에 직접 노출되며, 신체의 감각기관 중에서 전달 경로가 가장 짧은 신경세포이다. 외부의 자극에 가장 직접적이고 빠르게 인식한다는 점에서 후각은 가장 본능적인 감각이다.

체홉은 인지학의 직관을 그의 연기방법 즉흥에 받아들였다. 체홉은 즉흥에 대해 배우의 자유로운 감각적 직관을 통해 무대 위에서 계속 새로운 감각, 감정, 욕망, 기분, 내적 충동 등을 발견하여 연기하는 것이라고 했다. 즉흥 연기를 위해서는 배우 자신의 직관에 완전히 의존해야 한다고도 했다. 직관과 즉흥은 즉각적이고 본능적인 깨달음이라는 측면에서 개념적, 방법적으로 일치한다.

체홉은 배우는 작가를 뛰어 넘어야 한다고 했다. 작가는 대본의 대사를 통해 연극과 배역에 대한 기본적인 정보를 제공할 뿐이다. 체홉의 기준으로는 한 인간을 구성하고 있는 내면을 파악하고 그 내면과 마주 보는 것은 작가가 제시한 피상적인 몇 개의 정보만으로는 불가능하다. 따라서 배우는 작가조차도 파악하지 못하는 그 인물의 구체적인 행동과 내면까지도 찾아볼 수 있어야 한다. 그래서 대본에 표현된 인물들이 행동하고 움직이는 단순한 텍스트들에서 작가가 설명하지 않은 수많은 것들, 그것들을 배우가 표현해내고 채워나가야 한다. 그것을 체홉은 즉흥이라고 한다. 배우는 자신의 연기를 자유로운 즉흥이라는 도구로 채워야 한다. 배우가 작가가 제공한 대사를 말하고 연출이 지시한 행동에 자신을 가두어 독창적으로 즉흥할 기회를 찾지 않는다면 그 배우는 다른 사람이 만든 창작물의 노예가 되는 것이다. 인물구축 과정에서 배우가 대본의 분석과 해석에만 집착한다면 이 또한 대사의 노예가 되는 것이다. 체홉의 즉흥에서는 대본이 하라는 대로만 하는 배우가 가장 나쁜 배우이다.

배우는 대본이 주는 정보에만 의존하고 만족하는 작가나 연출가의 노예가 되서는 안 된다고 했지만, 배우의 즉흥이 대본을 벗어나 새로운 대사를 멋대로 만들어내라는 의미는 아니다. 대본은 인물에 대한 기본적인 정보와 최소한의 틀을 제공하는 것이므로, 대본이 놓치거나 설명하지 못한 여백이나 행간, 틀 사이의 비어 있는 공간을 배우가 해석한 인물의 정보로 채워나가야 하는 것이 즉흥이다. 따라서 대본에 주어진 대사와 동작은 배우의 즉흥을 발달시킬 수 있는 확고한 기반이다. 이 대본을 바탕으로 하여 자유롭게 배역을 표현하는 것이다.

작가가 제공한 대사나 연출의 지시를 벗어나 배우의 즉흥을 찾아야 한다는 체홉의 의견에 대해 바로(Jean-Louis Barrault, 1910~1994)도 비슷한 견해를 제시한다. 그는 희곡을 빙산에 비유하며 8분의 1밖에 보이지 않는다고 말했다. 연극 예술가는 모든 상상력을 동원하여 숨겨진 부분들을 찾아내어 작가의 대본을 완성해야 한다고 주장했다. 배우는 작가의 대본을 기계적으로 재현하는 사람이 아니라 작가가 말로는 표현할 수 없었던 대본의 행간에 숨겨진 진실을 찾아서 창조하는 사람이다. 우타 하겐도 작품을 계속적으로 분석하다 보면 주관적인 연구와 객관적인 연구가 섞이게 된다고 했다. 그에 의하면 "객관적인 연구가 10%를 차지하고 나머지 90%는 주관적인 연구가 차지한다."[145] 본 저자는 주관적인 연구의 부분이 바로 배우가 만들어내야 할 창조적 즉흥의 영역이라고 판단한다.

체홉의 즉흥은 우선 시작과 끝이 어떤 순간이 될지 결정하는 것에서 출발한다. 그 이유는 즉흥이란 결말이 있는 자유이기 때문이다. 끝이 없으면 이상하게 흘러가서 방황하게 되고 오히려 작품과 인물의 방향에 악영향을 초래할 수 있다. 그리고 이 시작과 끝은 대조적일수록 좋다. 그러나 이 시작과 끝의 사이에 무엇을 할 것인지 미리 결정하거나 어떻게 연결할지 타당성이나 논리성을 부여해서는 안 된다. 그래서 주제나 줄거리도 정하지 않는다. 단지 시작과 끝의 분위기 정도만 간단히 정하고 순수한 직관이 인도하는 순간으로 걸어가 보는 것이 바로 즉흥이다. 체홉은 연기가 매번 새로울 수 있는 것은 연기가 곧 즉흥이기 때문이라고 했다.

즉흥은 대본을 완전히 무시하는 아무것도 없는 무(無)에서 나오는 것이 아니라 대본을 기본으로 하되 배우의 창조성을 가미한 유(有)에서 나오는 것이다. 즉흥은 인간에 대한 이해, 배역에 대한 이해 등을 많이 가진 배우

145) 우타 하겐, 김윤철 옮김, 같은 책, 185쪽.

가 상황에 맞게 그것을 꺼내들 수 있는 여유이다. 간혹 배우들이 즉흥을 '애드리브'(ad libitum)와 혼동하여 순발력으로 치고 나가는 힘이라고 생각하는데 이것은 잘못된 생각이다. 애드리브는 대본을 배반하거나 대본과 상관없는 대사를 구사하는 것이다. 이것은 진정한 의미의 즉흥은 아니다. 물론 애드리브라고 하는 대사가 하나의 연기적 논리로 채택되어야 하는 마당극, 거리극 같은 장르도 있다. 이러한 연극에서는 순간순간 벌어지는 상황에 대해 배우가 현장을 장악해야 할 필요성이 대두된다. 여기에서의 애드리브는 즉흥이 아니라 하나의 연기 방법이고 사전에 몇 가지 상황에 대해 준비된 약속이다. 진정한 의미의 즉흥은 사전에 준비된 대사, 배우가 자신의 기분에 따라 던지는 대사가 아닌, 앙상블을 구축하는 즉흥이다. 체홉은 연극이라는 예술은 집단예술이고 따라서 아무리 재능 있는 배우라고 해도 스스로를 앙상블과 파트너들로부터 고립시킨다면 온전히 자신의 즉흥 실력을 발휘하지 못한다고 했다. 배우가 무엇인가를 창조하고자 하는 욕구는 애드리브가 아니라, 노력과 경험이 충분히 쌓일 때 저절로 우러나오는 자연스러운 힘, 바로 즉흥이다.

체홉은 즉흥의 연기방법에 대해서도 설명하고 있다. 즉흥을 할 때 다음 순간은 이전 순간의 논리적인 결과가 아닌 심리적인 결과로 이어간다. 이렇게 하다 보면 서로 완전히 다른 감각들, 감정들, 욕망, 기분, 내적 충동을 경험하게 된다. 배우 자신이 즉각적으로 발견한 것들이다. 그렇기 때문에 특히 배우의 자유로운 감각적 직관을 발견하는 것이 중요하다. 즉흥 연기를 하는 동안에는 모든 상황의 가능성을 열어두고 자신 안에서 새로운 즉흥 능력을 이끌어내는 즐거움을 느껴야 한다. 배우의 대사와 동작의 사이에는 훌륭한 심리적 전환을 만들어낼 수 있는 수많은 순간들이 있고, 진실하고 예술적인 창의력을 보여주는 배우 자신의 연기로 꾸밀 수 있다. 배역의 아주 미세한 특징까지 해석하면 즉흥의 범위가 넓어진다. 배우 자신처럼 연기하거나 낡고 진부한 해석에 안주하는 것을 거부하는 것부터 시작해야 한다. 자신의 배역을 뻔한 인물이라고 생각하는 선입견에서 벗어나 배역에 섬세한 성격구축작업을 한다면 이는 즉흥으로 가는 유용한 발걸음이 될 것이다. 무대 위에서 새로운 무엇인가를 계속 발견하며 변화의 기쁨을 느껴보지 못한 배우는 창조적인 즉흥의 진정한 의미를 알기 어렵다. 배우가 즉흥 능력을 계발하고 즉흥성을 끊임없이 샘솟게 하는 원천을 배우 자신 안에서 발견한다면, 지금까지 알지 못했던 연기의 자유를 즐기게 되고 내면의 풍부함을 느끼게 될 것이다.[146)]

체홉에 의하면 즉흥을 위해서는 특정한 심리와 행동에 안주하지 않고 변화를 촉발하는 내면의 목소리에 귀 기울여야 한다. 즉흥성이 주는 영감에 완전히 자유롭게 배우 자신을 내맡긴다면, 잠재의식이 그 누구도 심지어 배우 자신도 예상치 못한 것들을 제안할 것이다. 즉흥 연기를 할 때, 배우 자신이 부자연스럽고 진실성이 없다고 느낀다면, 이성을 사용했거나 필요 없는 대사를 했기 때문이다. 즉흥성을 가진 배우 자신의 직관에 완전히 의존해야 한다. 내면의 깊숙한 곳에 있는 창의적 개성이 만들어낸 내적 활동에 따라 계속적으로 일어나는 심리 즉 느낌들, 감정들, 소망 그 외의 충동들을 따라간다. 배우가 자신의 내면의 목소리에 따라 상상 속에 존재하는 결말로 갈 때, 배우는 방향을 잃고 끝도 없이 헤매지 않아도 된다. 배우 자신도 모르게 계속해서 새로운 세계로 이끌려가게 되고, 나중에는 즉흥이 행해지는 명확한 주위 환경을 상상할 수 있다. 관객의 위치를 정하고 비극

146) Michael Chekhov, *To The Actor*, 같은 책, 36쪽.

인지 정극인지, 희극인지 소극인지도 정할 수 있다. 이러한 과정을 통해 배우는 자유로운 즉흥 연기에 도달할 수 있다.

즉흥 훈련의 목표는 배우의 심리 또는 연기에 즉흥성을 갖도록 발전시키는 것이라고 본다. 즉흥을 위해 배우는 극중 인물이 이루려는 목적이 무엇인지 분명히 인식해야 한다. 목적이 확고한 즉흥 연기를 통해 배우는 상대 배우에게 자극을 줄 수 있고, 자극을 받은 배우가 그에 맞는 즉흥의 반응을 연기하여 좋은 결과가 나온다. 그렇게 함으로써 연극이라는 것이 결국 반복적인 즉흥의 연속이라는 확신과 자신감을 갖게 될 때, 배우는 주어진 어떤 상황에 대해서도 풍부한 영감과 직관으로 연기를 완성해낼 것이다. 모든 예술가들의 궁극적인 목표는 인간 자신을 자유롭고 완벽하게 표현해내는 것이고 즉흥은 그러한 예술가들의 노력에 의해 빛을 발하는 것이다.

11. 발산

'발산'(Radiation)은 감정, 사고, 성격, 느낌과 같이 눈에 보이지 않는 어떠한 배역의 실체나 본질들을 배우의 의지에 의해 외부로 퍼뜨리는 능력 또는 행위를 말한다. 배우는 보통 무대나 스크린 위에서 배역의 존재나 본질을 의도적으로 발산하는데 이것을 카리스마라고 한다. 연극이나 영화에서 배우의 카리스마는 전적으로 배우가 도달할 수 있는 보이지 않는 발산의 정도와 일치한다.

체홉의 연기방법인 발산은 슈타이너의 인지학 중 인간 그리스도론, 인간구원론과 관련이 깊다. 슈타이너는 인간과 그리스도는 하나이고, 인간이 정신세계 인식을 위한 수행을 통해 스스로 그리스도가 될 수 있다고 했다.

슈타이너는 예수와 그리스도를 분리하여 해석한다. 예수는 인간이고 그리스도는 고차적 정신이며, 예수라는 인격체는 고차적 정신을 인식하면 예수 그리스도가 된다는 것이다. 예수의 몸을 입은 그리스도가 되는 것인데, 여기서 그리스도는 정신이고 초감각적 실체이다. 인간 존재 개인이 절대적 존재인 예수 그리스도가 되는 것이다. 또한 슈타이너는 인간이 초감각적인 정신세계 인식을 통해 내면의 고차적 자아의 힘으로 스스로 구원에 이를 수 있다고 했다. 모든 인간은 내부에 고차적인 인간을 소유하고 있어서 인간이 고차적인 인식을 통해 그리스도를 만나고 스스로 구원에 도달할 수 있다고 했다. 구원의 주체는 인간이며, 그리스도는 단지 성찰을 위한 매개체일 뿐이라고 말했다. 슈타이너의 관심은 인간, 인간의 본질, 정신세계 인식, 절대적 정신에 향해져 있으므로 인간이 정신세계 인식을 통해 스스로 구원에 이를 수 있다는 인간구원론은 당연한 귀결이라고 할 수 있다. 인지학에서는 세상에 빛을 밝히는 이를 그리스도라고 한다. 평범하고 나약한 존재인 인간이 그리스도가 되면 '세상에 빛을 발산하는 인간'이 된다.

체홉의 발산은 인간본질론의 9중 구조인 에테르체와도 연관이 있다. 에테르체는 인간이 지상에 살아있는 동안에는 물질육체와 절대 분리되지 않는다. 에테르체는 일반적으로 인간의 리듬, 호흡, 영양, 온기 등과 연관된 것이다. 인지학에 의하면 에테르체는 신체보다 조금 더 크게 떠 있는데 그래서 후광처럼 아우라가 느껴지는 것이다.

체홉의 발산은 인지학의 12감각 중 영혼감각기관인 열감각과도 깊은 관련이 있다. 인간의 열감각은 태양의 속성을 지니는데 태양이 빛과 열에너지의 원천이기 때문이다. 인지학에 의하면 열은 따스함의 속성으로 인해 물질과 물질 간의 경계, 인간과 인간의 경계를 허물고 고립과 단절을 극복하는 기능을 지닌다. 그러나 열의 가장 핵심적인 성질은 인간으로 하여금 빛을 발산하게 하는 힘이다. 열을 통해 인간은 자신의 내적인 에너지, 즉 내적인 관심, 열정, 상상력, 창조력 등의 빛을 발산하여 주위 환경과 인간을 변화시킨다. 이러한 빛을 발산하는 열감각의 성질을 통해 인간은 불을 만들고 인류의 문명을 꽃피울 수 있었다는 것이 인지학의 설명이다.

이와 같이 체홉은 인간구원론, 인간 그리스도론, 9중 구조의 에테르체, 12감각 중 열감각 등에 공통적으로 나타나는 '세상에 빛을 발산하는 인간'의 개념을 통해 발산이라는 연기방법을 정립했다고 본다. 체홉은 배우의 가슴에 가상의 해 같은 중심을 두는 것을 이상적이고 창조적인 중심이라고 했다. 배우들은 이 가상의 중심이 내면의 움직임과 몸 안의 원천이라고 생각하고 이것을 몸 전체로 발산시키고 그 이상으로 더욱 확장시켜 배우가 원하는 만큼 큰 공간을 채우라고 했다.[147)]

페티는 체홉의 발산을 관객을 감동시키는 행위로 언급하고 있다.

> 연기, 감정, 행위 등의 내적인 배우의 작업은 관객을 감동시키기 위해 결국 밖으로 나와야 한다. 배우의 내면에 존재하는 것은 무엇이든지 에너지 파장으로 내보낼 수 있다. 발산은 영감을 받은 배우에게 수반되는 작용이다. 발산은 연기하는 배우에게 그리고 직접 관람하는 관객에게 기쁨을 선사한다. 발산은 신체 내부에 살아있는 것을 신체 외부로 내보내는 것이다. 발산은 실제로 관객에게 옮겨지기 때문에 관객을 감동시킨다.[148)]

체홉에 의하면 배우의 발산은 무대에 등장해서 시작하는 것이 아니다.

---

147) Mala Powers, 같은 책, 26쪽.

148) Lenard Petit, 같은 책, 21쪽.

그러면 집중을 깨트릴 수 있기 때문에 무대에 오르기 전에 이미 자신의 주위에 넓게 흐르는 기운을 가지고 무대에 등장해야 한다. 배우의 발산이 무대 공간을 점점 채우고 마침내 객석까지도 넓게 퍼져나가게 해야 한다. 하지만 배우의 발산이 무리하게 힘을 주거나 억지스러워 보여서는 안 된다. 체홉은 마치 어린아이가 자연스럽게 즐거운 일을 경험하는 것처럼 아주 일상적이고 즐거운 것처럼 발산하라고 했다. 배우는 발산을 통해 관객과 교감하게 된다. 발산을 통해 배우는 일상생활에서는 결코 경험하지 못했던 힘이 밀려드는 것을 느끼게 된다. 이 힘은 배우의 전 존재에 스며들어 주위로 발산되고 무대를 가득 채우며 흘러 넘쳐 관객에게 전달된다. 발산은 배우와 관객을 하나로 통일시키고 배우의 모든 창조적 의도, 생각, 이미지, 감정을 관객에게 전해준다. 이를 통해 관객은 무대 위의 평범한 배우를 존재감을 발산하는 배우로 새롭게 인식하게 된다.

체홉은 인지학의 빛을 발산하는 인간처럼, 무대 위에서 의심 없이 확신을 가지고 빛을 발산하여 무대 위의 모든 공간을 채워야 한다고 강조했다.

> 신체의 경계를 넘어 멀리까지 발산해보자. 주위의 모든 공간을 발산의 빛으로 채워보자.(사실 힘을 내보내는 것과 같은 원리이나 힘보다는 더 가벼운 성질이다) 주위의 공기가 빛으로 가득 찼다고 상상해라. 자신이 실제로 발산하고 있는지, 아니면 단지 발산한다고 상상만하는 것인지에 대한 의심으로 이 훈련이 방해 받아서는 안 된다. 정말로 발산의 빛을 보낸다는 확신을 가지고 상상한다면, 점차 그 상상이 진실하고 실제적인 발산의 과정으로 이끌어줄 것이다.[149]

149) Michael Chekhov, *To The Actor*, 같은 책, 12쪽.

체홉은 배우들이 무대에서 연기할 때 신체를 이용한 외부적인 표현수단에만 과도하게 의존한다고 했다. 배우들이 겉으로 보이는 표현수단만 사용한다는 것은, 자신들이 연기하는 인물들이 살아 있는 영혼을 가지고 있다는 것과 그 영혼이 강한 발산으로 확대되고 호소력을 지닌다는 것을 무시한다는 증거라고 했다. 배우가 발산 훈련을 하게 된 후에는 배우가 표현하는 인물들이 살아있는 내면의 존재라는 것을 인식하고 그것이 얼마나 중요한지 알게 될 것이라고 주장했다.

TV나 영화 등의 영상매체는 영상 및 음향 기술의 도움으로 관객에게 다양한 이미지를 전달할 수 있다. 그러나 관객 앞에서 생생하게 연기해야 하는 연극의 경우에는 배우의 연기의 힘으로 배우가 생각하고 느끼는 것을 전달해야 한다. 따라서 배우의 연기를 진실하게 전달하려면 배우 자신의 모든 에너지를 확장시킬 수 있도록 훈련해야 한다. 이 에너지는 배우의 존재감을 높여주고 작품 전체에 힘을 실어주며 관객에게 감동을 일으킨다. 에너지가 충만한 배우를 가리켜 카리스마 있는 배우 혹은 존재감 있는 배우라고 하는데, 이러한 에너지의 확장이 발산을 통해 가능하다.

체홉의 발산은 배우가 연기의 목적을 수행하기 위해 신체적 의지, 영혼적 감정, 정신적 사고 등을 배우의 호흡, 음성, 눈빛, 동작 등 연기의 형태로 발현하는 것이다. 그런데 배우가 무대 위에서 발산한다는 것이 보내기만 하는 것은 아니라고 본다. 보내고 또 받는 것, 즉 발산과 수용이다. 분위기와 마찬가지로 체홉의 발산과 수용도 배우들 사이에서뿐만 아니라 배우와 관객 사이의 연결을 가능하게 하는 중요한 연기방법이다. 배우의 연기는 발산과 수용의 끊임없는 연속이다. 배우는 시시각각 변화하는 무대 위에서 능동적으로 생동감 있게 발산하고 수용해야 한다는 체홉의 말처럼 배우는 극중 인물의 내면에서 발견한 분위기, 느낌, 인상, 감정, 구체적 상황이나 사건 등을 발산하고 상대 배우의 존재감, 행동, 대사 또는 관객의 공감을 수용하는 행위를 지속해야 한다. 배우가 언제 발산하고 또 언제 수용하는지는 연극 장면의 내용, 연출가의 지시, 배우의 자유로운 선택 또는 이 모든 것을 종합하여 배우 자신이 창의적으로 결정하는 것이다. 따라서 발산과 수용은 배우가 연극의 무대 위에서 상대 배우, 관객들과 끊임없이 교류하는 것을 의미한다. 배우들이 무대 위에서 끊임없이 발산하고 수용하면 이를 통해 연극의 앙상블이 고무되고 좋은 연극의 힘이 관객에게도 전달될 것이다.

12. 창조적 응시

무대 위에서 극중 인물을 연기하는 배우들은 예술적 영감이나 직관, 또는 상상력의 부재로 늘 고민한다. 그래서 그 방법을 찾기 위해 다양한 시도와 능동적인 노력들을 한다. 그런데 체홉은 오히려 영감, 직관, 상상력을 얻기 위해 '응시와 기다림'을 강조했고, 그것은 단순한 응시가 아니라 '창조적 응시'(Creative Gaze)이며, 막연한 기다림이 아닌 '적극적인 기다림'이라고 했다.

체홉의 창조적 응시는 인지학의 정관적 숙고(靜觀的 熟考)인 명상(冥想)에 토대를 둔 연기방법이다. 정관은 '정신적인 봄'을 뜻한다. 슈타이너는 정신적인 봄에 대해 다음과 같이 설명하고 있다.

> 어떤 색을 본다고 했을 때 그것은 정신적인 봄(응시)을 뜻한다. 정신적 인식이 '나는 붉은색을 본다'고 하는 것은, '나는 붉은 색의 인상을 받았을 때의 물리적 체험과 비슷한 체험을 영혼적 · 정신적인 것 속에서 한다'는 뜻

이다. 이 점을 깊게 생각하지 않는 사람은 색채의 환영과 진정한 정신적인 체험을 쉽게 혼동할 수 있다.[150]

인지학에 의하면 정관적 숙고인 명상은 주위 환경의 변화에 흔들리지 않고 조용하게 사물을 관찰하며 인간이 살고 있는 감각세계 속에 있는 불변의 본질, 이념을 정신적으로 바라보고 깊이 생각하는 것을 말한다. 순수하고 깊은 명상을 통해 조용히 인간 자신의 내면에 다가오는 대상을 응시하며 그대로 받아들이는 것이고, 대상이 나에게 말을 걸어 올 때까지 기다리는 것이다.

우리가 영원의 존재에 의혹의 눈을 돌리는 것은 그것을 체험하지 못했기 때문이다. 명상이란 자기존재의 영원불멸의 핵심을 인식하고 직관하기 위한 길이다. 명상을 통해서만이 이러한 직관을 가질 수 있다.[151]

정관적 숙고는 인간의 순수한 사고, 즉 정신적 사고에 방해가 되는 신체기관의 감각으로부터 자유로워야 가능하다. 화가가 그림을 그리기 이전에 이미 눈으로 감각한 사물의 모습에만 사로잡혀 있다면 창조적인 그림을 그릴 수 없는 것과 같은 이치이다. 인지학에 의하면 모든 사물은 원래의 모습이 존재한다. 사물의 물질적, 감각적 존재 형태는 원래의 모습에 대한 모상(模相)일 뿐이다. 그래서 명상은 인간이 자신의 전 신체 감각기관을 통해 지각한 대상의 외적 존재 형태에 몰입하는 것을 탈피하여, 그 대상의 영

150) 루돌프 슈타이너, 김경식 옮김, 같은 책, 143~144쪽.

151) 루돌프 슈타이너, 양억관, 타카하시 이와오 옮김, 『초감각적 세계 인식에 이르는 길: 영적 계발에 대한 이해와 통찰』, 같은 책, 42쪽.

혼과 정신적 본질을 바라볼 수 있을 때에만 비로소 가능하다. 외적 감각만을 믿는 사람은 이러한 영혼과 정신의 고차세계를 부정하게 된다. 인간이 눈, 코, 귀 등 감각기관에 의해서만 사물을 바라본다면 사물의 환영에 빠질 수 있고 정신적인 봄은 불가능하다. 인간이 사물의 모습을 초월하여 사물의 전체를 조망하고 그 본질을 통찰할 수 있는 능력을 확대할 때 인간의 정관적인 숙고가 가능해진다는 것이다.

인지학에 의하면 명상은 고차적 정신세계에 이르기 위한 수단이고, 인간의 정신적 능력을 육성하기 위한 수행적 실천이다. 인간은 명상을 통해 신체와 영혼을 정신과 결합시켜 고차적 세계의 인간으로 고양된다. 수술로 눈을 뜬 사람 앞에 세계가 새로운 색깔과 빛으로 나타나듯이, 명상을 통해 정신의 눈을 뜬 사람은 살아 움직이는 사고내용과 정신세계를 볼 수 있다.

슈타이너는 명상을 위해 '계속해서 가만히 바라보는 것'을 강조했고 그 속에서 깨달음을 얻을 수 있다고 했다. '가만히 바라보는' 것과 '계속'이 중요한 방법이다. 가만히 바라보는 것은 개인적인 의견이나 감정을 드러내지 않고, 주관적인 의견이나 감정을 사물에 투영하지 않는 것을 말한다. 조용한 바라보기를 통해 진실로 사물의 모습을 내면에 수용할 수 있는 사람만이 인지학이 말하는 고차적 정신세계에 도달하여 사물의 본질과 대화할 수 있다. 자신의 체험에 속박되어 거기에 머물러 있는 한, 인간은 본질적인 것과 비본질적인 것을 구분하지 못한다. 또한 명상은 계속해서 바라보는 인내가 필요하다. 인내심을 가지고 평정한 태도로 기다린 후 얻어지는 정신적 체험은 지속적이지만, 무리한 노력으로 한 번 생성된 체험은 쉽게 사라져버릴 수 있기 때문이다. 인간들은 장시간 동안 충분히 관찰할 수 없어서 명상을 중단하는 경우가 많다. 그러나 인내를 잃어서는 안 된다. 장시간의 노력이 있어야 사물과 대상에 담긴 본질이 인간의 영혼 속에 체험되고, 이러한 영혼의 체험들이 쌓이고 힘이 되어 대상을 정신적으로 바라볼 수 있는 정관적 숙고인 명상이 완성된다.

또한 슈타이너는 명상을 통해 사물 또는 대상이 인간에게 스스로 말하도록, 인간에게 말을 걸어오도록 해야 한다고 했다. 인간 중심의 사고에서 벗어나, 사물이 스스로를 말하게 해야 한다. 인간 자신에게 의미 있는 것이 아니라, 사물에게 의미 있는 것을 말하게 하는 것이다. 이와 같이 인간이 사물에 대해 이야기하지 말고 사물이 인간에게 말을 걸게 해야 한다고 하는 것은 인간 자신 속에서 어떤 사고 내용을 만들어내려는 움직임을 억제하고, 오로지 사물에 의해 사고 내용이 만들어질 때까지 조용히 기다려야 한다는 의미이다. 쉽게 말해 명상을 통해 대상에 대한 인식을 억지로 꾸며내거나 만들지 말고, 엄숙하게 그리고 참을성 있게 기다리며 대상이 인간에게 전해주는 인식을 기다려야 한다. 사물이 무엇을 말하려는지 인간 자신의 생각으로 결정하지 말고, 명상을 통해 사물이 스스로가 인간 내면에 전달해주는, 말하려고 하는 그것을 깨달아야 하는 것이다. 개인적인 의견이나 감정을 드러내지 않고, 조용한 명상을 통해 진실로 사물의 말을 내면에 수용할 수 있는 사람만이, 고차적인 존재들과 대화를 할 수 있다. 완전히 텅 빈 그릇이 되어야 한다. 나 자신의 내부에서 일어나는 판단이나 비판을 모두 잠재우는 순간만이 필요하다.[152] 배우가 배역으로 가는 것이 아니라 배역이 나에게 다가와 말을 하게 해야 한다는 의미이다.

체홉은 배우의 작업이 '꾸며내고 인위적으로 짜 맞추는 것이 아니라 기

---

152) 루돌프 슈타이너, 양억관 옮김, 『신지학 : 인간의 영적 본질에 대한 신성한 탐구』, 서울: 물병자리, 2016, 160쪽.

다리고 또 침묵하는 것'이라고 했는데, 다음 인용문에서 보면 앞에서 살펴본 인지학의 명상의 과정 및 방법과 거의 유사하다고 할 수 있다.

> 그들은 자신의 맡은 형상을 꾸며내고 억지 해석을 하며 성격을 날조하거나 역할에 주어진 텍스트와 만들어낸 제스처, 꾸며낸 표정을 가지고 인위적으로 짜 맞추려고 한다. 그들은 그것을 작업이라 부른다. 그렇다, 물론 그것은 작업이다, 아주 지난하고, 고통스럽고, 그렇지만 불필요한. 그러나 의미 있는 배우의 작업이란 것은 '작업하지 않으면서' 기다리고 또 침묵하는 것이다. 기다림과 침묵 속에 배우의 길로 가는 모든 어려움과 위험을 통과하여 마치 거대한 돌풍처럼 나를 이끌었다. 전체적 직감과 그에 대한 완전한 확신이 나를 강렬하게 잡았고 그 어떤 망설임도 없이 나는 그 순간 내가 온통 주의를 쏟고 있는 바를 수행하기 시작했다. 전체적인 것 그 자체로부터 세부적인 것들이 발생하기 시작했고 내 앞에 객관화되어 나타났다. 나는 한 번도 세부적인 것을 고안해 내지 않았으며 항상 그저 느낌, 스스로 발생하는 전체적 느낌의 관찰자가 되었을 뿐이다.[153]

체홉은 인지학의 명상에서처럼 창조적 응시를 통해 대상이 배우에게 말을 걸도록 해야 한다며, 만일 배우가 햄릿의 역할을 맡았다면 햄릿이 배우에게 오도록 해야 한다고 했다. 이 말은 인물구축에 있어서 배우가 배역을 의도적으로 만들어내는 것이 아니라, 상상 속의 배역이 배우에게 말하는 대로, 지시하는 대로 연기해야 한다는 의미로 이해된다. 즉, 연기의 주체인 배우가 배역인 객체를 통해 연기해야 하고 인물을 구축해야 한다는 것이다. 다음은 무롬스키 역할의 체홉이 인물을 구축하기 위해 고민한 내용을 담은 글이다.

---

153) 미하일 체호프, 이진아 옮김, 같은 책, 38~39쪽.

〈그림 16〉 무롬스키 역할의 체흡

나는 무롬스키의 이미지를 내 상상 속에서 깊이 생각하고 공연 연습기간 중 모방해 보았다. 나는 일반적으로 배우들이 하는 방식의 연기를 하지 않았다. 나는 무롬스키가 나를 위해 내 상상 속에서 연기하는 인물의 이미지를 모방했다. 내가 나의 무롬스키의 이미지를 깊이 생각하고 있을 때, 놀랍게도 나는 전체 모습 중에서 오직 그의 긴 회색 구레나룻만이 분명하게 보인다는 사실을 깨달았다. 나는 아직 그 구레나룻이 누구의 것인지 보지 못했기 때문에, 그것의 주인이 보일 때까지 참을성 있게 기다렸다. 시간이 조금 지나자 코와 머리카락, 그 다음에는 다리와 걸음걸이가 보였다. 그리고 마침내 얼굴 전체와 팔, 그리고 걸을 때마다 가볍게 흔들리는 머리의 위치가 나타났다. 이 모든 것을 나는 연습 중에 그대로 모방하면서도, 그 이미지가 나에게 와서 배역의 대사를 이야기하지 않는 것 때문에 괴로워했다. 나는 내 상상 속 이미지로서의 무롬스키가 말하는 것을 아직 듣지 못했던 것이다.[154]

154) Michael Chekhov, *The Path of The Actor*, 같은 책, 110~111쪽.

체홉은 위대한 예술가들도 최고의 예술을 창조하기 위해 인내심을 가지고 깨어 있는 응시를 했다고도 말했다. 레오나르도 다 빈치는 '최후의 만찬'을 그리기 위해 예수의 얼굴이 마음에 그려질 때까지 여러 해를 기다렸고, 괴테는 그의 작품들 중의 하나의 아이디어가 집필을 위해 무르익을 때까지 무려 40년 동안을 참고 기다렸다는 것이다.

체홉은 인지학에서 명상을 통해 고차원적 존재 즉 고차적 자아를 만나는 인식과 비슷하게, 특히 창조적 응시를 통해 떠오르는 무의식적 이미지들에 대해 강조했다. 잠을 잘 때 낮에 관심을 가졌거나 생각했던 일들이 꿈을 통해 선명한 이미지로 나타나거나, 처음 가본 장소에서 데자뷰처럼 이상한 경험이나 감정, 충동을 느끼기도 한다. 이 새로운 이미지나 장면, 체험들은 배우의 통제와는 상관없이 자유롭게 발전되고 변형된다. 이것은 창조적 응시를 통한 기억, 경험에만 의존하지 않는 초감각세계로의 확장, 창조적 충동의 확장을 의미한다. 인지학에서도 사물의 비밀을 체험하는 힘을 꿈이라고 하며 꿈을 통해 깨어있는 상태에서의 기억과 회상을 통해 새로운 창조를 위한 힘을 만들어낼 수 있다고 했다. 특히 자신의 내면에 깊이 몰입하는 정관적 명상과 결합된 예술 감각은 예술가의 능력을 발달시키는 최상의 전제이다. 예술 감각은 사물의 표면을 꿰뚫고 심오한 비밀에까지 이르게 된다.

슈타이너의 명상을 통한 고차적 자아 인식과 체홉의 창조적 응시를 통한 이미지 인식은 많은 전문가들이나 예술가들이 체험하는 것이지만 일반적이지 않아 무시되는 경우도 많다.[155] 슈타이너는 이러한 초감각적 경험

155) 본 저자가 참여하고 있는 '인지학 연구모임'의 구성원들은 발도르프학교의 선생님, 인지학자, 오이리트미스트, 한의사, 동양철학 교수, 연극학과 교수, 정신과 의사, 하버드대학교 출신의 명상가 등 다양한 분야의 전문가나 예술가들로 구성되어 있다. 이들은 명상을 통해

을 통해 세계가 자신에게 열어준 사물이나 현상, 사건들의 본질을 되새겨 보는 것이라고 했다. 체홉도 창조적 응시를 씨앗에 비유하며 씨앗은 그 속에 식물의 미래 전체를 지니고 있는데 창조적 응시는 그것을 발견해내는 것이라고 했다.

체홉은 강렬하고 창조적인 응시를 통해 작품과 인물의 이미지가 완성된다고 했다. 체홉의 창조적 응시를 통한 인물을 구축하는 방법을 정리하면 다음과 같다.

① 극 전체가 익숙해질 때까지 여러 번 대본을 읽는다.
② 각 장면마다 그 안에 있는 배역을 상상하며 자신의 배역에만 집중한다.
③ 가장 관심이 끌리는 순간들—상황, 행동, 대사—에 대해 생각한다.
④ 배역의 외면뿐 아니라 내면이 보일 때까지 계속 숙고한다.
⑤ 그것이 자신의 감정을 깨울 때까지 기다린다.
⑥ 배역이 말하는 것을 듣도록 노력한다.
⑦ 작가가 묘사한 배역을 보거나, 분장과 의상을 입고 배역을 연기하는 배우 자신을 바라본다.

체홉의 창조적 응시의 과정은 '인물의 내면을 바라본다, 느낌을 깨울 때까지 기다린다, 인물이 말하는 것을 듣는다'와 같이 슈타이너의 명상의 과정과 유사하다. 체홉은 공식적인 작업이 시작될 때도 창조적 응시를 위한 연습을 계속해야 한다고 하며, 연습을 통해 얻게 된 것들을 상상 안에 넣고 다시 자신의 연기를 되짚으라고 했다. 구체적인 상상을 통한 후 그것

아우라, 이미지, 음악, 단어 등 다양한 초감각적 경험을 했다고 말한다. 예를 들어 건물을 지으려고 하던 회원이 명상 수련 중에 글자가 보여 그것을 조합해보니 건축가의 이름이었고 그 사람과 연결하여 작업했다는 경험도 있다.

을 발전시키고 실제로 해보는 방법을 취하라고 강조했다.

슈타이너의 명상과 체홉의 창조적 응시는 사물이나 대상에 대한 깊고 올바른 이해를 강조하는 것이다. 특히 체홉의 창조적 응시는 배역에 대한 심도 있는 고민과 파악, 인위적이고 가식적인 연기의 위험성, 배우 자신이 아닌 배역 중심의 연기를 강조하는 것이라고 볼 수 있다. 무대 위에서 연기를 하는 배우에게 창조적 응시를 위해 오랜 시간을 기다리라고 하는 것이 현실성이 없는 측면도 있다. 그러나 체홉의 창조적 응시는 연기에 대한 조급성 때문에 배역에 대한 고민과 인물구축의 창조적 시간을 갖지 못하는 배우들에게는 큰 도움이 될 수 있을 것이다.

13. 이미지 통합과 상상

체홉의 '이미지 통합과 상상'(Incorporation and Imagination)은 체홉의 연기론에서 다른 연기방법들과 다양하게 연결되는 개념이다. 그러나 체홉은 이미지 통합과 상상에 대해 명확한 개념을 정의하고 있지 않다. 본 저자는 체홉의 이미지 통합과 상상의 개념을 보다 정확히 이해하기 위해 그 개념 또는 기능에 대해 심리학적인 관점과 인지학적인 관점에서 먼저 살펴본다.

일반적으로 과학이 지적 사유능력에 의해 이론을 구체화한다면, 예술은 예술가의 상상에 의해 작품을 구체화한다고 말한다. 사전적 의미의 '상상'은 일어나지 않은 일이나 존재하지 않은 대상을 머릿속에 그려보거나 만들어내는 마음의 작용을 의미한다.

심리학에서는 인간이 인지할 수 있는 세계의 범위는 무한하다고 한다. 인간은 물질적 차원의 세계를 감각적으로 지각할 뿐 아니라 비가시적이고 비감각적 차원의 세계도 새롭게 구성하여 인지할 수 있는데, 물질적 차원의 세계를 뛰어넘는 가상의 세계에 대한 경험은 상상을 통해 이루어진다. 인간은 상상을 통해 인간의 경험을 무한히 확장할 수 있는 것이다. 이러한 심리학에서의 상상은 1차적인 통합과 2차적인 창조의 2단계 과정 또는 기능을 통해 형성된다. 먼저 1차 통합의 단계에 대해 살펴보면, 인간은 기본적으로 체험하지 않은 것을 만들어낼 수는 없다. 인간이 어떤 새로운 것을 창조한다고 할 때 이미 그것은 인간의 경험 속에 포함된 기존 인식과 사물에 대한 평가, 이미지에 의존하게 된다. 따라서 상상도 단순히 존재하지 않는 새로운 것을 만드는 기능만을 의미하지 않는다. 상상은 인간의 체험의 다양한 요소들 예를 들어 감각, 정서, 의미, 이미지 등을 통합하는 기능을 통해 시작된다. 그런 다음에는 이러한 통합된 재료 및 이미지 등에 예술가의 독창성, 이념, 가치 등 정신적 작용과 사고를 첨가해 기존에 존재하지 않는 새로운 세계를 구체적으로 표현하는 2차 창조 기능이 수반된다. 이러한 통합과 창조의 2단계 과정을 통해 상상은 완성된다. 따라서 심리학에 의하면 이미지 통합은 상상의 1차적 기능이다.

상상에 대한 심리학적 설명을 근거로 정리하면, 상상은 인간이 사물에 대한 감각과정에서 체험한 감정, 정서, 의미 등 다양한 인식과 평가 요소들을 통합하고 여기에 창조적 가치, 예술적 이념 등을 포함하는 정신적 작용과 사고를 통해 새로운 것을 창조해내는 행위이다. 상상은 감각을 통해 현실에서 체험하는 것과 정신적으로 사고하는 것을 연결시켜 주는 장치이다. 상상은 영감이나 직관처럼 인간의 체험을 새롭게 하고 그러한 체험들을 종합적으로 구성해 인간이 현실에서 보지 못한 예술을 새롭게 창조하거나 완성하게 하는 것이다.

이러한 심리학적 상상의 정의와 기능을 배우의 연기에 대입해보면 연기는 배우의 감각, 경험, 감정, 이미지 등을 통합하여 창조적 가치, 예술적 이념, 배우의 독창성 등을 포함하는 정신적 작용과 사고를 통해 극중 인물을 새롭게 창조하는 행위이다. 배우는 상상에 의해 배역을 창조하고 그 창조된 배역 또는 연기는 관객들에게 새로운 상상을 불러일으키는 도구가 되기도 한다. 체홉의 연기 테크닉에서의 이미지 통합과 상상도 이러한 심리학적 상상의 2단계 개념을 전제로 하면 이해하기 쉬울 듯하다. 특히 체홉이 이미지 통합과 상상을 함께 붙어 다니는 개념으로 설명하는데 이것도 심리학적 상상의 2단계 개념과 유사하다고 본다. 한편 상상은 상상의 과정 또는 행위에 중점을 둔 용어이고, 상상력은 상상을 하는 능력 또는 그 재능을 의미한다.

슈타이너에 있어서 상상은 초감각적 고차세계의 인식을 위한 정신의 영역으로서 중요한 위치를 차지하며, 정신의 실재를 증명할 수 있는 근거가 되는 개념이다. 슈타이너는 상상을 인간본질의 3중 구조와 영혼의 작용에 따라 환상(Phantasie), 일상적 상상(Gewöhnliche Imagination), 형상적 상상(Bildliche Imagination)의 3단계로 구분하고 있다.[156] 환상은 인간의 삶의 무의식 속에서 발생하는 의지적 · 신체적 상상이고, 일상적 상상은 시각과 청각과 같은 감각세계의 지각과 영혼의 공감을 통해 얻어지는 감각적 · 영혼적 상상을 말하며, 형상적 상상은 감각의 세계를 완전히 배제한 상태에서 순수한 명상과 관조를 통해 사물이나 대상의 본질이 발현되는 고차적 · 정신적 상상을 의미한다. 즉, 환상과 일상적 상상은 무의식과 감각을 통해 얻

156) 최숙연, 「루돌프 슈타이너의 상상력과 그 유아교육적 의미 탐구」, 세종대학교 박사학위 논문, 2010, 68쪽. 외국어 표기는 원문에 따랐다.

어지는 체험적 상상이며, 형상적 상상은 인간의 사고와 정신을 통해 얻어지는 창조적 상상이다. 슈타이너는 특히 앞에서 언급한 상상의 2단계 개념과 유사한 내용을 이미지를 만들어내는 상상의 과정으로 설명하고 있다. 그에 의하면 명상을 통해 인간이 물질세계로부터 해방되어 초감각 세계를 인식하게 되면 그림을 보는 듯한 정신적 체험이 가능해지고 이미지를 통한 인식이 가능해진다고 말했다.

> 정신의 활동은 명상을 통해 물질적 유기체로부터 해방된다. 그렇게 되면 영혼은 초감각적인 방법으로 초감각적인 것을 체험한다. 이제 영혼적 체험은 더 이상 물질적 유기체 안이 아니라 에테르 유기체 안에서 이루어진다. 이때 상상은 그림을 보는 듯한 성격이 된다. 이런 상상에서는 여러 힘의 상이 우리 앞에 나타난다. 이 여러 힘은 초감각적인 것에서 나와서 유기체에 생장의 원동력으로 주어지는 동시에 섭생 과정을 지배하는 규칙에도 영향을 미치는 바로 그 힘들이다. 이것이 생명력에 대한 진정한 이해의 단계, 이미지를 통한 인식의 단계이다.[157]

이러한 상상의 개념과 기능을 전제로 하여 살펴보면, 체홉의 '이미지 통합과 상상'은 인지학의 대상의 내면을 보는 '정신의 눈'과 깊은 관련이 있다. 인지학에서는 정신의 눈을 '제3의 눈'이라고도 한다. 체홉도 슈타이너의 상상의 개념을 수용하여 이것을 창조적 상상을 위한 '마음의 눈'(mind's eye)이라고 표현했다.

인지학에 따르면 인간의 겉모습을 관찰하는 것만으로는 그 인간의 내

157) 루돌프 슈타이너 전집발간위원회 옮김, 『철학 · 우주론 · 종교: 인지학에서 바라보는 세 영역』, 경기: 푸른씨앗, 2018, 23쪽.

면의 성격을 알아내는 것이 불가능하듯이, 인간과 관련된 모든 물질세계는 육체의 감각만으로는 이해할 수 없다. 잘 이해되지 않던 어떤 사람의 초상화가 그 사람과 친해졌을 때 다시 보면 잘 이해되듯이 물질세계는 그 대상의 영혼적 · 정신적 근거, 즉 본질을 알았을 때 비로소 진정으로 이해할 수 있게 된다. 그리고 이러한 물질세계의 존재의 본질을 지각하기 위해서는 '정신의 눈'이 필요하다. 눈으로 색깔을 인식하듯이, 존재의 본질을 인식하려면 정신의 눈이 있어야 하는 것이다. 시각은 물질세계를 인식하는 물질감각이고 정신의 눈은 정신세계를 인식하는 정신감각이다. 인간의 눈이 물체의 형태를 감각하는 기관으로 육체 속에서 성장하듯이, 인간은 영혼과 정신세계를 지각하는 기관인 정신의 눈을 육성할 수 있다. 정신의 눈을 육성하기 위해서는 고차적 정신세계를 인식하기 위한 인간의 수양과 노력이 필요하다. 시각은 인간 자신이 노력하지 않아도 저절로 물질세계를 인식할 수 있도록 육성되지만, 고차적 정신감각인 정신의 눈은 인간 스스로 노력하지 않으면 얻을 수 없다. 인지학에서는 인간이 정신의 눈을 갖게 되면 타인의 감각, 타인의 자아도 인식할 수 있다고 한다. 정신의 눈이 열린 사람에게는 타인의 내면이 마치 외적 현상처럼, 정신적 풍경으로 눈앞에 선명히 펼쳐진다.

인지학의 대상의 내면을 보는 정신의 눈은 12감각 중 열감각과 관련이 깊다. 인간의 열감각기관은 원래 머리 위에 있었다고 하는데 이것을 '제3의 눈'이라고 했다. 이 제3의 눈은 명칭과는 달리 보는 기능과는 무관한데, 도마뱀과 같은 파충류는 아직도 이 기관을 소유하고 있다. 도마뱀의 머리에 원시적인 눈의 형태를 하고 있는 작은 구멍을 볼 수 있는데, 이 구멍을 통해 도마뱀은 적외선을 감지한다. 원시시대의 인간도 파충류와 같이 사냥과 거주에 적합한 장소를 찾아내는데 머리 위에 달린 이 제3의 눈을 사용했다. 인간에게 있어서 제3의 눈은 자기보존을 위한 도구였지만, 진화와 더불어 점차 퇴화했다. 외형적으로 인간에게 있어서 퇴화한 최초의 눈, 제3의 눈이 송과체(松果體, pineal body)라는 신체기관으로 현재까지 남아있다. 인지학에서는 이 송과체를 열과 빛을 감지하는 기관이며 모든 감각작용에 근원적인 힘으로 영향을 미치고 있다고 한다. 인간의 송과체는 솔방울 모양의 작은 신체기관으로 간뇌에 약간 돌출되어 붙어있고, 수면호르몬인 멜라토닌(melatonin)의 생성과 분비를 제어하여 수면과 생체리듬을 관리하는 역할을 한다. 송과체는 안구를 통해 들어오는 빛으로 밤낮의 일조시간을 감지하여 생체리듬 호르몬과 생식기 호르몬을 조절한다. 학습능력과 기억능력을 향상시키며 상상력, 영감, 지혜, 창조력 등을 강화시킨다고 한다. 눈을 가리고도 앞을 보는 초능력자들은 송과체를 통해 빛을 감지하는 능력이 뛰어난 것으로 여겨지며, 육감 또는 제3의 눈이 있다고 표현한다. 인도 불교사상에 나오는 제3의 눈은 세속에 찌들지 않은 근본적인 '마음의 눈'이라 해석하며 신성시 여겨진다. 불상의 이마에 또 하나의 눈으로 장식되고 있는 것이 바로 제3의 눈인 '정신의 눈'이다.

유럽에서도 예전부터 송과체는 정신적이고 영적인 대상이었다. 이집트 신화에 나오는 풍요와 부활의 신 오시리스(Osiris) 지팡이와 히포크라테스의 스승인 애스큘라피우스(Aesculapious)의 지팡이 끝에는 솔방울이 새겨져 있다. 바티칸에는 송과체 정원(솔방울 정원, The Court of The Pine Cone)이 있으며 교황의 지팡이에도 새겨져 있다. 근대 철학의 아버지 데카르트는 송과체를 마음과 정신이 만나는 기관, 영혼이 머무는 작은 집으로 묘사했다. 현대에는 알츠하이머병을 연구하다가 면역체계와 관련된 송과체의 중요성이 연구되기 시작했다. 요가, 명상의 호흡법을 통해 송과체가 자극되면 멜라토닌이 증가된다고 한다. 요가, 명상에서 심호흡을 강조하는 이유이다.

〈그림 17〉 바티칸박물관 전면에 있는 송과체상

이러한 인지학의 '정신의 눈'과 '송과체'에 대한 설명은 인간이 사물의 겉모습에만 얽매이지 말고 대상의 본질을 파악하기 위해 노력해야 한다는 것을 강조하기 위한 것으로 이해된다. 슈타이너는 상상이 인간의 내면에 잠들어 있는 감정과 사고를 각성시키고 육성하여 영혼과 정신세계를 인식하게 하는 것이라고 했다. 인간은 눈에 보이는 물질세계에 몰두하는 데에만 익숙해 있다. 영혼세계와 정신세계는 인간의 시야와 개념들에서 벗어나 있다. 그렇기 때문에 인간 속에서 영혼적, 정신적 힘들이 계발되어도, 그것을 금방 알아채지 못할 수도 있다. 그것은 결국 인간이 신체와 영혼과 정신을 항상 지니고 있지만, 보통 몸만을 분명하게 의식하고 있을 뿐 영혼과 정신에 관해서는 집중하지 못했다는 사실에서 기인한다. 따라서 상상은 인간이 보통 자기 몸을 의식하듯이 영혼과 정신을 의식하게 하는 힘이다. 슈타이너는 보잘 것 없는 식물의 작은 씨앗을 마음속에 생생하게 떠올려 그 미래를 구성하는 것이 상상이라고 했다.

체홉의 이미지 통합과 상상도 인지학의 대상의 내면을 보는 정신의 눈에 근원을 두고 있다. 체홉은 배우는 이미지 또는 인물의 내면을 파악하는 '마음의 눈'을 가져야 한다고 하며, 마음의 눈을 통해 배우의 과거와 기억 등을 이미지로 형상화하는 과정을 설명했다.

> 눈을 감고 조용히 앉는다. 하루 동안 만난 사람들의 얼굴, 목소리, 행동, 성격, 유머러스한 특징들을 되새겨본다. 그리고 상상 속에서 천천히 과거의 영상들을 떠올린다. 잊어버렸거나 불완전하게 기억된 소망, 공상, 삶의 목표, 성공과 실패가 사진들처럼 마음속에 나타난다. 지나간 하루의 기억과는 다른 것들이다. 그 기억들을 다시 돌이켜보면 조금 달라져 보인다. 관심과 집중을 더욱 기울여 마음의 눈으로 따라가 본다. 그 기억들에는 상상의 흔적이 더해져서 원래의 기억들과 다르게 된다. 더 많은 일이 일어난다. 과거의 영상에서 여기 저기 모르는 이미지들이 튀어나온다! 창조적 상상의 순수한 결과물들이다. 나타나고 사라지며 다시 돌아오고 새로운 사람들을 데려온다. 곧 이미지들은 서로 관계를 형상한다. 이미지들의 대화에 끼어든다. 이제 이미지들과 함께 있다. 원하는 행동을 한다. 수동적인 마음의 상태에서 그 이미지들로 인해 창조적인 사람이 된 것이다. 이것이 상상의 힘이다.[158]

체홉은 과거의 창조적인 예술가들처럼 배우들은 이미지를 보는 상상의 힘에 대해 잘 알아야 한다고도 했다.

---

158) Michael Chekhov, *To The Actor*, 같은 책, 21~22쪽.

"난 언제나 이미지들에 둘러싸여 있다."라고 막스 라인하르트가 말했다. 디킨스는 매일 아침 올리버 트위스트가 나타나길 기다리며 서재에 앉아 있었다고 했다. 괴테는 영감의 이미지들이 '우리가 왔다!'라고 외치며 자발적으로 나타나는 것을 관찰했다. 라파엘은 그의 방 안에서 어떤 이미지가 지나가는 것을 보았는데 바로 그의 작품인 성모상이었다. 미켈란젤로는 이미지들이 그를 쫓아다니며 자신들을 그대로 바위에 조각하라고 강요하는 것에 절망하여 소리쳤다.[159]

체홉에 의하면 훈련을 통해 상상력을 더욱 강화시킬수록 이미지를 마음의 눈으로 보는 감각이 배우의 내면에 더 빨리 생겨난다고 했다. 마음의 눈으로 보는 이미지들은 배우가 일상생활에서 만나는 사람들처럼 그들 각각의 심리를 가지고 있다. 일상생활에서는 사람들의 외면만 보고, 사람들의 표정, 움직임, 제스처, 목소리, 말투 등의 뒤에 숨겨진 것을 보지 못함으로써 사람들의 내면을 잘못 판단할 수 있다. 그러나 창조적 이미지들은 그 이미지들이 가진 내면이 잘 보이게 열려 있어서 그들의 모든 감성, 감정, 열정, 생각, 목표, 내적 욕망이 잘 드러난다. 이것은 심리학의 통합과 창조의 2단계 상상의 개념과 유사하고 또한 사물의 본질을 파악하는 인지학의 '정신의 눈'의 개념과도 일치한다.

체홉은 배역의 내면을 보기 위해 마음의 눈으로 사물을 보아야 하고 이를 통해 연기에 필요한 중요한 표현 수단을 얻게 될 수 있다고 강조했다. 여러 번 주의 깊게 그 이미지를 들여다볼수록, 인물을 연기하는 데에 필요한 내면의 사고, 감정, 의지 등이 더 빨리 깨어난다고 했다. 체홉은 이미지들의 내적 심리를 보게 되는 법을 터득하면 그 느낌들이 자신의 내면에서

---

159) 위의 책, 22쪽.

힘들일 필요 없이 저절로 나오게 되며, 이것은 상상이 주는 가장 가치 있고 중요한 기능 중 하나라고 했다. 인물이 가진 내면을 보고 경험하면 무대에서 사용할 수 있는 더 새롭고, 독창적이며, 정확하고, 알맞은 외적 표현 수단을 얻게 된다는 것이다. 체계적인 훈련을 통해 상상력이 더 유연해지고 민첩해지면, 이미지들이 더 빠르게 끊임없이 나올 것이라고 했다. 또한 체홉은 배우가 관객들에게 연극의 목표를 잘 전달할 수 있도록 연극의 첫 장면에서부터 마지막 순간까지 전체 연극 위를 상상 속에서 날아다녀야 한다고 말했다. 연기란 숨겨진 의도, 희미한 충동, 비밀스러운 욕망과 같이 눈에 보이지 않는 것들을 마치 보이는 것처럼 구체적으로 관객에게 표현하고 전달하는 방법이기 때문이다.

체홉은 상상을 위해 집중을 강조했다. 마음의 눈으로 창조적 이미지를 볼 수 있는 것은 바로 집중의 힘이라고 했다. 배우가 이미지를 붙잡고 고정시키기 위해서는 주의를 고도로 집중하는 능력이 필요하다. 집중을 잘하는 배우는 관객에게 강렬한 인상을 남긴다. 눈으로 볼 수 있는 대상과 볼 수 없는 대상 사이의 강력한 집중의 유대를 유지할 수 있을 때 배우는 좀 더 진정한 상상력의 본질을 이해할 수 있게 된다. 체홉은 집중을 통해 상상으로 얻어지는 캐릭터의 사례를 제시한다.

> 나는 언젠가 어느 배우의 오셀로 연기를 보았다. 전체 연기도 훌륭했지만, 가장 인상적인 것은 그의 걸음이었다. 걸음을 통해 오셀로의 의지의 모든 미스터리를 관객에게 드러냈다. 나는 그가 어떻게 이러한 놀라운 결과를 얻어냈는지, 일상생활에서는 어떻게 걷는지 알고 싶었다. 그는 이 걸음을 처음에는 상상 속에서 발견했고 공을 들여 완성했다고 말했다. 오셀로의 걸음과 조금이라도 닮았다고 여겨지는 여러 사람들의 걸음을 연구했고 이

를 통해 특별한 '눈'이 생겼다고 했다.[160)]

마음의 눈과 상상을 강조한 체홉의 다양한 언급들은 단순히 배역의 텍스트를 읽고 분석하여 이미지를 떠올리는 것이 아니라 텍스트 너머 보이지 않는 그 배역의 본질에까지 도달해야 한다는 배우의 자세를 강조하고 있는 것이다. 배우는 육체의 눈 보다는 마음의 눈을 이용하여 여러 차례 대본을 읽어야 한다. 연극의 배경, 사건, 배역을 상상한다. 배역의 대사와 음성을 듣고, 배역의 감정을 눈으로 보고, 배역의 욕망에 마음속으로 따른다. 분위기의 상호작용 속에 살며, 미래 관객의 반응을 흥분 속에 기대하고 그들과 하나가 되길 희망한다. 이때 비로소 대본의 연극은 배우의 연극이 되기 시작한다.

체홉의 마음의 눈에 대한 언급을 정리하면, 마음의 눈은 배우 자신의 과거의 기억, 떠오르는 이미지들에 상상을 가미해 새로운 창조적 이미지를 만들어내게 하고, 이 이미지들이 서로 새로운 관계를 형성하고 통합하여 극중 인물을 구축하게 한다. 또한 마음의 눈은 배역이 무대 위에서 연기하는 것을 배우가 상상할 수 있게 한다. 배역의 연기를 마음의 눈으로 보고 관찰하는 동안 그 배역의 목적이 무엇인지 파악할 수 있고 배우가 이 상상을 연기로 표현할 수도 있다. 따라서 체홉의 마음의 눈은 이미지를 만들어내고 이를 통합하여 창조적으로 인물을 구축하는 이미지 통합과 상상을 의미하는 것이다. 결국 배우는 배역의 내면을 마음의 눈으로 찾아내야 하고, 이미지 통합과 상상으로 그 찾아낸 배역의 내면을 무대 위에서 표현하는 역할을 하는 것이다. 그런데 체홉은 연극의 전 과정에서 배우는 마음의 눈

---

160) Michael Chekhov, *On The Technique of Acting*, 같은 책, 54쪽.

으로 장소, 사건, 대사, 극중 인물을 바라보고 파악해야 한다고도 했다. 이렇게 보면 체홉이 강조하는 마음의 눈은 좁은 의미로는 이미지 통합과 상상을 의미하지만, 넓은 의미로는 연극의 전 과정에 있어서 연극을 대하는 배우의 자세를 의미하는 중요한 개념이라고도 할 수 있다.

체홉의 이미지 통합과 상상은 배우가 마음의 눈으로 배역과 만나는 수단이며, 배역을 창조하는 방법이라고 본다. 배우는 이미지 통합과 상상을 통해 다양한 극중 인물을 창조해낼 수 있다. 배우가 연기해야 하는 극중 인물은 무수히 많다. 그런데 배우의 경험과 기억은 극중 인물에 비해 많지 않다. 따라서 배우의 제한된 경험과 기억을 토대로 한 이미지 생성과 통합 그리고 상상을 통해 무한하게 극중 인물을 창조할 수 있는 것이다. 특히 배우가 만들어낸 이미지와 상상은 배우의 통제와는 상관없이 스스로 발전되고 변형된다고 한다.

체홉은 무의식의 기능을 강조하며 이미지 통합과 상상을 잠 또는 꿈과 연관시켜 설명하기를 좋아했다. 그는 꿈은 무의식 속에서 일상과는 다른 새로운 체험을 가능하게 하는 수단이라고 했다. 배우가 자신의 꿈을 기억하고 꿈속의 분위기, 무드, 감정에 대해 생각하고 그 꿈이 자신에게 나타난 방식에 관심을 갖는다면 연기의 감각과 상상력을 키울 수 있다고 했다. 체홉은 꿈에 본 다양한 인상들을 일지에 기록해둔다면 이것은 나중에 유용하게 쓰일 연극의 재료가 될 것이라고 했다. 체홉에게 있어 꿈은 배우의 이미지 통합과 상상을 확장할 수 있는 도구가 된다. 연극에 많은 관심을 가졌던 슈타이너도 배우가 자신의 꿈과 함께 살고, 꿈속의 이미지들을 잘 기억하고, 꿈을 마음의 눈으로 보고 영혼과 정신의 영역에 잘 보관하도록 훈련한다면, 그러한 배우는 무대 위에서 좀 더 나은 예술적 성과를 얻을 수 있다고 했다.

체홉은 이미지 통합과 상상을 위한 기초적인 연기훈련도 제시했는데, 본 저자가 현실에 맞게 새로운 내용으로 각색했다.

◎ 딱딱한 나무의자나 푹신한 소파, 귀여운 고양이와 사나운 강아지처럼 배우가 일상생활에서 볼 수 있는 대조되는 사물이나 동물을 사람으로 의인화하여 그 외모, 성격, 특징을 구체적으로 형상화한다. 딱딱한 나무의자는 완고한 성격에 마른 체격의 아저씨, 푹신한 소파는 무덤덤한 성격에 뚱뚱한 아줌마를 떠올릴 수 있다.

◎ 배우가 일상생활에서 만난 사람들 가령 길에서 지나치는 오토바이 배달부, 커피숍에서 혼자 앉아 있는 여자, 버스 뒷좌석에서 졸고 있는 아저씨 등을 관찰한 후 그의 과거, 현재, 미래의 삶을 묘사해본다. 상상력을 최대한 발휘해서 다양한 스토리로 전개시키되 그러한 묘사를 하게 된 합리적 근거를 그 사람의 외모, 의상, 태도 등에서 찾아야 한다.

◎ 20개 정도의 단어를 적은 카드를 만든다. 2개 또는 3개 정도의 카드를 선택한 배우는 그 단어를 가지고 즉흥적으로 이야기를 만들어 즉흥극을 실시한다. 예를 들어 '할머니', '사자'라는 두 개의 단어가 선택되면 할머니가 사자를 만나 겪게 되는 위험한 상황을 스토리로 만들 수 있다. 그러나 이처럼 상투적이고 평범한 스토리를 피하고 '사자를 미치도록 짝사랑하는 할머니', '할머니와의 격투 끝에 피투성이가 된 사자' 등과 같이 다소 파격적이며 충격적인 이미지를 떠올리는 것이 상상력을 자극하기에 보다 효과적이다.

체홉은 의식적으로 더 많은 시간과 노력을 들여 이미지 통합과 상상의 테크닉을 발전시킨다면 자신도 모르게 무의식적으로 상상이 이루어지는 날이 올 것이며, 굳이 생각하려 하지 않아도 저절로 인물들이 구축될 것이라고 말했다. 체홉은 이미지 통합과 상상을 이용하면 배우의 연기 작업이 용이해지고, 배우의 작업을 방해했던 장애물들이 사라질 것이라고 했다.

페티는 체홉의 상상에 대해 인간의 가장 신성하고 능동적인 재능이라고 보았다. 상상은 배우가 예술가로서 시작할 때 처음 만나게 되는 중요한 관문이며, 배우가 노력을 계속한다면, 배우의 연기 테크닉을 상상에 연결하는 방법을 발견하게 될 수 있다고 했다. 그는 체홉의 이미지 통합과 상상은 체홉의 연기론의 중심이라고 말하며, 배우에게 그의 개성을 뛰어넘는 연기 테크닉의 자유를 허락하고 지속적으로 확장되는 연기의 힘을 창조할 수 있도록 이끌어준다고 강조했다.[161] 페티는 특히 체홉의 마음의 눈(mind's eye)과 유사한 '새로운 눈'(new eyes)이라는 훈련을 제시했다. 이 훈련은 앞을 보는 정상적인 눈 외에 어깨뼈 위에 뒤를 보는 새로운 눈이 있다고 상상하여 그것을 통해 눈으로 볼 수 없는 뒤 공간을 파악하고 인식하는 훈련이다. 페티는 이 새로운 눈을 통해 배우가 뒷걸음질을 해도 벽에 부딪히기 전에 멈출 수 있다고 했는데, 이 훈련은 결국 상상과 마음의 눈을 통해 배우 연기의 장애물을 없애고 눈에 보이지 않는 것들을 마음의 눈으로 파악해내야 한다는 체홉의 견해와 일치한다.

상상 및 마음의 눈과 관련하여, 메이어 홀드는 예술작품은 오직 상상 속에서만 가능하므로 예술가는 끊임없이 상상을 자극하고 촉진하고 각성해야 한다고 했다. 그는 상상은 예술의 필수조건이며 기본법칙이라고 말했다. 미국의 연극 · 영화 무대장치가인 로버트 에드먼드 존스(Robert Edmond Jones, 1877~1954)는 인간에게는 사물을 관찰하기 위한 외적인 눈과 사물을 이해하기 위한 내적인 눈이 있는데, 배우의 상상을 위해서는 이 내적인 눈

---

161) Lenard Petit, 같은 책, 18~20쪽.

이 필요하다고 했다.

이러한 상상에 대한 인지학의 이론과 체홉의 설명을 종합하면, 체홉의 상상은 다른 연출가나 액팅 코치들이 말하는 상상과 차이를 갖는다. 체홉의 상상에는 신체, 영혼, 정신이 포함되어 있다. 일상의 무의식 속에서 발현되는 의지적 환상(신체), 감각세계에서 지각되는 것과 영혼의 공감을 통해 얻어지는 일상적 상상(영혼), 그리고 감각세계를 넘어서서 명상과 관조를 통해 그 대상의 본질을 파악할 수 있는 형상적 상상(정신)이 그것이다. 이 상상을 체홉은 꿈에 비유했다. 신체는 자고 있지만, 영혼은 꿈꾸고 있으며 정신은 깨어있다는 것이다. 이를 통해 배우와 배역의 영혼과의 정신적 교감이 가능하게 하고 배우가 그 배역을 창조적으로 구축해낼 수 있게 만드는 힘이다. 배우가 배역과 영혼적, 정신적으로 교감하여 하나 되는 것이 체홉이 이야기하는 이미지 통합과 상상이다.

이미지 통합과 상상은 배우 자신의 제한된 창의성과 연기의 한계를 극복하게 하고, 연기에 있어서의 배우의 배역 표현력과 가능성을 증가시킬 수 있는 연기방법이다. 연극을 포함한 모든 예술작품은 풍부한 이미지 통합을 포함하는 상상을 통해 완성된다. 배우는 연기를 위해 끊임없이 상상을 불러일으켜야 하고 그 상상력을 통해 극중 인물을 창조적으로 구축해내야 한다.

14. 고스트

체홉의 '고스트'(Ghost)는 인지학의 카르마와 윤회에 토대를 둔 연기방법이다. 고스트는 배우가 극중 인물의 '유령'이 되어 그 배역의 과거와 미래를 만나고 그것을 토대로 작가의 대본을 뛰어넘어 인물을 구축하는 연기 방법이다. 고스트가 인지학의 카르마와 윤회 개념을 이용한 연기방법이라는 면에서 문지방 넘기와 유사하다고 볼 수 있다. 그러나 문지방 넘기가 고차적 자아를 만나는 방법으로 배우 자신에 대한 발견, 감각의 확장이라는 측면이 강조되는 반면에 고스트는 배우가 아닌 가상의 세계 속의 배역의 과거와 미래를 발견함으로써 창조적으로 인물을 구축해내는 방법이라는 점에서 차이가 난다.

배우가 상상을 통해 배우 또는 배역의 과거와 미래의 삶을 경험한다는 방식의 훈련방법은 문지방 넘기, 고스트처럼 체홉의 연기론에서 자주 등장한다. 허친슨은 체홉의 이러한 연기방법은 배우들이 실제 삶의 사건을 체험하지 않음으로 인해 발생하는 연기의 약점과 위험을 보강하는 안전한 공간과 선택의 기회를 배우에게 제공할 것이라고 강조했다.

체홉의 고스트를 이해하기 위해 먼저 인지학과 불교에서의 카르마와 윤회의 정의 및 개념에 관하여 간단히 살펴본다.

카르마는 불교와 힌두교를 포함한 인도의 종교와 철학에 있어 윤회와 더불어 핵심이 되는 사상이다. 카르마는 '일' 또는 '운명'을 뜻하는 산스크리트어 karman을 어원으로 하며 '업(業)'으로 번역된다. 불교에서는 업을 언어로 짓는 행위인 구업(口業), 마음 또는 생각으로 짓는 행위인 의업(意業), 육체로 짓는 행위인 신업(身業) 등 3업(三業)으로 구분한다. 이를 근거로 정의하면 카르마는 인간이 말, 생각, 행동으로 지은 선악의 소행과 그 전생의 소행으로 말미암아 현생에 받는 응보를 의미한다. 인간의 현생의 삶은 전생에서 행했던 말, 생각, 행동의 결과이고 현생의 말, 생각, 행동은 역시 미래의 운명에 영향을 미치게 된다. 인간은 태어나는 즉시 이러한 카르마의 연속선상에 있게 되며 죽을 때까지 계속되고 죽고 나서도 결코 끝나지 않는다. 왜냐하면 인간의 카르마에는 인간이 회피할 수 없는 책임이 따르기 때문이다. 인간은 말, 생각, 행동을 선택할 수 있는 삶의 상황에서 스스로 선택했고 그 선택으로 인해 인간의 삶이 결정된 것이므로 카르마는 그러한 인간의 선택에 대한 책임이다. 또한 카르마는 인간의 삶의 차이를 설명하는 데 도움이 된다. 비슷한 상황에서 살아온 사람들의 삶의 결과가 판이하게 다르거나 착한 사람이 고통을 받고 악한 사람들이 성공하는 것은, 과거의 행위가 현재의 삶에도 영향을 미쳐 결과를 낳는 것이라고 설명할 수 있기 때문이다. 이러한 의미에서 카르마는 인간과 세계의 질서를 지배하는 법칙이다. 카르마를 신봉하는 동양 종교들의 궁극적 목표는 종교적 수행을 실천함으로써 카르마의 순환 고리를 끊고 자유로워지는 것이다.

윤회(輪廻)는 생명이 있는 것이 죽은 뒤 그 카르마에 따라 여섯 가지의 세상(六道)에 번갈아 태어나고 죽어가며 생사를 반복하는 것이다. 이것이 육도윤회(六道輪廻)이고 흔히 줄여서 윤회라고 한다. 삶과 죽음을 반복하는 윤회는 결국 고통이므로 영원히 윤회에서 벗어나는 열반이나 극락의 왕생을 보다 중요시했다.

카르마와 윤회에 대해 슈타이너는 인간본질의 3중 구조에 의거하여 다음과 같이 정의했다.

> 인간은 탄생과 죽음을 초월하고 있는 요인에 세 가지 방식으로 의존하고 있다. 신체는 유전법칙에 따른다. 영혼은 스스로 만들어낸 운명에 따른다. 인간에 의해 만들어진 이 운명을 카르마라고 한다. 그리고 정신은 윤회전생의 법칙에 따른다. 그러므로 신체, 영혼, 정신의 관계를 다음과 같이 말할 수 있다. 정신은 멸하지 않는다. 탄생과 죽음은 물질계의 법칙에 따라

> 신체를 지배하고 있다. 운명에 따르는 영혼의 행위는 이 세상에 태어나는 한 이 양자에게 관련성을 부여한다. 인간의 본질에 대해, 더 이상의 인식을 얻으려면 인간에 속해 있는 '세 가지 세계' 그 자체를 알아야 한다.[162]

또한 슈타이너는 인간의 의지나 목적 없는 행위의 결과인 카르마에 대해 '잠'을 비유하여 설명하고 있다.

> 잠이 죽음의 적절한 비유가 될 수 있는 것은 잠 속의 인간이 운명의 무대에서 벗어나 있기 때문이다. 잠을 잘 때도 이 운명의 무대에서는 사건이 진행되어 간다. 잠시 동안 우리는 그 진행에 어떤 영향을 끼칠 수 없다. 그럼에도 불구하고 내일의 우리 생활은 어제의 행위의 결과에 의존하고 있다. 우리의 인격은 우리의 행위 세계 속에서 실제로 아침이 될 때마다 새로운 육체에 깃든다. 잠들어 있을 동안 우리를 떠나 있던 것들이 아침이 되면 다시 우리에게로 돌아온다. 전생의 행위들에 대해서도 똑같은 말을 할 수 있다.[163]

슈타이너의 카르마와 윤회에 대한 설명을 토대로 정리하면, 인간의 삶은 인간본질론의 3중 구조에 근거한 카르마와 윤회에 의해 결정된다. 인간의 신체는 유전 법칙에 따른다. 인간의 탄생과 죽음은 물질세계의 자연법칙에 따라 진행된다. 영혼은 인간이 스스로 선택해 만들어낸 운명에 따른다. 이 운명이 바로 인간 자신에 의해 만들어진 카르마이다. 운명에 따르는 영혼의 행위는 이 세상에 다시 태어나는 한 신체와 정신에 영향을 미친

---

162) 루돌프 슈타이너, 양억관, 타카하시 이와오 옮김, 『신지학: 초감각적 세계의 인식과 인간 본질에 대한 고찰』, 같은 책, 78쪽.

163) 위의 책, 76쪽.

다. 그리고 정신은 윤회 법칙에 따른다. 정신은 소멸하지 않고 거듭 태어나기를 반복한다. 슈타이너는 전생과 현생 사이의 인과성은 철저한 자연법칙이며 현생의 인간의 삶은 카르마에 의해 결정되고 정신은 소멸하지 않고 윤회하며 새로운 육체에 깃들어 인간의 삶을 좌우한다고 한다. 특히 슈타이너는 카르마 법칙을 피드백 효과로 규정했다. 인간은 자신의 행동을 통해 결과의 원인을 초래하며, 이는 옮겨진 시간 속에서 동일한 인간인 자신에게 되돌아간다는 것이다.[164)]

이와 같이 슈타이너는 카르마, 윤회 등을 통해 인간 존재와 본질에 대한 심오한 통찰을 하였는데 이는 유년시절과 청소년기부터 이미 정신세계에 대한 경험을 하고 정신세계의 실재에 대해 일찌감치 눈을 떴기 때문이라고 본다. 슈타이너는 아홉 살 되던 해에 자살한 먼 친척의 육체를 떠난 영혼과 조우했다고 한다.

> 슈타이너는 일곱 살 때 처음으로 겪은, 깜짝 놀랄 만큼 신비스런 경험을 이렇게 회상한다. "이모님이 참담하게 돌아가셨다(자살). 그녀는 우리와 멀리 떨어져 있어서 부모님은 아직 그 소식을 받지 못했을 때였다. 역 대합실에 앉아 있는데, 문득 이 사건 전체의 광경이 내 눈앞에 나타났다. 부모님께 이에 대해 몇 가지 암시를 했지만, '넌 참 바보 같구나' 하고 말씀하실 뿐이었다." 소년은 가족 가운데 누구에게도 그와 같은 이야기를 할 수 없었다. 멍청한 미신이라는 혹독한 비난을 듣게 될 것이 뻔하기 때문이었다.[165)]

이러한 경험으로 슈타이너는 일찍부터 사후세계에 대한 관심을 가졌으

164) 강상희, 『발도르프 교육학의 기초 인지학 연구』, 같은 논문, 140~141쪽.

165) 크리스토프 린덴베르크, 이정희 옮김, 『슈타이너』, 경기: 한길사, 1998, 17~18쪽.

며, 동양사상의 카르마, 윤회사상을 믿게 되었다고 본다. 특히 슈타이너는 체홉의 고스트 훈련과 유사한 죽은 사람의 이미지를 현실로 받아들이는 체험에 대해 언급하고 있다.

> 만일 우리가 살아 있는 사람을 응시하는 것과 똑같이 죽은 사람이 남긴 모든 것인 상을 응시하는 것이 의미하는 바를 이해할 수만 있다면, 우리는 아스트랄체와 자아의 해방을 체험할 것이다. 우리는 다음과 같은 경험을 하거나 혹은 충격을 받게 될 것이다. 처음에, 우리는 이미 죽은 사람이 아직 곁에 있는 것처럼 생생한 기억을 갖고 있다. 우리는 깨어있는 의식 속에서 죽은 사람의 상(이미지)을 그에 대한 사랑과 연결했음을 알고 있다. 우리가 내적 힘을 발달시키고 나면, 그때 충격이 찾아온다. 죽은 사람이 완전한 현실로 존재한다.[166)]

또한 슈타이너는 인간의 사고 형성을 위한 훈련 방법을 제시하고 있는데 이 훈련이 체홉의 고스트 훈련과 동일한 방법으로 진행된다는 점을 발견할 수 있다.

> 여러분이 아주 특정한 사건을, 아주 특정한 사실을 마주 대한다고 가정해 보자. 그 사실을 관찰한다. 어떤 사람이 이러저러한 일을 한다. 그것을 충실하게 파악한다. 그리고 다음의 사고내용을 만들어 본다. '그 일이 오늘 일어났다. 그 사실에 근거해서, 오늘 그 일이 일어날 수 있었던 조건으로서 어제 일어났을 법한 것에 대한 표상을 만들어 보겠다. 달리 말하자면 개념 속에서 사실을 과거로 연장해 보겠다.' 그 다음에 실제로 어떠했는지를 조사해 본다. 그런 연습을 함으로써 차츰차츰 특정한 시점에 이르기까

166) 루돌프 슈타이너, 조준영 옮김, 『인지학이란 무엇인가』, 경기: 섬돌출판사, 2009, 141~142쪽.

> 지 원인을 과거로 추적해서 구축할 수 있다는 사실을 알게 된다. 그러면 자신의 사고가 실재에 부합하는지를 사실에서 알아본다. 어느 정도 시간이 지난 후에는 사실 자체에서 이끌어 내어서 사고를 하고, 올바른 조건을 맞출 수 있는 방향으로 그 연습들이 이끌어 간다는 점을 알아차릴 수 있다. 이 연습들은 상상할 수 없을 정도로 효과가 있다. 그런데 연습을 하면서 유의해야 할 사항이 있다. 특정한 양식에서 그런 연습은 사욕이 없이 실천되어야 한다. 그렇지 않으면 효과가 없다.[167]

앞에서 살펴본 바와 같이 체홉의 고스트는 인지학의 영향을 받은 것으로, 배우가 인물을 구축할 때 극중 인물의 유령이 되어 대본 속의 과거와 미래에 들어가서 극중 인물과 조우하는 연기방법이다. 이것은 대본에 존재하지 않는 극중 인물의 전생, 죽음, 후생에 이르는 인물구축의 시간적, 공간적 확장이며, 공연 연습 과정은 물론 무대 위의 연기에도 적용시킬 수 있다. 배우가 극작가를 넘어설 수 있다는 체홉의 말을 체험하는 순간이 된다. 체홉의 고스트는 체홉이 슈타이너와 유사한 경험들을 했기에 가능했으리라고 본다. 슈타이너가 자살한 먼 친척의 육체를 떠난 영혼과 조우했던 것처럼 체홉도 정신분열증을 알았을 때 멀리 떨어져 있는 곳의 대화를 들을 수 있었고 또 볼 수 있었다고 한다. 환시나 분리의식을 자주 경험했으므로 고스트라는 연기방법이 착안됐을 것이라고 본다.

장성식의 저서에 의하면 배우로서의 체홉은 천재적 재능이 있어 자신이 상상한 창조적 이미지를 자유롭게 연기할 수 있었다고 하지만 일반 배우들에게는 결코 쉬운 일이 아니었다. 그래서 체홉 스튜디오 배우들은 인

167) 루돌프 슈타이너, 최혜경 옮김, 『사고의 실용적인 형성: 인지학 입문서』, 서울: 밝은누리, 2010, 116~118쪽.

물구축을 위한 효과적인 훈련방법을 요청했고, 체홉은 제자들을 위해 고스트 훈련을 창안해냈다고 한다.[168)]

체홉의 고스트 훈련은 '통로' 설정을 통해 시작된다. 통로는 인지학으로 설명하면 물질세계와 영혼·정신의 세계를 구분하는 '문지방'이며, 인간을 카르마와 윤회의 세계로 인도하는 '고차적 인식의 길'이다. 이 통로를 통해 배우는 극중 인물의 고스트를 발견하게 된다. 배우는 고스트가 되어 가상의 통로를 따라가며 배역의 과거나 미래를 만나고, 그 배역의 최고 좋은 사건과 최악의 사건 등을 상상하게 된다. 그래서 고스트 훈련을 통로 훈련이라고도 한다. 고스트 훈련은 특히 배우들의 직관, 상상, 영감이 많이 요구되는 훈련이다. 왜냐하면 통로는 극중 인물의 가상의 세계 또는 무의식의 세계로 들어가 극중 인물의 상상의 삶, 운명, 카르마를 만나보는 것이기 때문이다. 이 훈련을 통해 배우들은 대본을 통해 알지 못한 극중 인물에 대한 생각, 특징, 전기, 이미지, 사건들을 만나게 된다. 배우는 이것들을 토대로 대본에 기록되지 않은, 대본을 뛰어넘는 극중 인물을 창조적으로 구축할 수 있게 된다. 고스트 훈련에 있어 주의할 점은 특정한 의도 속에 일부러 극중 인물을 만들려고 해서는 안 되며, 훈련 속의 고스트는 배우가 아닌 극중 인물이어야 한다는 것이다.

체홉의 고스트 훈련 과정은 다음과 같다.[169)]

① 극중 인물인 '나'의 과거, 현재, 미래를 볼 수 있는 가상의 통로를 상상한다. 이 통로에서 나의 고스트가 누구인지 발견한다.

---

168) 장성식, 『투비 오어 낫투비』, 서울: 온크미디어, 2017, 207쪽.

169) 고스트 훈련은 장성식의 저서(『투비 오어 낫투비』, 서울: 온크미디어, 2017, 207~208쪽)와 한국 미하일체홉스튜디오의 워크숍 훈련 과정을 참고하여 정리한 것이다.

② 극중 인물의 제스처를 하고 극중 인물의 의상을 입고 고스트가 된다.
③ 극중 인물의 고스트로서 가상의 문 앞에 선다. 이 문을 열면 나의 과거로 가는 통로가 나온다. 통로를 지나가는데 양 옆에 과거의 이미지들이 있다. 생각지도 못했던 인물의 사진이 있을 수도 있고, 내 어릴 적의 사진, 기억에 남는 사진, 잊었던 기억이 떠오르는 사진이 있을 수도 있다. 통로를 지나면 여러 가지 과거의 일들이 떠오른다. 어릴 때는 어떤 삶을 살았는지, 불과 1년 전에는 어땠는지, 아버지가 돌아가시기 전에는 어땠는지, 나에게 아이가 있었는지, 지우고 싶었던 기억이 있는지, 내 인생을 바꿔놓을 만한 사건이 있었는지 관찰하고 경험한다.
④ 통로의 제일 끝으로 가면 또 하나의 문이 있다. 굉장히 익숙한 문이다. 내 어린 시절의 방문이다. 문을 열고 들어가 그 방의 냄새가 어떤지, 분위기는 어떤지, 내가 좋아하던 것은 무엇이었는지, 갖고 놀던 물건이 있었는지, 내가 잊고 있던 물건이 있는지 찾아보고 만져보며 체험한다.
⑤ 다시 과거의 이미지들을 보면서 과거의 통로를 지나 원래 문 앞으로 돌아온다. 문을 열고 나온다.
⑥ 내 뒤에 새로운 문이 있다. 이 문은 나의 최악의 미래를 보는 문이다. 내가 원하는 걸 얻지 못하는 가장 최악의 미래다. 문을 열고 통로에 있는 이미지들을 본다. 나에게 일어나는 최악의 일들을 본다. 한 이미지에 오래 머무르지 말고 계속 이미지들을 본다. 감정적으로 너무 빠지지 말고 문을 빠져 나와 닫는다.
⑦ 바로 옆에 밝은 새로운 문이 있다. 이 문은 내가 원하는 걸 이루었을 때의 미래의 문이다. 최고로 좋은 미래이다. 문을 열고 들어가 통로에 있는 이미지들을 본다. 천천히 이미지들을 훑어보면서 나온다.

고스트 훈련에 대해 배우들은 대본에 없는 극중 인물의 삶과 운명을 만났다거나, 배우가 생각해왔던 극중 인물에 대한 인식이 완전히 뒤바뀌는 경험을 했다고 말했다. 실제로 배역의 최고의 행복한 사건과 최악의 사건도 대본을 통해 예상했던 것과는 전혀 달랐다고 했다. 대본으로는 알 수 없었던 인물의 과거와 미래, 배역들 간의 관계들을 새롭게 발견했다고 한다. 고스트 훈련으로 얻어진 극중 인물의 과거와 미래에 대한 상상, 이미지 등의 연기 재료들을 통해 보다 창조적인 인물구축이 가능할 것이다.

허친슨은 체홉의 고스트를 '타임머신'(time machine)이라는 훈련방법으로 발전시켜 설명하고 있다. 이 훈련방법은 배우가 상상을 통해 배역의 5년 전, 10년 전의 과거나 5년 후, 10년 후의 미래로 찾아가 희망했던 3가지, 성공, 상실 등과 같은 삶의 모습들을 관찰하고 경험함으로써 연극 속의 인물을 구축하는 방법이다. 허친슨의 타임머신은 고스트의 개념을 더욱 선명히 보여주는 용어라고 생각한다.

고스트를 실제 연극에 적용해보면, 배우가 연기하는 장면에 등장하지는 않지만 배우의 연기에 있어 구체적 자극과 충동을 주고받을 수 있게 등장시키는 가상의 인물이라고 할 수 있다. 예를 들어 살인자가 죄책감에 힘들어하는 장면이 있다고 했을 때 그 살인자에게 살해당한 인물을 고스트로 등장시켜 연습하는 것이다.

본 저자는 고스트 훈련을 통해 느낀 배우들의 배역에 대한 새로운 감정과 인식들은 갑자기 생겨난 것은 아니라고 본다. 그것은 배우들의 배역에 대한 분석과 고민의 시간에 비례하는 것이다. 배우의 배역에 대한 탐구가 연극의 재료가 되어 무의식적으로 잠재되어 있다가 고스트 훈련을 통해 형상화된 것이며, 무의식 속의 상상의 확장을 가져온 것이다.

이상으로 제4장에서는 체홉의 생애와 연기론의 배경, 체홉의 연기방법 중 영감, 문지방 넘기, 고차적 자아, 심리제스처, 가상의 신체, 중심, three sisters, 분위기, 발산, 창조적 응시, 이미지통합과 상상, 고스트 등에 대해 슈타이너의 인지학과의 연관성을 중심으로 살펴보았다. 본 저자는 이러한 고찰을 통해 체흡의 연기론이 슈타이너의 인지학의 인식론, 인간본질론, 인간본질의 3중 구조이론, 9중 구조이론, 12감각론, 윤회론, 인간구원론 등 다양한 인지학의 개념들과 이론을 수용하여 정립 또는 발전시킨 결과임을 확인했다.

제4장

인지학을 수용한 체홉의 배우의 상像

본 저자는 체홉의 연기론이 기본적으로 배우에 의한, 배우를 위한 연기를 지향한다고 본다. 체홉의 연기론 자체가 영감, 직관, 상상력, 고차적 자아, 심리제스처 등과 같이 배우 자신의 내적인 이미지나 심리 형성을 중심으로 하는 연기훈련체계이기 때문이다. 멜 고든(Mel gordon, 1947~2018)은 이러한 점을 다른 연출가의 연기론과 비교해 서술하고 있다.

> 체홉은 스타니슬라브스키와 박탄코프의 연기방법론이 기본적으로 연출자의 산물이지 배우가 만들어낸 것이 아니라고 느꼈다. 따라서 이들의 가르침은 체홉에게 아주 귀중하게 생각되는 연기의 상상력과 직관이 상실되었다고 느꼈다.[170]

170) Mel Gordon, *The Stanislavsky Technique*, New York: Applause Theatre & Cinema Books, 1987, 117~118쪽.

본 저서에서 이미 살펴본 바와 같이 체홉은 배우가 작가의 대본에만 머물거나 연출이 지시한 동작을 실행하는 것으로 배우 자신을 규정하지 말라고 하며 주체적이고 독립적인 배우가 되길 원했다. 이러한 체홉의 배우를 위한 연기론은 체홉이 오랫동안 배우로서 활동했다는 사실과 슈타이너의 인지학과 인간본질론을 수용한 결과에 기인한다고 본다.

인지학을 수용해 배우 중심의 연기론을 완성한 체홉이 추구한 배우의 상을 본 저자는 다음 〈표 9〉과 같이 구분해보았다. 전인(全人)으로서의 배우, 고차적 정신세계를 인식하는 배우, 배역의 본질을 투시하는 배우는 본 저서에서 이미 고찰한 슈타이너의 인지학에 근원을 둔 배우의 상이라고 판단한다. 미래연극을 이끄는 창조적인 배우는 다른 연극학자나 연출가들도 제시했지만, 특히 체홉이 더욱 강조한 배우의 상이라고 여겨진다. 이러한 체홉이 추구한 배우의 상은 체홉의 연기론에서 발견되는 배우의 지향이자 연극의 본질 또는 연극의 이념이라고 할 수 있다.

<table>
<tr><th>구분</th><th>체홉이 추구한 배우의 상</th></tr>
<tr><td rowspan="3">인지학의 영향을 받은 배우의 상</td><td>전인으로서의 배우
- 심리와 신체가 조화롭게 연결된 배우
- 집중과 관찰을 통해 감각과 인식이 확장된 배우</td></tr>
<tr><td>고차적 정신세계를 인식하는 배우</td></tr>
<tr><td>배역의 본질을 투시하는 배우</td></tr>
<tr><td>일반적인 배우의 상</td><td>미래연극을 이끄는 창조적인 배우
- 창조적 개성을 지닌 배우
- 객관적인 연기 테크닉을 갖는 배우
- 관객의 마음을 볼 수 있는 배우
- 예술적 미학을 담는 이상적인 배우</td></tr>
</table>

〈표 9〉 체홉이 추구한 배우의 상[171)]

본 장에서는 이러한 구분을 토대로 인지학의 영향을 받은 체홉이 추구한 이상적인 배우의 상에 대해 살펴보고자 한다. 체홉이 추구한 배우의 연기, 체홉이 추구한 배우가 되기 위한 조건들에 대해서도 함께 고찰한다.

일반적인 배우의 상인 미래연극을 이끄는 창조적인 배우에 관하여는 인지학적 요소나 영향을 발견할 수는 있으나 한편으로는 일반적으로 연극학이나 공연예술에서도 다루어지는 주제이기도 하다. 따라서 인지학을 수용한 배우의 상이라고 단언할 수는 없으므로 본 저서에서는 생략한다.

1. 전인(全人)으로서의 배우

인지학을 수용한 체홉의 연기론에서 추구한 첫 번째 배우의 상은 '전인(全人)으로서의 배우'이다. 인간본질론의 인간의 3중 구조에서 살펴보았듯이 전인이란 신체, 영혼, 정신이 균형 있게 통합된 이상적 인간을 말한다. 신체, 영혼, 정신이 완벽하게 조화된 총체적 자아를 찾는 것이 인지학의 목표이고, 체홉이 배우에게 요구했던 이상적인 배우의 상 또한 이러한 통합적 인간으로서의 배우라고 본다. 전인으로서의 배우가 되기 위해서는 신체와 심리가 조화롭게 연결된 배우, 집중과 관찰을 통해 감각과 인식이 확장된 배우가 되어야 한다.

171) 체홉이 추구한 배우의 상은 본 저서에서 살펴본 인지학을 수용한 체홉의 연기방법과 훈련과제들, 체홉의 저서, 제자 및 후학들의 저서를 참고하여 본 저자가 구분한 용어 및 개념이다. 체홉이 이러한 용어 및 개념을 직접적으로 사용하여 자신이 추구한 배우의 상을 제시한 것은 아니다.

1) 신체와 심리가 조화롭게 연결된 배우

'신체와 심리가 조화롭게 연결된 배우'는 오이리트미, four brothers, 심리제스처, 가상의 신체, 중심, 감각기억 등의 연기방법과 훈련과제에서 공통적으로 발견되는 배우의 상이다.

인지학에서 인간의 본질을 신체, 영혼, 정신의 3중 구조로 구분했던 것처럼 체홉도 연극은 신체, 영혼, 정신을 가지고 있다고 설명했고, 무대 위에 만들어진 연극 예술의 이념은 정신이라고 말했다. 체홉은 인지학에서 말하는 영혼의 작용인 three sisters를 원용하여 배우의 영혼은 사고, 감정, 의지 이 세 가지로 이뤄진다고도 말했다. 레오나르도 다 빈치의 말을 인용하여 '영혼은 신체와 함께 살고 싶어 한다. 신체의 구성요소들이 없다면 영혼은 움직일 수도 느낄 수도 없기 때문이다.'라고 했다. 배우는 신체, 영혼을 매개로 하여 강렬하고 잊지 못할 예술작품을 만들어낸다고도 언급했다.

또한 체홉은 슈타이너의 오이리트미에 관한 설명을 이용하여 인간의 신체를 영혼의 세 가지 작용인 사고, 감정, 의지로 설명하고 있다. 그에 의하면 인간의 머리는 사고의 영역이다. 그 둥근 형태는 소우주로서 우주를 반영한다. 머리는 신체를 관장하고 신체의 끝에 달려 있다. 가슴, 팔, 손은 감정의 영역이다. 가장 자유로운 기관으로 창조적인 작업이 가능하고 인간의 내적인 삶을 외부로 표현하는 수단이다. 다리와 발은 의지의 영역이다. 인간의 사고와 감정에 따라 공간 속에서 신체를 움직이는 의지적 기능과 표현을 담당하는데, 그것이 인간의 특성과 개성이 된다.

이와 같이 체홉의 연기론에는 신체와 영혼에 관한 개념이나 이론이 많은데, 이미 앞에서 살펴본 인지학을 토대로 체홉의 연기론에 있어서의 신체와 심리의 개념과 관계를 밝혀본다.

먼저 신체는 인간의 물질육체 자체이고 배우의 행위이다. 심리의 사전적 의미는 마음의 작용과 의식의 상태로 인간의 영혼 즉, 배역이 가진 내면의 사고, 감정, 의지이다. 배우는 신체의 행위를 이용해 배역의 사고, 감정, 의지인 영혼을 표현하고 이를 통해 연극의 이상과 가치인 정신을 관객에게 전달하는 것이다. 따라서 신체와 심리가 연결된 배우라고 하면 신체와 영혼이 연결된 배우이며 이것은 배우의 신체와 배역의 심리가 분리되지 않고 조화롭게 연결, 통합되어야 함을 강조한 것이라고 볼 수 있다.

이와 같이 인간의 신체는 심리의 작용에 의하고 심리는 영혼의 작용인 사고, 감정, 의지라고 할 수 있으나 체홉은 심리의 내용인 사고, 감정, 의지에 대해 비유적으로만 설명하고 있다.

슈타이너에 따르면 의지는 인간의 삶에 있어 실현될 수 있는 가능성을 내포한 씨앗이다. 인간은 삶 속에서 실현되지 않은 의지를 씨앗의 형태로 지니고 살아가게 된다. 인간본질론의 9중 구조에 의하면 아스트랄체에 이르러 의지의 씨앗은 본능(instinct), 충동(impulse), 욕망(desire)이 된다. 욕망은 충동보다 영혼적인 특성을 더 많이 갖는다. 인간의 자아에 의해 의지는 또 다른 형태를 띠게 된다. 자아가 지배적인 상태의 의지를 보통 동기(motive)라고 부른다. 동기를 불러일으키는 소망(wish), 의도(intention), 결의(resolution) 등도 의지의 작용이라고 볼 수 있다. 동물도 본능, 충동, 욕망은 있지만 자아를 가지고 있지 않아서 동기라는 표현은 사용하지 않는다. 이러한 아스트랄적 의지인 본능, 충동, 욕망도 자아를 통해 영혼의 영역의 시작인 감각혼으로 한 단계 발전한다.

슈타이너는 감정이라는 영혼 활동을 공감(sympathy)과 반감(antipathy)으로 구분한다. 감정의 세계는 공감과 반감의 상호간의 끊임없는 수축과 이

완을 통해 형성된다. 공감은 타인의 말, 의견, 주장, 행동 등에 동의하여 그렇다고 느끼는 것을 말하고 반감은 그것에 대해 불쾌해하거나 반발하여 적대시 하는 것을 말한다. 이러한 기본적인 공감과 반감은 인간의 상황, 인식, 가치관 등과 결합되어 다양한 감정을 생산해내고 인간의 사회와 역사를 만들어가는 중요한 원동력이 될 수 있다. 공감과 반감은 사고와 의지 안에서 잠재적 형태로 존재하므로, 감정은 의지 및 사고와도 관련되어 있다. 인간은 찬성하고 인정하는 공감을 통해 의지를 만들어내고 반대하고 분석하는 반감을 통해 사고를 만들어낸다고 한다. 슈타이너는 반감의 과정을 통해 개념이 축적되면 기억(memory)이 되고 공감이 승화되면 정신 영역의 상상력(imagination)을 창출한다고 했다.

슈타이너는 사고에 대해 결론(conclusion), 판단(judgement), 개념(concept)의 세 가지로 요소로 설명한다. 사고 작용은 결론, 판단, 개념의 순서이다. 일반적으로 인간은 형식논리학적 삼단논법에 의거하여 개념을 먼저 정의하고 판단을 하며 마지막에 결론을 정한다. 그러나 슈타이너는 인간이 사물을 보자마자 개념을 갖는 것이 아니라고 한다. 사물에 관해 자각하고 그것을 인간이 가지고 있던 경험을 통해 결론을 내리는 일이 우선이라는 것이다. 그 결론에 따라 판단을 하고 마지막으로 개념을 갖게 된다고 한다. 실제로 인간의 생각은 말로 표현되는데, 대화중에도 인간은 상대방의 의견에 대해 계속 결론을 내리고 있음을 알 수 있고, 이것은 인간이 결론을 내리거나 또는 타인이 내린 결론을 이해하기 전에 말로 생각을 표현할 수 없기 때문이다.[172)]

슈타이너의 인지학에 근거하여 영혼의 활동인 배역의 심리에 대해 살

---

172) 정윤경, 『루돌프 슈타이너의 인지학과 발도르프학교』, 같은 책, 112~113쪽.

펴보니 배우가 배역의 심리를 통해 표현해야 하는 인간의 사고, 감정, 의지의 내용이 무엇인지 명확하게 알 수 있다. 즉, 체홉의 심리는 배역의 의지 작용인 본능, 충동, 욕망, 동기, 소망, 의도, 결의 등을 표현하는 것이다. 또한 배역의 감정 작용인 공감, 반감과 이를 토대로 한 다양한 인간의 감정을 표현한다. 그리고 배역의 사고 작용인 결론, 판단, 개념을 표현해야 한다.

체홉은 배우의 신체와 배역의 심리가 서로 영향을 미치며 조화롭게 상호작용을 해야 한다고 강조했다.

> 인간의 신체와 심리가 서로 영향을 미치며 끊임없이 상호작용을 한다는 것은 잘 알려진 사실이다. 발달되지 않은 신체나 과도하게 근육이 발달된 신체는 생각의 활동을 줄이고 감정을 무뎌지게 하며, 의지를 약하게 한다. 배우가 무대 위의 창조적 아이디어를 표현하는 도구로 신체를 생각한다면, 심리와 신체 이 둘 사이의 완벽한 조화를 달성할 수 있도록 노력해야만 한다. 자신이 맡은 배역에 대해 깊이 있게 느끼고 명확하게 이해하지만, 내면의 풍부한 것들을 제대로 표현하지 못하거나 관객에게 전달하지 못하는 배우들이 있다. 훌륭한 생각이나 감정을 가진 배우들도 제대로 발달되지 않는 신체에 묶여 제대로 표현하지 못한다.[173]

배우가 신체만을 강조하게 되면 배역의 심리를 제대로 관객에게 전달할 수 없을 것이고, 반대로 배우가 심리만을 강조하게 되면 배역을 신체적 동작으로 표현할 수 없게 된다. 배우는 배역의 심리에 배우의 신체를 내줌으로써 연기를 완성한다고 본다. 배우의 목소리와 행동 등 외면적 행위의 특성으로 배역의 내면적 심리를 표현하기 때문이다. 즉, 배우의 신체와 배

173) Michael Chekhov, *To The Actor*, 같은 책, 1쪽.

역의 심리가 하나로 이어질 때 배우의 연기가 완성된다고 말할 수 있다. 따라서 신체와 심리는 하나가 되어야 한다. 배우는 심리와의 연결에 민감하도록 신체를 계발하고 훈련해야 한다. 신체의 동작은 사물이나 대상에 대한 상태와 조건 등의 경험을 제공하므로 육체적이기보다는 오히려 심리적이다. 신체 동작 훈련의 훌륭한 결과로서 적정한 신체가 만들어지는데 그것이 배우에게 유익한 혜택이지만 목표는 아니다. 신체는 동작으로부터 심리적 가치 또는 성질을 흡수하는 스펀지가 되어야 한다.

결과적으로 체홉의 연기론에서의 신체와 심리는 하나이며, 신체는 심리를 표현하는 수단이 되어야 한다는 것으로 정리할 수 있다. 이러한 논리를 바탕으로 체홉은 신체(배우의 동작)와 영혼(배역의 심리)이 연결된 연기훈련법을 강조했다고 본다.

체홉은 배우의 신체와 배역의 심리가 조화롭게 연결되기 위한 기본적인 요건들에 대해서도 자세히 설명하고 있다.

체홉에 의하면 첫 번째로 중요한 것은 배역의 심리에서 나오는 창조적 충동에 대해 아주 민감하게 반응하는 배우의 신체이다. 이것은 단지 신체 훈련으로만 얻어지는 것이 아니며, 심리와 함께 발달되어야 한다. 배우의 신체는 심리에서 나오는 성질들을 흡수시키고 채우고 스며들게 해야 한다. 그렇게 하면 심리적 성질들은 점차적으로 신체를 이미지, 느낌, 감정, 의지적 충동 등을 받아들이거나 전달하는 역할을 하는 민감한 세포막으로 변형될 것이다.

체홉이 강조한 두 번째 조건은 풍부한 심리 그 자체이다. 민감한 신체와 다양하고 풍부한 심리는 상호보완적이다. 풍부한 심리는 배우의 관심의 범위를 확장하다보면 달성할 수 있다. 예를 들어 시대극이나 역사소설을 통해 다른 시대 또는 다른 나라 사람들의 구체적 성격, 특성, 관심, 예술 등 심리에 영향을 미치는 요소들에 대해서 살펴보다보면, 그 시대 또는 사람들을 구별하는 차이점들을 명백하게 알아낼 수 있다. 이렇게 관심의 반경이 넓어지면 객관적인 시각을 갖게 되고 심리가 크게 확장된다. 배우의 모든 간접적 경험들은 점점 배우의 신체에 스며들어 심리를 더 민감하고 유연하게 만들 것이다. 이를 통해 배역이 가진 내면의 삶을 이해하는 능력이 높아지고, 배우의 연기에 필요한 독창성, 창의력 등을 기를 수 있다.

체홉이 세 번째로 제시한 조건은 배우에게 완전히 복종하는 신체와 심리이다. 배우가 신체와 심리를 완벽히 지배하게 되면, 창조적 연기를 위해 필요한 자신감, 자유, 조화 등이 생겨날 것이다. 음악가가 연주를 할 때 악기가 잘 조율되어야만 하는 것처럼, 배우는 이상적인 신체를 가져야만 배역이 요구하는 세부적인 특징들을 최대한 살릴 수 있다.

이러한 신체와 심리에 관한 세 가지 조건을 근거로 체홉은 통합적인 심리-신체 훈련(psycho-physical exercise)을 강조했다. 이 훈련은 배우 내면의 에너지와 감정을 불러일으켜 배우의 신체와 심리, 음성을 독창적인 인물에 결합해서 그 인물에 생명을 불어넣는 방법이다.

체홉의 신체와 심리의 조화와 관련하여 비슷한 견해를 살펴보면, 동양의 연극론의 시작점이라 할 수 있는 인도의 연기 교본서인 『나띠야 샤스뜨라』[174]에서는 '배우가 왕이고 왕이 배우'이니, 배우와 배역의 감정이 하나로 이어져야 무대를 빛내게 된다고 하며, 신체와 심리의 연결을 강조했다. 미쉘 생 드니는 배우는 신체적 움직임을 통해 배역의 감정과 내적 움직임

174) 동양에서 배우의 연기방법을 다룬 최초 문헌은 바라따(Bharata)가 지은 『나띠야 샤스뜨라』이다. 연극 전반에 걸쳐 방대한 내용을 다루고 있으며, 이론서에 머물지 않고 무대 제작, 악기 연주, 연기 등을 세세하게 분류하고 설명한 실질적인 연기교본이다.

을 관객의 눈앞에서 시각화해 표현해야 한다고 했다.

이러한 근거를 토대로 본 저자는 체홉이 신체와 영혼, 즉 배우의 신체와 배역의 심리가 조화롭게 연결된 배우를 배우의 상으로 제시했다고 본다. 이를 통해 체홉은 배우와 배역의 관계를 구체적으로 제시했고, 외면의 신체와 내면의 심리와의 관계의 중요성을 강조했다. 결론적으로 체홉이 추구한 배우의 상은 단순히 배역의 텍스트를 읽고 신체로 나타내는 것이 아니라 텍스트 너머 보이지 않는 그 배역의 심리, 즉 영혼까지 표현하고 이를 통해 연극의 정신을 관객에게 전달하는 배우이다. 이것이 바로 신체, 영혼, 정신이 하나로 연결되는 전인으로서의 배우이다.

2) 집중과 관찰을 통해 감각과 인식이 확장된 배우

'집중과 관찰을 통해 감각과 인식이 확장된 배우'는 체홉의 연기론이 요구하는 기본적인 배우의 상이며 특히 영감, 문지방 넘기, 창조적 응시, 감각기억, 이미지 통합과 상상 등에서 도출되는 배우의 상이다.

인지학에 의하면 인간의 사물과 대상에 대한 단순한 파악은 기본적으로 일상적인 감각기관에 의한다. 인간은 신체감각, 영혼감각, 정신감각 등 12가지의 다양한 감각을 통해 사물과 세상을 파악할 수 있다. 진정한 외부세계 인식을 위해서는 일상적인 12개의 감각기관을 일깨우는 훈련이 필요하다. 그러한 훈련이 집중과 관찰이다. 집중과 관찰은 사물과 대상의 특정한 표상, 현상, 개념에 주의력을 모으는 것으로, 감각기관에 의한 기본적인 감각과 인식을 보완·확장하게 하며, 사물과 대상에 대한 진정한 인식은 이러한 과정을 통해 형성된다고 한다. 그런데 집중과 관찰을 발전시키면, 영감과 직관, 상상력에 의한 '정신적인 집중과 관찰'도 가능하다고 한다. 이 정신적인 집중과 관찰은 일상적인 집중과 관찰을 통해 얻어진 인식을 다른 인식과 상호 연결시켜 사고하고 판단하는 정신작용을 의미한다. 감각기관에 의해 얻어진 지식과 경험을 바탕으로 영감과 직관, 상상력을 통해 사물과 대상의 본질을 재해석하고 재구성하는 것이다. 정신적인 집중과 관찰을 통해 인간은 신체, 영혼, 정신을 통합하는 사물과 대상에 대한 올바른 인식과 개념을 얻을 수 있다고 한다.

슈타이너는 '씨앗'을 예로 들어 다음과 같이 집중과 관찰을 설명하고 있다.

> 어떤 식물의 작은 씨앗 하나를 앞에 놓아라. 이 보잘것없는 것 앞에서 집중적으로 생각하고 이 생각을 통해 모종의 감정을 계발하는 것이 중요하다. 맨 먼저, 눈으로 보고 있는 것이 실제로 무엇인지 분명히 알아야 한다. 그 씨앗의 형태와 색깔과 그 밖의 모든 특성을 숙지한 뒤, 다음과 같이 생각하라. '이 씨앗이 땅에 심어지면 거기에서 복잡한 모습을 한 식물이 생겨날 것이다' 이 식물의 모습을 마음속에 생생하게 떠올려 보라. 상상력으로 이 식물을 구성해 보라.175)

'씨앗의 형태와 색깔과 그 밖의 모든 특성을 눈으로 숙지하는 것'이 집중과 관찰이고, 이를 토대로 '성장한 식물의 모습을 상상력으로 구성하는 것'이 정신적인 집중과 관찰이다.

인지학에서는 집중만 하고 관찰하지 않는 것은 무의미하고, 집중하지 않고 관찰만 하는 것은 불가능하다고 한다. 집중과 관찰을 통해 새로운 감

---

175) 루돌프 슈타이너, 김경식 옮김, 『고차세계의 인식으로 가는 길: 어떻게 더 높은 세계를 인식하는가』, 같은 책, 82쪽. 씨앗의 예는 이미 상상, 심리제스처에도 언급했으나 본 인용문은 집중과 관찰을 설명하기 위한 것이다.

정과 사고를 체험할 수 있다고 한다.

> 가능한 한 열심히 외부의 사물을 관찰하는 것이 좋다. 그런 관찰을 통해, 혼의 내부에서 솟구치는 감정과 사고에 몰두한다. 완벽한 내적 평정을 유지한 채, 감정과 사고에 몰두하는 것이다. 내적 평정의 상태에서 솟아오르는 그 무엇에 깊이 빠져드는 행을 계속하면, 어느 시점에서, 전혀 새로운 미지의 감정과 사고가 일어나는 것을 체험할 수 있다. 이러게 피어나는 것과 사멸하는 것에 주의력을 교차시키며 집중하는 행을 거듭하면, 어떤 특정의 감정과 사고가 보다 선명하게 형성될 것이다.[176]

인지학에 의하면 인간은 끊임없는 집중과 관찰을 통해 감각과 인식이 확장되며, 사고가 나타나고, 본질이 명확해지는 일련의 과정을 통해 사물이나 대상을 이해한다고 한다. 인지학적 측면에서는 집중과 관찰을 통한 감각과 인식의 확장은 사물과 대상의 본질을 이해하기 위한 필수적인 과정인 것이다.

이러한 인지학의 집중과 관찰의 개념은 체홉의 연기론에서도 그대로 발견된다. 체홉은 배우들이 지겨워하더라도 매 수업마다 집중과 관찰훈련을 하라고 했다. 그는 자신의 모든 연기방법이나 훈련과제를 설명함에 있어 기본적으로 집중과 관찰을 강조하고 있다.

체홉이 제시한 집중과 관찰 훈련은 학자들과 연출가에 따라 다양하게 변화, 응용되고 있다. 본 저자가 변용하여 자주 실행하는 훈련 예제는 다음과 같다.

---

176) 루돌프 슈타이너, 양억관, 타카하시 이와오 옮김, 『초감각적 세계 인식에 이르는 길: 영적 계발에 대한 이해와 통찰』, 같은 책, 46쪽.

◎ 벽지로 장식된 벽 앞에 선다. 약 10초 동안 벽지의 무늬를 집중하여 관찰한 후 눈을 감고 무늬에 대해서 자세히 설명한다. 반복연습을 할수록 벽지의 특징을 상세히 설명할 수 있게 된다. 다른 사물에도 응용하여 연습할 수 있다.

◎ 신체 동작을 멈추고 침묵 속에서 주변의 소리를 주의 깊게 듣는다. 처음에는 아무 소리도 들리지 않지만 집중할수록 시계 초침 소리, 전자제품 작동 소음, 사람들 목소리, 구급차 사이렌 소리 등 다양한 소리가 들리게 된다. 또한 시계 초침 소리에만 집중하면 그 소리가 크게 들리고 다른 소리는 안 들리는 경험을 할 수 있다.

◎ 4명 정도의 배우가 무대 위 또는 연습공간에서 자연스럽게 움직이다가 순간적으로 동작을 멈춘다. 술래가 된 배우는 배우들의 정지 동작(위치, 시선, 움직임, 자세)을 주의 깊게 관찰한다. 술래는 뒤돌아서서 약 20초간 기다리고, 배우들은 그 사이에 위치나 자세를 바꾼다. 술래는 다시 돌아서서 자신의 기억에 따라 배우들의 몸을 움직여 원래 동작으로 바꿔 놓는다.

◎ 무대 또는 연습공간에서 배우 1명이 의자에 앉아 있으면 2페이지 정도의 연극 대본을 건네준다. 대본을 읽는 동안 다른 배우들이 순서대로 질문을 하며 말을 걸어 독서를 방해한다. 대본을 읽는 배우는 반드시 질문에 대답해야 하고 동시에 대본도 정확히 읽어야 한다. 대본을 다 읽은 배우는 대본의 내용에 대해 다른 배우들에게 설명한다.

체홉은 집중과 관찰에 대해 배우의 내면에 일어나는 수많은 이미지들을 붙잡을 수 있게 고도로 주의를 기울이는 힘이라고 했다. 배우의 연기 작업에는 이러한 고도의 집중이 요구되고 집중에 능숙한 배우는 강렬한 인상을 관객에게 전할 수 있다고 했다. 허친슨도 집중과 관찰에 대해, 모든 사람들은 정도의 차이는 있겠지만 어느 정도의 집중력을 가지고 있는데,

그것은 연기를 위해 충분하지 않다고 한다. 연기를 위해서는 고도로 발달된 진정한 집중과 관찰에 더욱 관심을 가져야 한다고 했다. 특히 이것은 관객의 호응을 얻기 위한 배우의 능력과도 연결된다고 했다.

배우는 집중과 관찰을 습관으로 만들어 사물을 바라보는 올바른 방법을 습득하고, 사물에 대한 정확한 이해가 가능하도록 모방을 시도해야 한다. 습관과 모방을 통해 축적된 사물에 대한 모든 특징적인 이미지들을 통합해야 한다. 이러한 연기의 재료들은 배우의 무의식에 저장되어 배우의 창조적 개성을 만들고 연기의 진부함을 제거해줄 것이다. 체홉은 인물을 구축하고 성격을 부여하는 작업을 하는 동안에 주위 사람들을 관찰하는 것이 큰 도움이 되고, 많은 영감을 제시해준다고 했다. 배우는 극중 인물이 연기하는 것을 마음의 눈으로 보아야 하고 이를 관찰하는 동안 그 인물의 목적이 무엇인지 파악할 수 있다고도 했다. 체홉은 창조적이고 강력한 집중을 통해 작품, 인물의 이미지가 완성된다고 강조했다.

집중과 관찰의 중요성에 관하여 리코보니는 인간들이 어떻게 감정을 표현하는지 면밀히 관찰해야 한다고 했다. 디드로는 위대한 배우는 현상을 잘 관찰한다고 하며 사색과 명상을 통해, 최선의 연기에 이르는 방법을 발견해낼 수 있다고 했다.

집중과 관찰을 통한 감각과 인식의 확장은 배우가 연기하는 사물과 대상의 본질을 제대로 파악하고, 극중 인물에 대한 창조적 이미지와 상상을 가능하게 하는 필수조건이다. 특히 정신적 집중과 관찰은 배우의 체험이나 정서가 아닌 감각기억, 이미지, 영감, 상상력, 직관 등을 중요시하는 체홉의 연기론의 특성상 필수불가결한 요소이다. 배우가 배역의 본질을 찾거나 인물을 구축하고 창조적 연기를 하기 위해서도 반드시 선행되어져야 하는 것이다.

이와 같이 신체와 심리의 조화로운 연결, 집중과 관찰을 통한 감각과 인식의 확장을 통해, 배우는 신체, 영혼, 정신이 균형적으로 통합된 전인으로서의 배우로 거듭날 수 있다고 본다.

2. 고차적 정신세계를 인식하는 배우

슈타이너의 인지학을 수용한 체홉이 두 번째로 제시한 배우의 상은 '고차적 정신세계를 인식하는 배우'이다. 고차적 정신세계를 인식하는 배우는 초자아 또는 고차적 존재 개념을 기본으로 하는 체홉의 영감, 문지방 넘기, 가상의 신체, 고차적 자아, 분위기, 발산, 고스트 등에서 유추해낼 수 있는 배우의 상이다. 고차적 정신세계를 인식한다는 것은 체홉의 연기론을 정신적인 측면에서 깊이 이해해야 한다는 것을 강조하는 것이다.

슈타이너의 인지학을 간단히 정의하면, 인간의 감각을 통해 관찰하고 깊은 내면의 순수한 사고로써 삶의 계획, 삶의 과제, 자아를 인식한 후 스스로 깨우치고 교육하여 직관, 영감, 상상력이 가능한 고차적 정신인간을 추구하는 것이다. 여기서 말하는 고차적 정신세계는 눈에 보이지 않는 인간의 본질, 고차적 자아, 초감각적 세계, 정신인간 등을 의미하는 것이다. 일반적으로 정신세계는 신체나 영혼 너머에 있는 눈에 보이지 않는 세계, 감각할 수 없는 세계를 의미한다. 슈타이너는 정신세계 인식과 예술의 관계에 대해, 정신에 대한 지식이 내적 경험이 될 때 전인(全人)을 파악할 수 있다고 말한다. 영혼의 힘이 자극되고 이러한 내적인 정신적 경험이 인간의 창의적인 상상력을 깨어나게 한다는 것이다. 이런 이유에서 인지학은 정신세계 인식을 위해 예술적인 요소를 첨가하게 된다. 예술 활동을 계발할 수 있을 때, 정신에 대한 경험 속으로 더 잘 들어갈 수 있기 때문이다. 슈타이너는 인간이 본래적으로 지니고 있는 정신에 대한 회화적인 경험에서부터 성장하는 것이 예술이라고 말했다. 이러한 경험이 인간의 진화과정 속에서 희미해져 갈 때, 유일하게 예술만이 이 경험을 붙들고 길을 밝힐 수 있다고 한다.

슈타이너는 인간이 정신세계 인식을 경험할 수 있는 것이 예술이라고 했다. 따라서 슈타이너의 인지학을 수용한 체홉의 연기론도 기본적으로 감각세계 너머의 고차적 정신세계 인식을 전제로 한다고 볼 수 있다. 체홉도 배우란 일반 사람들에게는 잘 보이지 않는 것들을 보고 경험할 수 있는 능력을 가진 사람이라고 했다. 보통 배우들은 일상생활을 그대로 무대 위에 재현하려고 하고 그렇게 함으로써 예술가보다는 평범한 사진가가 되어버린다. 진정한 예술가의 임무는 삶의 외면만을 모방하는 것이 아니라, 삶의 모든 양상과 깊이를 해석하고 삶의 현상의 이면에 있는 것을 보여주고, 관객들로 하여금 삶의 표면과 의미 너머를 보게 하는 것이다.

연극의 기원을 제의설(祭儀說)로 본다면 연극은 근원적으로 인간이 보이지 않는 신의 세계를 이해하고자 하는 종교적 의도에서 탄생했다고 본다. 종교라고 하는 것 자체는 어떤 보이지 않는 절대적 존재를 실체로서 인정하는 것이고, 그렇다면 원시 연극 자체가 보이지 않는 정신세계를 전제로 하여 발생했다고 볼 수 있기 때문이다. 실제로 예술은 언제나 보이지 않는 것들을 탐색해나가는 작업이다. 연극에서의 대본을 볼 때도 텍스트를 보지만 반드시 서브텍스트를 놓치지 말고 봐야하듯이 언제나 진실 혹은 본질이 숨겨져 있다는 것을 전제로 하는 것이 예술이다. 그래서 예술은 기본적으로 눈에 보이는 것이 전부가 아니고 눈에 보이지 않는 숨어 있는 진실을 찾아서 표현하고자 하는 인간의 의지의 산물이다. 예술이 눈에 보이지 않는 어떤 것을 추구한다고 하는 측면에서는 종교적이고 정신적인 것이라고도 할 수 있다. 그것이 바로 예술 혹은 연극을 논리로 설명하려고 하지 않는 이유이다. 이러한 연극의 본질은 체홉에게 있어서도 당연히 기본적인 전제이고 체홉은 여기에 더하여 연기론적으로도 고차적 정신세계의 인식을 기본으로 하고 있다.

슈타이너의 인지학에서는 인간은 신체, 영혼, 정신의 세 가지 방식으로 고차적 정신세계와 연결되는 통합체이다. 슈타이너가 고차적 정신세계에 대한 연구방법을 발견하고자 한 주된 목적은 인간의 참된 본질을 파악하기 위한 것이다. 이미 앞에서 살펴본 바와 같이 체홉도 배우는 창조적 개성을 지닌 고차원적인 존재가 되어야 된다고 했다. 배우는 자신 안에 공존하는 창조적으로 확장된 자아, 즉 고차적 자아를 인식해야 한다는 것이다. 여기서 말하는 고차원적인 존재, 창조적 자아는 현실의 감각세계 너머의 초감각적 세계까지도 인식이 가능한, 즉 영감과 상상력과 직관이 자유롭게 흐를 수 있는 배우이다.

체홉에 의하면 고차적인 존재는 모든 창조적 충동에 대해 유연하고 민감하게 잘 반응하며 배우의 신체를 움직인다. 또한 그것은 배우 자신의 목소리로 말하게 하고, 배우의 상상력을 자극시키고, 배우의 내적인 활동을 증가시킨다. 배우가 진실한 감정을 갖게 하고, 독창적이고 풍부한 창의력을 갖게 하며, 즉흥 능력을 일깨우고 유지시켜 준다. 고차원적인 존재는 배우를 창조적인 상태로 이끌어준다. 배우는 고차원적인 존재의 영감에 따라 연기하게 된다.

고차적인 존재와 관련하여, 체홉이 실제 생활의 경험을 무대에 적용하는 연기에 반대했던 이유는 배우가 본인이 동의할 수 없는 다양한 인물까지도 연기해야 하기 때문이다. 가령 비열한 인물을 연기해야 한다고 했을 때, 배우 자신이 실제로 일상에서 겪었던 비열한 경험과 감정만을 소환해 연기할 수는 없다. 만일 그렇다면 배우가 연기할 수 있는 인물은 경험에 비례해 제한적이고, 심지어 경험이 없으면 연기도 없다는 결론에 도달하기 때문이다. 체홉은 고차적 자아로부터 다양한 극중 인물을 창조해낼 수 있다고 했다. 그는 경험을 통해서만 연기를 하는 배우들도 자신의 고차적 자아를 통해 인물을 구축하는 방법을 발견한다면, 아이를 가져본 적이 없어도 아이를 사랑할 수 있고 죽어본 적이 없어도 줄리엣과 함께 죽을 수 있다고 했다. 배우는 무대 위에서 그의 개인적인 삶의 체험을 반복할 필요가 없다. 배우를 무미건조하게 만드는 '일상의 나'의 경험을 무대 위에서 연기하지 않아도 된다.[177]

체홉은 배우가 역할을 준비할 때 가장 먼저 할 일은 고차적 자아를 상상하는 것이라고 했다. 예를 들어 전통적 비극에 등장하는 신화적 주인공을 연기하는 배우는 연습할 때나 관객 앞에서 일상의 나가 아닌 강렬한 힘과 감정을 지닌 초인적 존재(superhuman presence)가 되어야 한다. 희극에 등장하는 유머러스한 광대를 연기하는 배우에게는 그를 도와주는 유쾌하고 이상한 요정이나 도깨비 같은 인간이 아닌 정령적 존재(subhuman beings)가 필요하다. 배우가 주어진 상황에서 어떠한 고차적 자아를 불러낼 것인가는 배우의 창의적 상상에 전적으로 의존하는 것이다.

페티는 체홉의 고차적 정신세계에 관하여 '만질 수 없는 무형의 세계'를

177) Michael Chekhov, *On The Technique of Acting*, 같은 책, 157쪽.

이해하는 것이 체홉의 연기론의 원칙 중의 하나라고 말했다. 그는 체홉의 연기 테크닉의 가장 효과적이고 강력한 방법은 대부분 '무형의 표현 방법'(intangible means of expression)이라고 말했는데, 초감각 세계 또는 고차적 정신세계를 인식하는 연기방법의 다른 표현이다. 무형의 연기방법은 분위기, 발산, 가상의 신체, 중심, 창조적 응시, 이미지 통합과 상상 등 다양하다. 이것들은 배우의 창조적이고 집중된 노력을 통해 발견되며, 체홉의 연기론의 중요한 연기 표현 수단이다.

체홉은 연극이 예술성과 정신을 상실한 무미건조한 비즈니스가 되어버렸다고 하며, 정신의 탐구를 강조했다.

> 미래의 연극은 어떻게 될까 그리고 어떤 것이 될까를 상상해보니, 미래의 연극은 예술가들이 연극 속에서 인간의 정신을 재발견하는 완전히 정신적인 작업이 될 것 같다(나는 신비적이거나 종교적 관점에서 말하는 것이 아니다). 정신은 구체적으로 연구될 것이다. 정신은 배우가 다른 수단들처럼 용이하게 관리할 구체적인 도구 혹은 수단이 될 것이다. 배우는 정신이 무엇인지, 어떻게 취득하고 사용하는지를 알아야만 한다. 배우는 정신을 어떻게 관리하는지를 알게 될 것이고, 배우에게 그것이 얼마나 구체적이고 객관적일 수 있는지 이해하게 될 것이다. 인간 정신의 구체적인 탐구라는 관점에서, 나는 정신적인 극장을 믿는다. 하지만 그 탐구는 과학자들에 의해서가 아니라, 오히려 예술가나 배우들에 의해서 이뤄져야만 한다.[178]

배우가 고차적 정신세계 또는 고차적 존재를 인식하기 위해서는 집중과 관찰을 통한 감각과 사고의 확장, 배역의 본질에 대한 탐구, 창조적 이미지와 상상을 위한 연기훈련 등이 필요하다. 체홉은 배우가 연극적 진부함과

178) Lenard Petit, 같은 책, 10쪽.

낡은 습관에만 의존하여 연습한다면, 죽은 연기만이 계속될 것이라고 말했다. 체홉이 그의 연기론에서 고차적 정신세계의 인식을 강조한 것은 눈에 보이지 않는 배역의 본질을 발견하여 극중 인물로 연기하기 위함이다.

3. 배역의 본질을 투시하는 배우

인지학을 수용한 체홉이 추구한 또 다른 배우의 상은 '배역의 본질을 투시하는 배우'이다. 배역의 본질을 투시하는 배우는 체홉의 영감, 고차적 자아, 가상의 신체, 중심, 발산, 이미지통합과 상상, 고스트 등과 같은 연기 방법에서 발견되는 공통적인 배우의 상이다.

본질이란 사물의 존재를 규정하는 원인 또는 사물의 실체이다. 따라서 배역의 본질이라고 하면 배우가 창조해내는 극중 인물의 성격, 역사, 특성, 자아 등을 포함하는 총체적 개념이다. '투시한다'는 단어는 인지학에서 '사물이나 대상의 원리를 꿰뚫어본다, 본질을 완벽히 파악한다.'는 의미로 자주 사용되는 단어이다. 따라서 본 저자가 제시한 '배역의 본질을 투시하는 배우'는 배역의 본질, 인간의 삶과 본질을 제대로 파악해내는 배우라고 정의할 수 있다.

인지학은 인간의 본질에 대한 학문이다. 슈타이너는 인간을 신체, 영혼, 정신의 3중 구조로 보았으며, 인간의 삶은 신체와 영혼을 고양하여 고차적 정신인 인간의 본질을 찾아 나아가는 과정의 연속이라고 보았다. 따라서 진정으로 인간을 이해하려면 인간 존재의 표면에 가려져 있는 인간의 본질이 무엇인지 파악해내야 한다고 한다. 그래서 인지학을 인간에 대한 깊이 있는 탐구를 모색하는 학문이라고 하는 것이다.

체홉도 인간에 대한 깊이 있는 이해를 강조하며 인지학의 인간본질론을 자신의 연기론에 수용했다. 인지학의 인간본질론은 평범한 인간이 외부세계를 감각하고 받아들여 자신의 의지로 학습하고 수양하여 고차원의 인간으로 태어나는 인간의 발달 과정에 관한 이론이다. 이것은 배우가 자신의 배역에 대해 생각하고 느끼고 이해하여 끊임없는 배역 탐구를 통해 창조적 인물을 구축하고 연기하는 연기론과도 연결될 수 있다. 배우가 연기하는 극중 인물인 배역은 결국 인간이고 배역의 본질은 인간의 본질이다. 체홉의 연기론은 배우가 표현하려고 하는 구체적인 배역, 즉 인간의 본질에 대한 깊이 있는 파악을 위한 작업이고 그 배역과의 깊이 있는 교감을 위한 전제이다. 따라서 배역의 본질을 제대로 파악하기 위해서는 인간에 대한 깊은 이해가 필수적이고 그래서 체홉이 인간본질론을 그의 연기론에서 받아들였다고 본다.

체홉은 배우가 연기하는 배역의 본질을 찾는 것이 연기의 핵심이라고 지속적으로 언급했다. 체홉은 연극이 단순히 인간의 삶을 그대로 복사하는 것에 목적이 있어서는 안 된다고 했다. 연극은 언제나 삶 같으면서도 그 '이상'이어야 하며 그 '이상'이 진정한 예술적 요소라고 했다. 배우는 삶의 이면에 있는 것을 보여주고자, 관객들로 하여금 삶의 표면과 의미 그 이상을 보게 하고자, 그 모든 측면을 깊이 있게 해석하는 사람이 되어야 한다.[179] 배우는 연극과 연기를 통해 관객에게 인간과 그 인간의 삶의 본질, 가치 등을 보여주어야 하는 것이다.

체홉은 배우는 반드시 배역의 고차적 자아를 발견해야 하고 그 내면의 목소리를 듣는 법을 배워야 한다고 했다. 진정한 배우는 극중 인물의 겉모

179) Mala Powers, 같은 책, 10~11쪽.

습이 아닌 내면의 본질을 발견해야 한다는 것이다. 작가가 배우에게 제공한 대본은 작가의 재능으로 만들어진 작가의 창조물이지 배우의 것이 아니다. 따라서 작가의 대본을 배우의 것으로 만들기 위해서는 연극 속의 배역들이 가진 심리적 깊이를 통해 배역의 본질을 반드시 발견해야만 한다고 했다.

체홉은 배우가 배역을 해석하기 위한 모든 노력의 목표는 그 배역의 본질을 알기 위한 것이라고 했다. 배우가 표현해야 하는 것은 배우의 외부에 있는 수많은 인간에 대한 발견, 그 수많은 인간에 대한 구체적인 이해이다.

체홉은 인물의 내면을 형상화하는 작업을 캐리커처를 그리는 것에 비유했다.

> 나는 가끔 밤새도록 아버지와 함께 앉아, 그가 말하는 것을 들으며 캐리커처를 그리는 것을 지켜보았다. 나는 약간의 붓 터치로 원본과 닮은 그림을 그려냈을 뿐 아니라 그 사람의 내면의 성격과 즉흥적 분위기까지 포착해 내는 그의 능력에 놀랐다. 그는 건강한 상태와 건강하지 않는 상태의 자기 자신도 그렸으며 나의 어머니, 나, 그리고 우리의 지인들도 그렸다. 그 이후로 평생 동안 나는 캐리커처에 대한 사랑을 이어갔고, 꽤 오랫동안 캐리커처 그리기에 몰두하기도 했는데, 이것이 배우로서의 나의 성장에 있어서 실질적인 역할을 했다고 생각한다.[180]

---

180) Michael Chekhov, *The Path of The Actor*, 같은 책, 21쪽. 원문에는 cartoon이라고 되어 있으나 문맥상 caricature로 번역했다. 22쪽에는 'caricature by Chekhov of his life'라고 하여 caricature라는 단어를 사용했다. 물론 체홉이 연기에 있어서의 유머를 강조했다는 측면에서는 caricature를 포함하는 넓은 의미의 cartoon도 의미 있는 단어라고 본다.

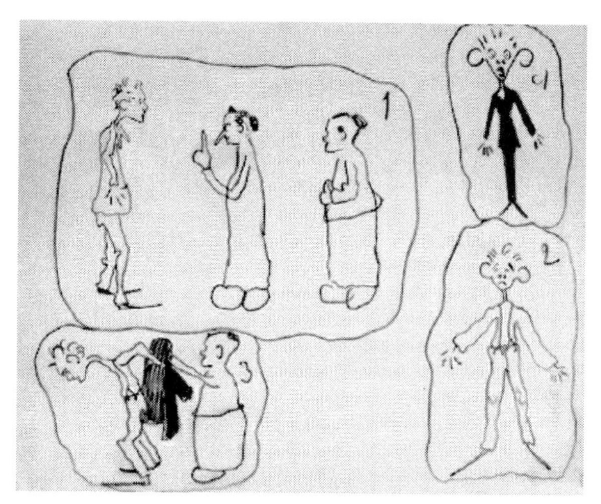

〈그림 18〉 체홉의 가족과 삶에 관한 캐리커처[181]

이러한 체홉의 주장을 정리하면 무대 위에서의 배우는 배우의 자아가 아니라 배역의 자아를 연기하는 존재이다. 배우는 배우 자신이 아니라 배우가 연기하는 배역, 그 극중 인물을 표현하는 것이다. 따라서 배우의 연기에 있어 중요한 것은 첫째 배우가 그 역할을 잘 이해하느냐, 둘째 그래서 그것을 잘 표현해 내느냐, 셋째 그것을 관객에게 잘 전달하느냐의 문제이다. 그러므로 연기의 핵심은 배역의 본질을 잘 이해하는 것이고, 그것은 결국 극중 인물인 인간에 대한 깊은 이해가 필요하다는 의미이다. 배우는 인간, 즉 본인이 연기하는 극중 인물에 대한 전문가가 되어야 하는 것이다.

이상 살펴본 바와 같이 배역은 인간 그 자체이고 배역의 본질은 인간의 삶, 인간의 본질이라고 할 수 있다. 체홉의 주장과 관련하여 연극이 인간의 삶을 표현해야 한다는 견해는 고대 연기서에서부터 시작하여 많은 학자,

181) Michael Chekhov, *The Path of The Actor*, 같은 책, 22쪽.

연출가들도 제시하고 있다.

『나띠야 샤스뜨라』에서는 연극의 목적은 삶의 본질을 발견하고 그 삶으로부터의 자유로운 인간을 꿈꾸는 데 있다고 한다. 눈에 보이는 세상에 매이지 않고 그것을 넘어서는 본질의 세계를 발견하는 것, 연극의 진짜 성공이란 바로 이런 것이다. 진짜 세계를 볼 수 있다면, 삶에서 전부라고 이야기하는 가치가 실제로는 전부가 아님을 깨닫게 된다면, 자신을 얽어매는 삶으로부터 진정한 자유를 얻을 수 있다면, 연극은 성공을 이룬 것이다. 연극의 비전은 자유로운 인간을 꿈꾸는 데 있다.[182)]

우파니샤드에서는 물에 녹은 소금은 눈에 보이지 않지만 짠맛으로 여전히 그 안에 존재하는 것처럼 눈에 보이지 않아도 분명히 존재하는 본질을 보고 듣고 느끼고 깨닫도록 사람들을 인도하는 역할, 이것이 연극에게 주어진 사명이라고 했다.[183)]

허친슨도 배우는 삶 자체를 예술의 형태로 관객에게 '주는(give)' 것이라고 했다. 배우는 관객의 반응을 평가하는 직업이 아니다. 배우는 관객에게 자신의 최상의 연기를 주는 직업이다. 배우의 직업적 본질은 주는 것이다. 연극적으로 주는 것이다. 배우는 신체, 목소리, 감정, 의지, 상상력을 주는 것이다. 배우는 캐릭터를 통해 인간의 삶 자체를 고동치는 예술의 형태로 관객에게 주는 것이다. 배우에게는 주는 기쁨을 축적하는 희열 이외에는 아무것도 남는 게 없다고 했다.[184)]

페티도 배우와 관객과의 관계를 통해 연극의 목표를 제시하고 있다. 배

182) 정수연, 「축의 시대 연극론의 윤리의식: 『나띠야 샤스뜨라』의 경우」, 『연극교육연구』, 한국연극교육학회, 27(2015), 163쪽.

183) 이재숙, 『우파니샤드 I』, 서울: 한길사, 1997, 370쪽.

184) Anjalee Deshpande Hutchinson, 같은 책, 204쪽.

우는 항상 창의적이어야 한다. 배우는 배우의 작업이 예술을 만드는 창작이라고 믿어야 한다. 배우의 예술은 살아 있는 것이고 그것은 진리, 현실, 인류 등의 문제와 밀접한 관계가 있다. 극장은 희망으로, 예술적 환상으로, 상상력으로, 그리고 관객들로 넘쳐야 한다. 배우는 관객들이 상상력을 사용하도록 독려할 수 있으며, 관객들은 극장에서 배우와 더불어 창조적 존재가 될 수 있다. 배우와 관객 모두가 연극이라는 상상의 세계에서 적극적으로 살아 있어야 한다. 왜냐하면 배우와 관객 간의 교류는 단순히 무대로부터의 일방적인 공격이 아니라 진실로 상호 간의 교류이기 때문이다.[185]

체홉도 배우는 배역의 본질을 통해 관객에게 연극의 정신을 전달하는 역할을 한다고 했다. 체홉이 원하는 배우의 상은 단순히 배역의 텍스트를 읽고 분석하여 이미지를 떠올리는 것이 아니라 텍스트 너머 보이지 않는 그 배역의 본질에까지 도달하는 배우이다. 결국 체홉의 연기론은 인간의 본질에 대한 끊임없는 탐구이고 그의 연기론의 핵심이라 할 수 있다. 그러한 의미에서 배역의 본질을 강조한 체홉의 연기론은 신체적인 테크닉만이 아니라 정신적인 측면도 중시하는 연기론이다.

185) Lenard Petit, 같은 책, 4쪽.

에필로그

인간의 본질을 추구한 미하일 체홉

본 저서는 루돌프 슈타이너의 인지학과 미하일 체홉의 연기론을 비교하여 그 연관성을 살펴보고 이를 통해 체홉의 연기론에 대한 근원적 이해를 모색하고자 했다. 체홉이 수용한 슈타이너의 인지학을 토대로 체홉의 연기론과 개별 연기방법의 구체적인 개념, 본질, 목적, 일부 훈련적용 사례 등을 심층적으로 고찰함으로써 체홉이 추구한 연극의 본질, 배역의 본질, 배우의 상(像)을 제시하고자 했다.

슈타이너가 일생 동안 학문적 화두로 삼았던 것은 인간의 본질이었고, 그 해답을 발견하기 위해 평생 노력했다. 그가 인간의 본질 연구를 통해 추구했던 것은 인간의 자아와 인간의 정신에 대한 발견이었다. 이를 통해 인간 내부에 잠재되어 있는 인식능력을 깨워 인간의 삶의 변화와 발전을 모색하고 궁극적으로는 인간의 가치와 능력을 고양하고자 했다.

슈타이너는 인지학을 인간의 본질을 발견하기 위한 학문이라고 규정했다. 인간의 본질을 신체, 영혼, 정신의 3중 구조 및 9중 구조로 파악했으며 정신의 실재를 주장했다. 대우주인 자연과 상호 소통하며 단계적으로 발달하고 윤회하는 소우주인 인간과 세계의 개념을 제시했다. 12감각을 통한 감각의 확장으로 정신세계인식이 가능하다고 했고, 정신인식을 통한 인간성의 회복을 위해 수행과 명상을 강조했다. 그는 인간의 정신을 감각이 가능한 세계로 표현하는 것이 예술이라고 정의했으며, 예술가는 예술을 통해 인간의 정신을 표현하고 인간성을 회복하기 위해 노력해야 한다고 했다. 아름다움이란 살아 움직이는 정신을 표현해내는 것이며 그것이 예술가의 목적이라고 말했다. 본 저자는 슈타이너의 이러한 인지학적 인간관, 세계관, 예술관이 체홉의 연기론에 지대한 영향을 미쳤다고 본다.

체홉은 배우로서 정상의 위치에 있을 때 예술가로서 자신의 의미를 발견하기 위해 그리고 자신의 예술의 원천을 찾기 위해 방황했다. 그는 당시 러시아 연극의 상업주의나 정치적 성향을 뛰어넘는 '조금 더 깊고 새로운 연기양식'을 꿈꾸었다. 체홉은 인지학을 통해 '배우로서 자신이 과연 무엇이 되고자 하는가'에 대한 내면의 질문에 대한 해답을 찾았다. 본 저자는 체홉이 연기와 배우의 본질에 대한 예술적 고민을 통해 발견해낸 것은 상상력과 직관을 통한 영감의 연기라고 파악했다.

체홉은 인지학을 수용해 신체, 영혼, 정신의 3중 구조로 통합된 인간의 본질을 연기론의 기본 전제로 삼았다. 이를 근거로 연극은 신체, 영혼, 정신을 가지고 있다고 설명했으며, 무대 위에 만들어진 연극 예술의 이념은 정신이라고 말했다. 체홉은 인간의 정신을 표현하는 것을 예술이라고 한 슈타이너의 예술론을 받아들여 연극이 배우의 상상, 배역의 본질을 표현하는 매개체라고 강조했다. 영감의 연기를 주장하며 인지학의 정신 영역에 속하는 상상력, 영감, 직관을 자신의 연기론의 핵심으로 내세웠다. 신체, 영혼, 정신이 통합된 고차적 자아가 배역의 심리적 존재를 구현하게 하는 초감각적 힘의 원천이 된다고 주장했다. 배우는 반드시 배우 자신 안에서 자아를 발견해야 하고, 배우가 연기해야 할 배역의 본질을 밝혀내는 것이 중요하다고 강조했다. 체홉은 슈타이너의 인지학을 통해 체험과 정서기억을 정신세계의 영역에 속하는 상상과 직관으로 대치했다. 영감의 연기를 통해 배우와 배역의 교감을 강조했고 배우가 표현하려고 하는 구체적인 배역, 즉 인간의 본질에 대한 깊이 있는 파악을 위해 노력했다.

체홉은 슈타이너의 인지학의 구체적인 용어와 개념들을 그의 연기론에 수용했다. 체홉의 연기론 중 본 저서에서 살펴본 구체적 연기의 개념 또는 훈련방법인 영감, 문지방 넘기, 고차적 자아, 심리제스처, 가상의 신체, 중심, three sisters, 분위기, 발산, 창조적 응시, 이미지통합과 상상, 고스트 등은 인지학적 세계관, 인식론, 인간본질론(3중 구조이론, 9중 구조이론, 12감각론, 고차적 자아), 인간구원론, 인간기질론, 윤회론, 교육론, 예술론 등 다양한 인지학의 개념과 이론을 수용하여 발전시킨 것이다. 개별적으로 살펴보면 다음과 같다.

체홉의 영감은 슈타이너의 인간본질론의 9중 구조 정신 영역에 해당하는 영감과 고차적 자아 이론을 연기론에 도입한 것이다. 체홉의 문지방 넘기는 인지학의 윤회론과 우주론에 속하는 문지방 수호령과의 만남에 토대를 두고 있다. 체홉의 고차적 자아는 인간본질론의 자아 3중 구조의 고차적 인간, 엿보기 눈 등의 개념을 수용한 것이다. 체홉의 심리제스처는 인지학의 언어 오이리트미, 자연의 모방과 양극성 개념을 수용하여 발전시킨 창조적 연기방법이다. 체홉의 가상의 신체는 인지학의 가상의 신체 옷 입기와 고차적 자아 개념을 받아들인 연기방법이다. 체홉의 중심은 인지학의 차크라, 인간본질론의 9중 구조의 영혼의 속성(사고, 감정, 의지)을 three centers로 받아들여 정립한 연기방법이다. 체홉의 three sisters는 인지학의 12감각 중 균형감각, 아스트랄체, 감각혼 등을 수용한 연기방법이다. 체홉의 분위기는 인지학의 인간본질론 9중 구조의 아스트랄체, 12감각의 영혼감각과 연관이 깊은 연기방법이다. 체홉의 발산은 인간구원론, 9중 구조의 에테르체, 12감각 중 열감각 개념을 수용한 연기방법이다. 체홉의 창조적 응시는 인지학의 정관적 숙고인 명상을 받아들인 연기방법이다. 체홉의 이미지 통합과 상상은 인지학의 정신의 눈, 제3의 눈, 인간본질론의 3중 구조, 12감각의 열감각, 송과체 등의 개념을 받아들인 연기방법이다. 체홉의 고스트는 인지학의 카르마와 윤회론을 수용한 연기방법이다. 본 저서는 인지학을 수용한 체홉의 구체적인 연기방법의 근원, 개념, 본질, 목적, 일부 훈련방법을 상세히 고찰했고, 이를 통해 체홉의 연기론 또는 훈련방법이 연극 교육 및 연극 무대에서 올바르게 훈련되고 적용될 수 있도록 하고자 했다.

본 저자는 체홉이 인지학을 수용해 그의 연기론 특히 인물구축과 배우의 연기라는 측면에서 궁극적으로 추구한 배우의 상에 대해서도 고찰했다. 체홉은 배우가 작가의 대본에 안주하거나 연출이 지시한 동작을 실행하는 것으로 배우 자신을 규정하지 말라고 하며, 주체적이고 독립적이며 창조적인 배우가 되길 원했다. 본 저자는 이러한 체홉의 배우를 위한 연기론이 인간의 자아와 인간의 가치를 중요시하는 인지학의 영향을 받았기 때문이라고 본다.

먼저 체홉은 전인으로서의 배우를 추구했다. 인간본질론의 전인이란 신체, 영혼, 정신이 균형 있게 통합된 이상적 인간을 말한다. 신체, 영혼, 정신이 완벽하게 조화된 총체적 자아를 찾는 것이 인지학의 목표이고 체홉이 배우에게 요구했던 이상적인 배우의 상도 통합적 인간으로서의 배우이다. 전인으로서의 배우가 되기 위해서는 신체와 심리가 조화롭게 연결된 배우, 집중과 관찰을 통해 감각과 인식이 확장된 배우가 되기 위해 노력해야 한다. 체홉이 추구한 두 번째 배우의 상은 고차적 정신세계를 인식하는 배우이다. 슈타이너의 인지학과 체홉의 연기론은 기본적으로 영혼과 정신, 고차적 자아 등 고차적 정신세계 인식을 전제로 한다. 고차적 정신세계를 인식한다는 것은 체홉의 연기론을 정신적인 측면에서 깊이 이해해야 한다는 것을 강조하는 것이다. 배우가 고차적 정신세계 또는 고차적 존재를 인식하기 위해서는 집중과 관찰을 통한 감각과 사고의 확장, 배역의 본질에 대한 탐구, 창조적 이미지와 상상을 위한 연기훈련 등이 필요하다고 본다. 체홉이 추구한 세 번째 배우의 상은 배역의 본질을 투시하는 배우이다. 연기의 핵심은 배역의 본질을 잘 이해하는 것이고, 그것은 결국 인간에 대한 깊이 있는 이해가 필요하다.

본 저자는 체홉의 연기론과 관련하여 정신적인 측면에서의 연구의 필요성과 단기간에 훈련과제 중심으로 접근되어지는 교육에 대한 문제점을 지적했다. 체홉이 지향하는 영혼과 정신의 연기, 배역의 본질을 탐구하는 연기를 제대로 파악하기 위해서는 인지학에 대한 이해가 필요하다. 따라서 인지학에 대한 기본적인 이해를 포함하는 체홉의 연기 테크닉에 대한 효과적인 훈련방법이 계발되기를 제안한다.

배우가 극중 인물을 창조한다고 하는 것은 그 인물을 어떻게 이해하는

가 하는 문제이다. 그래서 배우는 고차적 자아인 배역의 본질을 파악해내야 하고, 극중 인물인 인간에 대한 전문가가 되어야 한다. 배우가 연기하는 극중 인물인 배역은 결국 인간이고 그 배역의 본질은 인간의 본질이기 때문이다. 따라서 인지학을 수용한 체홉의 연기방법론은 인간에 대한 깊은 이해를 바탕으로 하는 인간의 본질을 추구하는 연기론이라고 본다.

김영래
정화예술대학교 공연예술학부 조교수(강의전담)
극단 아이터 대표
한국인지학연구모임 회원
세계인지학회 괴테아눔 회원
신한대학교 공연예술학부 외래교수
청계자유발도르프학교 연극교사
수원과학대학교 공연연기과 겸임 교수
한양대학교 일반대학원 연극영화학과 실기 박사(DFA)
한양대학교 일반대학원 연극영화학과 석사(MA)

인간의 본질을 추구한
미하일 체홉의 연기론

초판 2쇄 발행일 2023년 10월 25일
김영래 지음

발행인 이성모
발행처 도서출판 동인
주 소 서울시 종로구 혜화로3길 5 118호
등 록 제1-1599호
TEL (02) 765-7145 / FAX (02) 765-7165
E-mail dongin60@chol.com
ISBN 978-89-5506-825-2
정 가 18,000원